等伯

下

Tohaku

Abe Ryutaro

安部龍太郎

日本経済新聞出版社

目次

上巻目次

装幀　菊地信義
装画　長谷川等伯「松林図屏風」
（国宝、部分）
東京国立博物館所蔵
Image: TNM Image Archives
カバー装画は右隻、見返し装画は左隻を使用。

等伯　下

第六章　対決（承前）

長谷川信春《はせがわのぶはる》が二度目の上洛をはたしたのは、天正十三年（一五八五）九月のことだった。比叡山《ひえいざん》や愛宕山《あたごさん》の山頂ではすでに紅葉が始まっている。これから三方の山々が色付きはじめる美しい季節を迎えようとしていた。

十四年前に上洛して以来初めて、信長軍の目を恐れずに自由に活動できる。この先どうするべきか、じっくりと考えたかった。

まず仙洞御所《せんとうごしょ》をたずねた。

長い塀の西のはずれに八重桜の巨木があり、暑苦しいほどびっしりと緑の葉が生い茂っていた。長谷川家の庭にあったものと同じ桜である。信春の義理の祖父にあたる無分《むぶん》が、都に絵の修行に来ていた頃に苗木を持ち帰ったのだった。

「金銀よりも何よりも、この桜を大切にせよ」

無分は事あるごとにそう言っていた。

それは都の文化へのあこがれや朝廷への尊崇の念からだと思っていたが、こうして世の激動をくぐり抜けた今では、ちがうように感じられた。

(義祖父《そふ》は御所の桜に不朽《ふきゅう》なるものを見ていたのではないか)

それは前久《さきひさ》が言った常しえの真・善・美と同じである。その値打ちに比べれば、世俗の権力や富など儚《はかな》いものだ。無分はそう教えようとしたのかもしれなかった。

もう七尾《ななお》の家にはもどれない。畠山《はたけやま》から上杉、そして前田へと領主を変えた故郷は、まったく新しい町に生まれ変っている。あの家も取り壊されたか人手にわたっただろう。

それゆえ御所の八重桜が、信春にとってひときわ懐しいのだった。

次に本能寺をたずねた。

西洞院蛸薬師《にしのとういんたこやくし》にあった日蓮《にちれん》宗の寺は、変の当日一万余の明智勢に取り巻かれた。信長はわずか二百人ばかりの従者とともにしばらく戦い、寺に火を放って自害したのだった。

広大な寺の敷地は更地のまま放置してあった。明智光秀を討ちはたして上洛した秀吉は、信長が難にあった寺を不吉と見なし、焼け残っていた建物や塀をすべて撤去したのである。

(国破れて山河あり、か)

信長軍の追跡から解放されたことを改めて実感し、信春は腕を天に突き上げて深々と呼吸した。新しい時代を迎えた喜びが、体の底からわき上がってきた。

信春は蛸薬師通を東へ向かった。

しばらく歩くと室町通に出る。その手前の角に南蛮寺があった。天正四年(一五七六)にイエ

ズス会の宣教師たちが、信長の許可を得て建てた教会である。

信長はイエズス会と決別し、安土城内の摠見寺に己れを神として祭らせたのだから、信長の天下がつづいたなら南蛮寺は早晩取り壊される運命にあった。ところが本能寺の変が起こったために辛くも難を逃れ、宣教師たちは従来通り布教をつづけていた。

信春はキリシタンに対して悪い印象を持っていない。アルメイダやモニカ春子の献身的な活動には、敬意を抱いている。だが前久からあのような話を聞かされたせいか、前のように素直な目で宣教師たちを見ることができなくなっていた。

室町通はさすがににぎわっていた。多くの呉服店が軒をつらね、色とりどりの着物を商っている。大勢の客が店棚に取りつき、鵜《う》の目鷹《たか》の目で物色していた。

商品の多くは絹織物である。原料の生糸は日本ではそれほど生産されず、大半を輸入に頼っている。室町の繁栄は南蛮貿易に支えられていると言っても過言ではなかった。

茶店もある。店先に大きな朱傘を広げ、長床几《ながしょうぎ》をおいてみたらし団子を売っている。静子《しずこ》の好物だったことを思い出し、信春は長床几に腰をおろした。

人の目を気にせずにこうして団子を食べられるのも、信長の世が終ったからである。静子が生きている間にこんな所に連れて来たなら、どんなに喜んだだろう。

そう思うと鼻の奥につんと悲しみが走った。

「あの、間違うたら堪忍どすけど」

六十がらみの女が遠慮がちに声をかけた。髪は白くなり腰も曲がりかけているが、昔は花街に

いたろうかと思わせる婀娜《あだ》めいた色香があった。

「もしや、長谷川信春先生ではありませんか」

信春は一瞬どきりとしたが、もう逃げ隠れしなくていい身の上だった。

「そうですが、あなたは」

「浮橋の女将《おかみ》どす。ほら、西陣で扇屋をしていた」

「ああ、光太夫さんの奥さんの」

「玉尾どす。お懐しゅうおすね」

十四年前、信長軍に追われた信春は、本法寺に入れてもらえず路頭に迷っていた。その時声をかけてくれたのが、扇屋浮橋の主人光太夫だった。

ところが店に住み込むようになると、こちらの弱味に付け込んでただ働きをさせる。しかも遊廓の求めに応じて春画を描けと迫る有様だった。

再会して嬉しい相手ではない。だが玉尾はあの頃と比べものにならないくらい身なりが良くなり、年若い下女をつれていた。

「うちらもここに座らせてもろて、よろしゅうおすか」

押しの強さは相変わらずで、信春に寄りそうように腰を下ろした。

「ご商売はうまくいっているようですね」

「おおきに。それも先生のお陰どす」

「私は居候《いそうろう》をさせていただいたばかりです」

「何をお言いやす。先生の立派な生き方を見て、うちの人はもういっぺん絵の修行をする気にならてくれはったんどっせ」

「あの頃、立派な生き方をしていたとは言えませんが」

「覚えてはりますか。大臼屋《だいうす》さんのこと」

「もちろんです。芸妓さんの絵を、ずいぶん描かせてもらいました」

「あのお店から、五倍の値を払うよってややこしい絵を描いてほしいと頼まれましたやろ。そやけど先生は、決して首を縦にふろうとはしはりませんでした」

嫌がる信春を酒と鴨鍋でくどき落とそうとしたのは、他ならぬ玉尾だった。

「それを見て、うちの人も心を入れ替えてくれはったんどす。わしも絵師の本願に立ち返らないかん言うて、先生が本法寺さんに行かはった後、残してくれはった絵を手本にして修行に打ち込まはったんどす」

すると絵の質が上がり、扇が徐々に売れるようになった。そうして三条通に店を出せるほどに繁盛《はんじょう》したという。

「ここから少し上がった、了頓図子《りょうとんずし》というところどす。主人も喜びますさかい、どうぞ店に寄っておくれやす」

玉尾の強引な誘いを断わりきれず、信春はついていくことにした。室町通の西側、衣棚《ころもだな》通が三条通に交わる所に、扇屋浮橋はあった。

間口三間の立派な店で、入り口には紫の地に浮橋という字を染め抜いたのれんをかけている。

店の左右に色とりどりの扇を並べ、正面の壁には十四年前に信春が描いた扇がかかげてあった。芸妓の顔と五重の塔、それに鎧武者を描いた三面である。明らかに信春の仕事だが、扇の隅には浮橋の落款《らっかん》が押してあった。

「まあ、うちで作らせてもろたもんやさかい」

玉尾が決まり悪そうに言い訳して、光太夫を呼びに行った。

作業場では二人の若い職人が扇の絵付けをしていた。信春の頃には土間に筵《むしろ》を敷いただけだったが、今は板張りの部屋に文机を置いていた。

やがて光太夫が玉尾に手を引かれて奥から出てきた。髪がうすくなり腰は曲がって、ひどく老け込んでいる。しかも右足と右手の自由が利かないようだった。

「先生や、ほんまに先生や」

光太夫は顔を合わせるなり感極まって涙を流した。

「昨年の冬に中気《ちゅうき》にあたりましてな。もうあきまへん」

「ほんまどっせ。こないになってしもて」

玉尾はそう言いながらも、光太夫を甲斐甲斐しく作業場の縁《へり》に座らせた。

「お前ら、このお方が長谷川先生や。この店の恩人さんやさかい、よう覚えとけ」

光太夫は職人に声をかけ、何かうまいものでも喰って来いと銭を渡した。

「ここに移って十年になります。あんな地虫のような暮らしをしとりましたが、先生のお陰で目がさめました」

「こちらこそ。あの時はお世話になりました」

「嬉しいのはね、先生。こんなわしでも少しは絵心に通じることができたことです。先生が残さはった絵を一生懸命写しているうちに、何《なん》や知らん腕が上がってきたんですわ。それにつれて人さんの絵の良さも分るようになりました」

それが何より有難い。生まれてきた甲斐があったと、光太夫は再び涙を流した。

「この人ったら、耄碌《もうろく》してしもて。近頃泣いてばかりいるんどすえ」

玉尾ももらい泣きしながら、手ぬぐいで乱暴に光太夫の涙をふいてやった。

「それでね、先生。ひとつお願いがあるんどすけど、聞いてくれはらしまへんやろか」

「どういうことでしょうか」

「お店《たな》のことどす。この人がこんな風にならはって、これ以上お店をつづけることはできしません。誰かに店をやってもろて、うちらは店賃《たなちん》で暮らしていくしかないと言うとりましたんや」

しかし、よほど信用できる人でなければ貸せないし、腕のいい絵師でなければ店を繁盛させることはできない。どうしたものかと思いあぐねていた時に、茶店で信春を見かけたというのである。

「これは神仏のお引き合わせや思いましてな。先生に引き受けてもらえんやろかと、奥でこの人と話してましたんや。なあ、あんた」

「そやそや。それやったら思い残すことはあらへん」

思いもかけない成りゆきである。だが洛中で絵の修行をするには、絵屋を営むのは案外いい手

かもしれなかった。

「どうどっしゃろ。あきまへんか」

「いや、あまり急な話なので」

「うちらは四条の方に住居《すまい》がありますよって、店も奥も使っていただいてよろしゅおす。なあ」

「そうや。わしの頼みは、職人二人をここで使ってほしいいうことだけです」

翌日、信春は堺にもどって久蔵にこのことを相談した。

気持はかなり傾いていたが、独断で決めるわけにはいかなかった。

「父上はどうお考えですか」

「急な話だが、絵屋を開いてお客さまに見てもらうのはいい修行になると思う」

それに将来大きな仕事を引き受けるためには、手足となって働いてくれる職人を育てておく必要があった。

「それなら異存はありません。長谷川派を旗上げするつもりでやりましょう」

久蔵はそこまで見通せるほど大人になっていた。

信春は日通と清子《せいこ》にもこのことを話し、油屋《あぶらや》から出ていく了解を得ようとした。

「それは何よりです。私も近いうちに本法寺にもどりますから」

京都でまた会えると手放しで喜んでくれたが、清子は浮かない顔で黙り込んだままだった。

都に移ったのは八月十五日だった。

奇しくもこの日は石清水八幡宮の放生会《ほうじょうえ》で、大坂から伏見に向かう船は混み合っていた。大きな荷物を抱えた信春と久蔵は迷惑そうな顔をされたが、仏教で殺生をいましめる日なので文句を言う者はいなかった。

了頓図子の浮橋では、光太夫と玉尾が待ち受けていた。家財をすべて運び出し、すぐに引き渡せるようにしている。奥に四つの部屋と中庭がある立派な町屋だった。

店も空になっていた。店棚に並べたり壁にかけてあった扇はきれいさっぱり無くなっていた。

「古いもんがあったら、かえって迷惑やろ思いましてな。店仕舞いの安売りをさせてもらいました」

売れ残った品は大臼屋に引き取ってもらったと、玉尾がさばさばした顔で言った。

「ありがとうございます。大事に使わせてもらいます」

「先生やったら心配あらしまへん。扇ばかりやのうて屛風やふすまも売らはったらよろし。なあ、あんた」

「そうや。飛ぶように売れること間違いなしや」

時々はのぞきに来させてもらいますと、光太夫は早くも涙目になっていた。

ちょうど仲秋の名月の日である。信春は店の前に床几を出し、久蔵と月見をすることにした。

「それなら千之助さんと茂造さんを誘っていいですか」

光太夫が使ってくれと頼んだ職人である。引っ越しの作業をする間に、久蔵は二人と親しくなっていた。

「それはいい。それなら酒を買ってくるか」

結局光太夫と玉尾も加わって観月宴になった。

千之助は三十になる細身の男で、すでに妻子がいる。茂造は久蔵より三つ上で、丹波出身の実直な若者だった。

「先生、都の月はこうやって見るんどっせ」

玉尾が芋や茄子を入れたかごを持ち出した。

茄子には穴があいている。月に向けてこれを供え、この穴から月を見て願いごとをするという。

「月には団子ではないのですか」

「それは下々の習わしどす。宮中では昔からこうしてはります」

玉尾に迫られ、皆が茄子の穴から月をながめて願いごとをした。

次の日から開店準備にかかった。

まず四条室町の生野《いくの》屋をたずね、絵屋を開くので画材を提供してほしいと申し入れた。

「そうでっか。そらよろしゅおしたな」

顔見知りの番頭がもみ手をしながら、なんぼでも用立てますと言った。

祖父の頃から取り引きがある店だが、信春が信長軍に追われていた時はけんもほろろに追い返されたのだった。

「あん時はすまんこってしたな。何しろ相手が相手やさかい」

番頭もその時のことを覚えていて、申し訳なかったと頭を下げた。

画材がひと通りそろうと、扇の製作にかかった。信春と久蔵が絵を画き、千之助と茂造に張り付けをさせた。

店の名前は能登屋とした。故郷にちなんだことは言うまでもないが、能登は能《よ》く登ると読み、昇龍にも通じている。店が繁盛するようにとの願いを込めての命名だった。

十月になり開店が間近になった頃、日通《にっつう》がたずねてきた。

「いいお店になりそうですね。場所も申し分ないじゃありませんか」

「不思議なご縁で、この店を貸してもらえることになりました」

信春は光太夫との縁をかいつまんで話した。

「大きな計らいの手が、あなたを導いているのですよ。因縁果報の理《ことわり》どおりです」

日通も本法寺の再建のために京都に来たので、これから時々寄らせてもらうと言った。

「清子も会いたがっています。今度連れてきてもいいですか」

「もちろんです。本法寺に来ておられるのですか」

「どうした風の吹き回しか、私の仕事を手伝うと言い張りましてね。いつまでも油屋においておくのは可哀想なので、連れて来ました。よろしくお願いいたします」

清子は子供が産めないという理由で嫁ぎ先から離縁されている。実家とはいえ、叔父の代になった油屋にいるのは肩身が狭いのだった。

「たいしたこともできませんが」

日通が開店の祝いにと釜を差し出した。油屋常言《じょうごん》が愛用していた芦屋《あしや》の真形《しんなり》釜だった。

「このような高価なものを」

「あなたのような方に使っていただければ、祖父もきっと喜びますよ。お客さんをもてなす時に使って下さい」

日通を見送った直後に、近衛家から使者が来た。

「左大臣さまからの祝いの品でございます」

使者の青侍がいくらか尊大な態度で、布に包んだ板のようなものを式台に置いた。

贈り主は前久の嫡男信尹《のぶただ》である。今季の補任《ぶにん》で左大臣に昇進したばかりだった。

中には能登屋と揮毫《きごう》した槙《まき》の板が入っていた。後に三藐院《さんみゃくいん》流の書道の祖となり、寛永《かんえい》の三筆とうたわれた信尹が、信春のために看板を書いてくれたのである。

「先日は鷹の絵をいただき御礼申し上げる。どうぞお納めいただきたい。そうおおせでございます」

「お心遣いありがとう存じます。有難く頂戴いたします」

信春はお礼のしるしに桐の箱に入れた扇を渡した。

十月十日の開店には、本圀寺《ほんこくじ》の日禛《にっしん》上人が白磁の器に生けた萩の花をとどけてくれた。

午後には着飾った芸妓五人が、扇を買いたいとたずねてきた。姉《あね》さん格の年増の芸妓に見覚えがあった。

「大臼屋の花扇どす。先生、覚えてくれてはりますか」

「ああ、昔描かせてもらったな」

あの頃は十七、八だったが、すでに三十路《みそじ》をすぎていた。

「お店をしはると聞いたさかい、この妓《こ》らを連れてきました。昔のように描いてやっておくれやす」

「それなら二枚描いて、一枚を店で売らせてもらう。それでもいいか」

「かましまへん。そのかわり店の名とこの妓たちの名前を入れてくれなあきまへんで」

花扇もしたたかである。今は主人の徳左衛門の後添《のちぞ》いになって、大臼屋を切り盛りしているのだった。


店は繁盛した。

最初の半月ほどは浮橋の常連がたずねてくる程度だったが、扇を買った者から評判が広がり、十一月になると売れすぎて生産が間に合わなくなった。

かといって粗《あら》い仕事はできない。どうしたものかと頭を悩ませていると、

「そんなら先生、値段を倍にしたらどうどすか」

世慣れた玉尾が味のある助言をした。

確かにそれだと客が減り、商品がないとわびる重圧から解放される。名案かもしれないと思って採用したが、客足はまったく落ちなかった。

むしろ高級品だと評判を呼び、諸国から上洛した大名たちが国許へのみやげに大量に買おうとする。しかも新年に向けて扇を新調する客が多く、公家や寺社、室町の大店《おおだな》あたりからも大量の

注文が入った。

とりあえず職人を三人増やし、下絵、色付け、仕上げの分業制にすることにした。上等の扇は信春と久蔵が仕上げをし、その下は千之助と茂造が担当。張り付けは別の店に注文した。

これで生産ははかどるようになったが、店の運営にあたる者がいなかった。材料の仕入れや売り上げの管理、人件費の支払い、注文主への連絡など、信春の手に負えるものではなかった。

困りはてた信春は日通に相談した。経理や営業などに長《た》けた者を、堺の油屋から派遣してもらえないかと思ったのである。

「父にたずねてみましょう。しかし、店の切り盛りなら手慣れた者が身近にいますよ」

日通がここぞとばかりに、従妹《いとこ》の清子を雇ったらどうかとすすめた。

油屋で帳簿の管理をしていたし、明るい性格なので客あしらいも上手だという。

「それは有難いのですが、手伝っていただけるでしょうか」

「お気づかいは無用です。水を得た魚のように働きますよ」

翌日、日通が清子をつれてきた。はちきれんばかりの丸い顔が、喜びに輝いている。すぐに仕事にかかれるように、道具一式を買いそろえるほどの熱心さだった。

「話には聞いていましたが、立派なお店ですね」

能登屋の看板と店棚にならべた扇を、清子がほれぼれとながめた。

「男ばかりの所帯なので、むさくるしいですよ」

恐縮する信春の横をすり抜け、

「帳場《ちょうば》はどこですか」

店に入ってあたりを見回した。

「隣の部屋です。店を閉めてから、私と久蔵が売り上げ帳をつけています」

「それならふすまを取りはずし、店と帳場をひとつにして下さい。そうすればお客さまへの対応もできますから」

信春はさっそく言われる通りにした。

清子は文机にすわり、売り上げ帳を確認しはじめた。

「仕入れ代を書いた帳簿は？」

「つけていませんが」

「職人さんたちへのお給金は？」

「それもつけていません」

そんなものを書き止める必要があるとは、信春は思ってもいなかった。

「それではいくら経費がかかって、いくら利益が出たか分らないではありませんか」

「手元に残った金で、いくら儲かったかは分ります。その中から仕入れ代や給金を払っておりました」

「そうですか。分りました」

清子は包みを開け、びっしりと罫線《けいせん》を引いた帳簿を取り出した。

この頃の日本には、イタリアのヴェネツィアで開発された複式簿記《ふくしきぼき》法がすでに伝わっている。

油屋でもそれを用いて商いをしていたので、清子も店を手伝っている間に身につけていた。

天正十四年（一五八六）の年明け早々、珍しい来客があった。狩野松栄《かのうしようえい》が前触れもなしにふらりと訪ねてきたのだった。

「雪はいいですな。遠出には往生しますが、真新しい雪を踏みしめて歩くと心が洗われるようです」

松栄は戸口に立って着物の裾についた雪を払った。

表には昨夜から降った雪がぶ厚くつもり、目の奥が痛むほど白く輝いていた。

「松栄さま。ようこそお越し下されました」

信春は全員を整列させて出迎えた。

「もう隠居の身です。お構いなくお仕事をつづけて下さい」

松栄はかえって恐縮している。頭が低く思いやり深い態度は昔のままだった。

「絵屋を始められたとは聞いておりました。早くお祝いにと思っておりましたが、隠居というのも案外忙しいものでしてな」

「ここは寒うございます。どうぞ中へ」

信春は奥の客間に案内した。

六畳の部屋の隅に茶の湯の道具をおき、茶をふるまえるようにしている。風炉《ふろ》においた釜は日通からもらったものだった。

「ほう、これは優しげな真形《しんなり》でございますな」

「知り合いから頂戴したものです。炉を切る余裕もありませんので、夏仕立てで失礼いたします」

信春は手早く茶を点てた。茶碗は枇杷《びわ》色に発色した人形手青磁だった。

「ありがたい。心にしみる味でございます。ましてこんな寒い日はなおさらです」

松栄はゆっくりと茶を味わい、この茶碗には及びませんがと言って祝いの品をさし出した。

桐の箱に入った墨である。箱には雅友と上書きしてあった。

「これは明国の程君房《ていくんぼう》という墨匠《ぼくしょう》が作ったものです。まだ十年ばかりしかたっておりませんが、古墨にも勝る味があるので、近頃はこればかり使っています。どうぞ、試していただきたい」

「ありがとうございます。何よりの品でございます」

ふたを開けただけで、墨がふくよかな香りを放った。色あいもしっとりして、木目《きめ》こまやかな深みがあった。

「今日うかがった理由は、もうひとつあります。聞いていただけましょうか」

「私は松栄さまの弟子でございます。何なりとおおせつけ下さい」

石山本願寺で教如《きょうにょ》の肖像を描いていた頃、松栄は信春を狩野派の高弟同様にあつかい、門外不出とされている襖絵の下絵まで見せてくれた。

もう十数年も前のことだが、信春はその恩を忘れてはいなかった。

「実はこのたび、関白殿下が内野《うちの》に御殿をきずくことになされました。城と宮殿を合わせた壮麗

な御殿で、やがては帝のご行幸《ぎょうこう》をあおがれるのだそうでございます」

聚楽第《じゅらくだい》のことである。内野とは大内裏《だいだいり》があった場所で、建物は何百年も前に焼失している。ところが都人《みやこびと》は、いつの日か大内裏を再建しようと空地のまま保存してきた。

秀吉はここに聚楽第を建て、天皇の行幸をあおぐことで、天下人《てんかびと》の地位を確実なものにしようとしていた。

「御殿のふすま絵は、お陰さまで狩野が請け負うことになりました。ところが千枚以上の大仕事ゆえ、人手が足りません。そこで信春どのに手伝っていただけないかと、こうして相談に上がったのでございます」

「それは願ってもないことですが、永徳どのはご承知でしょうか」

「あれにはまだ話をしておりません。親子とはいえ、近頃は腹を割った話があまりできないのです」

「人手なら狩野家だけで足りると存じます。何か特別な事情があるのでございましょうか」

「帝のご行幸をあおぐ御殿ですから、造作については朝廷の仕来りに従わなければなりません。その審議《しんぎ》の席で、近衛太閤さまが永徳一人を頭《かしら》にすることに難色を示されたのです」

前久は頭が一人では画風が片寄ると言った。だがそれは表向きで、本当は永徳に抜きがたい不信を抱いているからだという。

「それは何故《なにゆえ》でしょうか」

「お聞きになっていませんか。太閤さまから」

「近衛さまが批判しておられたのはうかがいました。しかし理由は聞いておりません」

「そうですか。まことにお恥かしい次第ですが」

松栄は話すべきかどうか思いあぐね、人形手の茶碗をじっと見つめた。

「もう一服、いかがですか」

信春は茶をすすめた。

松栄は二服目をゆっくりと飲み干し、これは内密にしてもらいたいと言った。

「悴《せがれ》は信長公ご存命の頃、肖像画を何枚か描いております。そのうちの一枚が大徳寺に残っておりました」

秀吉は本能寺の変の後、大徳寺に総見院を建立して位牌所《いはいじょ》とした。天正十二年の三回忌の法要もここでおこなったが、その時に永徳が描いた信長の肖像画をかかげることにしたという。

「ところが秀吉公は悴の絵がお気に召さず、描き直せとお命じになったのでございます。しかも新しく描くのではなく、すでにある絵に手を加えよとのご諚《じょう》でございました」

「どうして、そんなことを」

「装いが派手すぎて法要の場にふさわしくないと、おおせられたそうでございます」

「永徳どのはそれに従われたのでございますか」

「さよう。誰にも相談せずに描き直しておりました。私は三回忌の法要の場で、初めてそのことを知ったのでございます」

初めの肖像画は威風堂々たる表情で、衣装もきらびやかで大刀と脇差をおびていた。だが描き

直した絵はいかにも貧相になり、衣装も地味で、腰におびたのは脇差一本になっていた。

永徳はかつて描いた信長像の威厳《いげん》を、秀吉に命じられて自らおとしめたのである。

「そうですか。それで近衛さまは」

永徳は絵師の魂を売ったときびしく批判したのだと、信春は初めて思い当たった。

だが信春には、永徳を責めるつもりはなかった。いったん完成させた絵に手を加えるのは、絵師にとって身を切られるように辛いことである。

責めるべきは、永徳にそんなことを命じた秀吉の傲慢だった。

「悴のことを、近衛さまは何とおおせでしたか」

「絵師は求道者《ぐどう》だ。この世の名利に目がくらんだらあかん、と」

「確かにおおせの通りでございます。しかし悴は悴なりに思い悩んだ末に、あのような決断を下したのでございましょう」

狩野家は初代の正信《まさのぶ》以来四代にわたって、幕府や朝廷の御用絵師をつとめてきた。その総帥《そうすい》となった永徳は、狩野派の画業と名誉を守る重責をになっている。

ところが信長にあまりに重用されてきたために、政権が代った今では微妙な立場に立たされている。だから秀吉の信頼を得るために、踏絵のような理不尽な要求にも応じたにちがいなかった。

「そんな折に内野の御殿の仕事を任されたのでございます。このままでは悴一人が逆風にさらされ、孤立を深めて意固地《いこじ》になるおそれがございます」

それゆえ一方の絵の頭として、信春に聚楽第の襖絵の制作に加わってもらいたいという。

「それは近衛さまのご意向でしょうか」

「いいえ。私だけの考えです」

「永徳どのにはまだ話していないとおおせでしたね」

「話しておりません。信春どののご承諾を得てからと考えておりました」

「それではかなり難しいのではありませんか」

信春は一度だけ永徳に会ったことがある。二年前に日比屋了珪《ひびやりょうけい》の茶会に招かれた時、西洋画を買いつけに来ていた永徳と同席した。

永徳は待ち合いでも茶席でも、目も合わせず口もきかず、徹底して無視した。お前など絵師とは認めないと言わんばかりの態度だった。

「難しかろうが嫌がろうが、首根っ子を押さえつけてでも承知させます。それゆえ一度、わが屋敷に来ていただきたい」

「分りました。そのようにさせていただきますが、ひとつだけお願いがあります」

仕事を引き受けることになったなら、久蔵も加えてほしい。信春はそう頼んだ。

狩野派の仕事に加われるなら、二人で修行するまたとない機会だった。

松栄の屋敷は狩野図子にあった。

信春が住む了頓図子が茶人である廣野了頓にちなんでいるように、狩野正信がこの地に住んで以来、狩野図子と呼ばれるようになっていた。

場所は烏丸《からすま》今出川の辻を西に入り、三筋目を南に下ったあたり。衣棚通と新町通の間の元図子町である。

信春が住む了頓図子から新町通を真っ直ぐ北に向かえば、半里にも満たない近さだった。

信春はあえて手ぶらで狩野邸を訪ねた。松栄には言葉につくせぬ恩義がある。だが永徳とはあくまで対等に接したかった。

玄関で取りつぎを頼むと、松栄が迎えに出て客間に案内した。

ややあって永徳が上座についた。歳は四十三。すでに初老の域にさしかかっているが、白面の貴公子と呼ばれた頃の面影が残っている。

身の丈は五尺ばかりのきゃしゃな体つきで、信春より二回りほど小さい。この体のどこに、あの勇壮な障壁画を物する力がひそんでいるのかと不思議なほどだった。

「父から話は聞きました」

永徳は冷ややかな目をして用件を切り出した。

「内野の御殿の仕事を手伝っていただけるそうですね」

「松栄さまからご依頼がありましたので、お引き受けすると申し上げました」

「下京《しもぎょう》で絵屋をしておられるそうですね」

「扇や屏風を売っております」

「町衆相手のご商売では、高貴な御殿の襖絵など手がける機会はありますまい」

「高貴な方の住《すま》いではありませんが、何度か描かせていただいたことがあります」

「それでは二面の絵を描いて、腕のほどを見せていただきましょうか」

永徳の目にかなったなら採用するというのである。あまりに高飛車な物言いに、信春は返事をする気にもなれなかった。

「むろんその分の代価は支払います。ご商売で絵を描いておられるのでしょうから」

永徳は嫌味の念押しをするように、いくら払えばいいかとたずねた。

信春は席を蹴って帰ろうかと思ったが、松栄がすまなそうな顔で目配せをするので目をつむることにした。

「代価はいくらかとおたずねですが、永徳どのならいくら請求されますか」

「私は絵屋ではありません。そんなことを聞かれるとは心外です」

「それは私も同じです。この仕事は松栄さまの弟子として引き受けるのですから」

「ほう。ならばどうすれば描いていただけますか」

「代価を支払っていただけるなら、永徳どのの絵で購《あがな》っていただきとう存じます」

信春は大きく出た。自分の絵は永徳の絵と同じ値打ちがあると言うも同じだった。

「絵屋のあなたが、この私と」

永徳は唇の端を吊り上げてにやりと笑った。神経を病んだような笑い方だった。

「まるで銀と土塊《つちくれ》を取り替えるようなものだ」

「それは我々が決めることではありません。二人が描いたふすま絵を並べて、どちらが銀でどちらが土塊か、どなたかに判断していただけばいいのです」

「いいでしょう。その大口を叩きつぶし、身の程知らずだったと思い知らせてさし上げますよ」

永徳は相手にするのも馬鹿馬鹿しいと言わんばかりに席を立ち、画題と日時は追って知らせると言った。

信春と松栄は顔を見合わせ、申し合わせたように溜息《ためいき》をついた。

「すみません。出過ぎたことを申しました」

信春は松栄が気分を害したのではないかと気づかった。

「こちらこそ。あれも以前はあんな風ではなかったのです。信長公の肖像画を描き直して以来、人に弱みを見せまいと虚勢を張っているのです」

「そんな時に、絵の勝負をさせていただいていいのでしょうか」

「構いませんよ。競争相手があれば、人は思いがけない力を発揮するものです。あれは信長公のお引き立てを得て、この十年ちかく天下一ともてはやされてきましたから、思いきり鼻っ柱を叩き折ってやって下さい」

ただし手強《てごわ》いですよと、松栄は含み笑いをした。信春に襖絵を頼んだのは、永徳の発憤《はっぷん》をうながすためでもあるようだった。

正月飾りを燃やすどんど焼きも終った頃、松栄から使者が来た。

画題は山水花鳥図の中の梅に小禽《しょうきん》図。三月一日に完成作を狩野邸に持参していただきたいという。先日はふすま二面という話だったが、山水図の定石通り四面にしてほしいとの申し入れも添えてあった。

「永徳どののご意向でしょうか」

「そのように考えていただいて結構でございます」

使者は歯切れの悪い返答をして、ご承知かどうかうけたまわりたいと言った。

「分りました。当日を楽しみにしていると、永徳どのにお伝えいただきたい」

「松栄さまから、これをお渡しするようにと」

使者が差し出した書状には、決着がつくまではそちらを訪ねるのを控えさせていただくと記されていた。

信春は久蔵と職人たちを作業場に集め、永徳と襖絵の勝負をすることになったいきさつを語った。

「その絵を認められたなら、関白さまが内野に建てられる御殿の襖絵の仕事をさせてもらう約束だ」

職人たちが驚きにどよめいた。久蔵も興奮のあまり頬を紅潮させていた。

「これは長谷川派を立ち上げる第一歩だ。しばらく絵屋の仕事から離れるが、しっかりと店を守ってもらいたい」

翌日から絵の構想をねり始めた。

まず狩野派の伺《うかが》い下絵の写しをめくり、永徳がどんな絵で勝負に出るか当たりをつけた。

お家芸は太い幹を中心にすえて存在感を表し、左右に伸ばした枝で動きを表現する描き方である。太い幹の荒々しい筆遣いで勢いと躍動感を、枝や花は繊細に描き込んで気品と優雅さをかも

し出す。

永徳もこの画法を基本にして、人目を驚かす新たな趣向を加えてくるはずである。これにどう対抗すればいいか、信春は下絵の写しをめくりながら考えをめぐらした。

方向性は決めていた。

ひとつは色彩感豊かな絵にすることである。紅梅が折り重なって花をつけ、根本には春の草花が咲き誇っている。

水墨画とはいえ、見た者に色を感じさせる技法を駆使して、単調になりがちな狩野派の欠点を乗り越えようと思った。

もうひとつは西洋画の技法を取り入れることだ。

ダ・ヴィンチの『ジョコンド夫人』のように、背後に遠近法を用いた風景を加えることで、梅が自然の中にある感じをより強く出したかった。

信春は七尾にいた頃のように本尊曼荼羅《まんだら》図の前で座禅を組み、心気《しんき》をすましてから下絵に取りかかった。

梅の幹を左に寄せて太く描き、枝を右へ走るように伸ばす。その枝からいくつもの小枝が出て花をつけ、二羽の雀が寄りそって羽根を休めている。

これだけでは右側が重くなりすぎるので、左の根本にどっしりとした岩を皴法《しゅんぽう》を用いて描き、そのはるか向こう雪山から流れ出した川の景色をおく。

前面に描いた地面には春の草花がつぼみをつけ、紅梅にやや遅れて花を咲かせようとしている。

そのすべてが山から流れ出した雪解け水の恵みだという意味を込めた構図だった。

信春は基本線を引き、それに肉付けをしながら何枚も下絵を描いた。

梅の枝ぶりや花の位置、背景の高さなどを少しずつ変えながら、全体の均整を取ろうとしたが、どうしても気に入ったものにならなかった。

何かがちがう。しっくりとこない。だがどこがどう違うのか、描けば描くほど分らなくなった。

「お前はどう思う」

十五枚ばかりの下絵を並べて久蔵にたずねた。

「水墨画は前に出るものだと思います。後ろに引く西洋画の技法を用いれば、その良さを殺してしまうのではないでしょうか」

久蔵は遠慮がちに答えた。両者は水と油のようなもので、うまく混じり合わせることはできないというのである。

「いいや。共に生かす道が必ずあるはずだ」

信春は頑なにこの構図にこだわった。

ダ・ヴィンチにできたことが、自分にできないはずがない。それに伝統的なやり方では永徳に敵《かな》わないと感じているので、新しい手法に活路を見出そうとしていた。

一月ばかりも下絵を描きつづけ、どうしていいか分らず食事も喉を通らなくなった。それでも先に進もうと、眼窩《がんか》が落ちくぼんだ鋭い目をして筆を握りしめていた。

窮状を見かねた清子が、ある日お茶を運んできた。そのまま部屋の隅に座り、じっと仕事ぶり

を見つめていた。

信春はそれにも気付かず絵を描きつづけた。夕方になってふと気付くと、清子が同じ場所に座ったまま涙を浮かべていた。

「どうした、お清どん」

信春はすでに時間の感覚を失っている。半日もそこにいたとは想像さえしていなかった。

「先生は何のために絵を描いておられるのですか」

思いがけない質問に、信春は腹を立てた。答える気にもなれなかった。

「どんな絵を描きたくて、絵師になろうと思われたのですか。ここで絵屋をしているうちに、志を忘れてしまったのですか」

涙をこぼすまいと、清子は顔を上に向けて厳しいことを言った。

「生意気なことを言うな。文句があるなら本法寺に帰ってもらって結構だ」

信春は腹立ちまぎれに罵声《ばせい》をあびせ、いたたまれなくなって表に飛び出した。

清子の気持はよく分る。言っていることも間違ってはいない。だが心を乱した信春には、その言葉を素直に聞くことができなかった。


どの通りかも分らないまま息を乱して歩いていると、粗末な茶店があった。飯《めし》と酒を出す店で、大きな卓のまわりで十人ばかりが立ったまま飲み喰いしていた。

信春はふっとにぎやかさに誘われた。

酒はもともと好きである。飲んだ上での失敗も何度かあるので、静子が存命の頃は控えていたが、絵屋を営むようになってからは酒席に誘われる機会も増えていた。

信春は店に入り、大ぶりの茶碗で五杯飲んだ。ところが下絵のことが頭から離れず、気が立っていくばかりである。酒もまずいし、店の者の対応も気に入らない。

何かきっかけがあればひと暴れしかねない不穏な気持になっていると、まわりの客の態度が急に険しくなった。

頭抜《ずぬ》けて背が高いので、嫌でも目立つ。そっちがその気なら相手になろうかと言いたげな鋭い目をして、四、五人が様子をうかがっていた。

彼らに突っかかるほど、信春は若くはない。おとなしく勘定を払い、満たされない気持のまま外に出た。

春とはいえ夕暮れ時の都大路は冷え込んでいる。道の両側にならぶ町屋の板屋根には雪が残り、道行く者たちが寒そうに肩をすくめていた。

「何のために絵を描くのか……」

清子に言われた言葉を自嘲気味にくり返して歩いていると、にぎやかな笛と太鼓の音が聞こえてきた。

樟《くすのき》の巨木におおわれた神社の境内で、神楽《かぐら》がおこなわれていた。神事や祭りではなく、旅の一座の興行である。演目は「素戔嗚尊《すさのおのみこと》」だという。

信春は興味を引かれ、にわか作りの入場口で木戸銭を払った。

境内の中央に舞台をきずき、幔幕《まんまく》を引き回している。左右にかがり火をたき、照明と暖房にあてていた。

客は二百人ばかりいて、思い思いの敷物をあてて地べたに座っている。その大半は家族連れの町衆だった。

舞台では華やかな装いをした女たちが、袖を振ってあでやかに舞っている。

出雲の阿国《おくに》が史上に登場するのはもう少し先だが、歌舞妓につながるこうした興行は、世の中が落ち着きを取りもどすにつれて盛んになっていた。

「素戔嗚尊」は荒《あら》ぶる神楽だった。

玉照姫《たまてるひめ》に懸想《けそう》したスサノオは、ある日御殿から嫌がる姫を盗み出す。

だが二人を追ってきたヤマトタケルに、策略をもって姫を奪い返されたばかりか、身方に裏切られて悲惨な最期をとげる。

終盤の山場は敵に取り囲まれて重傷を負ったスサノオが、片手に剣、もう一方に玉照姫の衣を持ち、切々と恋情を訴える場面だった。

望んでも届かぬものを望んだ男の悲劇がそこにある。だがスサノオはそれでも一途《いちず》に望みつづけ、破滅の坂を転げ落ちていくのである。

筋立ても役者の演技も見事だった。

死の瞬間まで衣を握りしめ、姫の名を呼びつづけるスサノオを見ながら、信春は涙を止めることができなかった。

望んでも届かぬものはたくさんある。苦難の中で死なせてしまった静子には、二度と会うことができない。己れの愚かさのために養父母を自害させた罪も償いようがない。そして努力に努力を重ねても、満足できる絵が描けないのである。

死にゆくスサノオを見ているうちにそうした思いが一度に突き上げ、泣けて泣けて仕方がなかった。こらえきれずに嗚咽《おえつ》をもらし、あわてて口を押さえた。

神楽が終り外に出てからも、信春は茫然としていた。思うさま泣いたせいか、気分がすっきりとしている。そうして深い迷いに落ちていたことをはっきりと自覚した。

永徳に勝ちたいと焦るあまり、自分を見失っていた。大事なのは理想の絵に近づくことなのに、欲にかられて本末を転倒していたのである。

信春は我に返って胴震いした。寒さのせいではない。危うい瀬戸際を切り抜けた安堵と、これからだという意気込みに体が震えたのだった。

翌朝、信春は水垢離《みずごり》をした。下帯ひとつで中庭に出て、心の不浄が清まるようにと念じながら水をあびた。

下絵の構想は夜の間にできあがっていた。

ふすまの中央に折れ曲った老梅を太々と描く。斜めにして躍動感を出すのではなく、垂直にちかい形にしてどっしりとした存在感を表す。

幹は苔《こけ》むしていて、くぼみには草が生えている。雪に厚くおおわれているが、幹から右に伸び

た小枝はつぼみをつけ、春が近いことを告げている。

小枝には番《つが》いの雀がとまっている。丸くふくれて寒さに耐えながら、互いをいたわるように体を寄せ合っている。

老梅の左側には低い位置に雪山がつらなり、そこから流れ出した川が幹と交差して右側につづいている。川の上流は春霞《はるがすみ》におおわれ、下流のほとりには草花がかすかに芽を吹いている。

蛇行《だこう》して流れる川は所々渦《うず》を巻き、自然の恵みと躍動感を表している。それは静止した老梅の存在感と、耐えてきた歳月の重さを際立たせるための仕掛けでもあった。

信春は何枚も下絵を描いた。

今度は駄目だから描き直すのではない。描いても描いても描き足りない気がして、心を躍らせながら先へ進んでいく。そのたびにこの絵を描く意味が明確になり、確信へと近づいていった。

下絵は三日目に完成した。もうどこにも手を入れる必要はないと納得できる出来だった。

信春は大きく息をついて筆をおき、清子にお茶を持ってくるように頼んだ。

完成した絵を真っ先に見せ、この間のことを謝りたかった。

「到来物《とうらいもの》のお菓子がありますが、召し上がりますか」

仕事場に入ってきた清子が、下絵を見て立ちすくんだ。お茶を置くことも忘れて、老梅の図に見入っている。

「今度はどうだ。お清どん」

清子はしばらく黙っていた。そしてやおらその場に正座し、おめでとうございますと頭を下げ

た。

「ありがとう。これで」

絵師の志を忘れたとは言わせない。そんな軽口を叩こうとして、信春は言葉を呑んだ。顔を上げた清子が、目を真っ赤に泣き腫《は》らしていたからだった。

三月一日の未《ひつじ》の刻、信春は完成した四枚の襖絵を狩野松栄の屋敷に持ち込んだ。久蔵と千之助、茂造が供をし、大広間の東側に慎重にはめ込んだ。

二十畳の広々とした部屋に立てると、さすがに絵が映える。様子を見に来た狩野派の弟子たちも、虚《きょ》をつかれたように立ちつくしていた。

しばらくして他の弟子たちが永徳の絵を持ち込み、西側の敷居に立てはじめた。四面のふすまを並べ、縁をぴたりと合わせると、勢いのある絢爛豪華《けんらんごうか》な梅が姿を現した。

幹はさして太くなかった。樹齢二十年ばかりだろうか。若木から成木《せいぼく》になった梅が、左面の下から右面の上へ勢いよく走り、今を盛りと花をつけていた。

幹からは数本の枝が絶妙の均整を保って伸びている。いったん画面の外に飛び出し、その先で下に折れて再び姿を現している枝もある。

枝についた花は前のほうは濃く、後ろのほうは薄く描かれ、距離感を見事に現している。花の間にただよう空気までも感じさせる、出色の出来だった。

小禽は鶯《うぐいす》だった。一羽は幹の中央にとまって今にも飛び立ちそうである。澄みきった目で彼方

を見すえ、体をやや沈めて足を踏ん張っている。もう一羽は花の間に隠れ、いかにもやすらかに春の眠りを楽しんでいた。

信春は見た瞬間に圧倒され、じわじわとねじ伏せられていく気がした。

満開の梅林に入ったなら、梅の花はこんな風に見える。花びらや枝の濃淡を自在にあやつることで、さし込む光や空気感まで表現しているのだから文句のつけようがない。

この繊細さ、趣向の斬新さに比べれば、自分が幹太々と描いた老梅はでくの坊のように思えてきた。

「どうだ。久蔵」

信春は押し込まれた気持を立て直そうと声をかけた。

「凄いです。こんな絵を描けるなんて……」

感動のあまり声を詰まらせ、肩を小刻みに震わせている。これまで見たことがない異常なばかりの反応だった。

やがて松栄と永徳が連れ立って入ってきた。松栄は信春に気付くとにこやかに会釈したが、永徳は野良犬でも見るような一瞥《いちべつ》をくれただけだった。

「信春どの、渾身《こんしん》の作が出来ましたな」

松栄は信春の絵に近寄ったり離れたりしながら隅々まで確かめた。

「このような機会を与えていただき、かたじけのうございます。いかがでございましょうか」

「静かな絵と拝しました。こうして向き合っていると、心が鎮まっていきます」

松栄はひとしきり絵と向き合ってから、お前はどう見たと永徳にたずねた。

「よく描けていると思いますよ」

永徳は軽くいなし、

「しかし古いな。ひと昔前の自分の絵を見ているようだ」

誰にともなくつぶやいた。

「信春どのはいかがです。悴の絵をご覧になって」

「感服いたしました。満開の梅林にいるようで心が浮き立って参ります」

「あなたはどうです」

松栄は久蔵にも声をかけた。

「一生精進《しょうじん》をつづけて、こんな絵を描けるようになりたいと思います。今はそれだけしか言えません」

久蔵は長谷川家の四代目になる。絵師の家で生まれ育った感性は、永徳と通じるものがあるようだった。

「まさに龍虎相搏《う》つの観がありますな。問題は優勝劣敗をどうつけるかですが」

自分が一人で判定してはもったいない。弟子たちの入札《いれふだ》にしたらどうかと提案した。

「当家には八人の高弟がおります。それに久蔵さんを加えた九人で、どちらを推《お》すか札を入れてもらいましょう。信春どの、それでいいですか」

「ええ、お任せいたします」

信春にはかなり不利なやり方である。狩野派の者たちが永徳に背くような札を入れるとは思えないからだが、松栄の決定に従うしかなかった。

「永徳、お前はどうだ」

「構いません。父上が仕組まれたことですから、気のすむようにしていただいて結構です」

ほどなく八人の高弟がやってきた。その中の三人は信春も知っている。石山本願寺で教如の肖像を描いていた頃、襖絵の基本を教えてくれた恩人たちだった。

八人は永徳と信春の絵を感心したり驚いたりしながらながめていたが、これから入札をしてもらうと言われると表情が一変した。

「信春どのは東、永徳は西だ。どちらの絵を推すか、東か西かで書いてもらう。書いた札は隣の部屋においた箱に入れるがよい」

松栄は弟子たちが永徳の意向をはばかることがないように、細心の注意を払っていた。

弟子たちは責任の重大さに表情を固くし、東西のふすまを改めて見比べている。大広間の空気が緊張に張りつめ、息苦しいほどだった。

信春はまな板の鯉の心境でじっと結果を待っている。永徳は画帳と矢立てを運ばせ、信春の絵を見ながら何かを描いていた。

失礼をわびてのぞき込むと、体をふくらまして寄り添う番いの雀を写していた。

「気に入っていただけましたか」

嬉しさのあまり、信春は思わず声をかけた。

「気持の入ったいい絵です」

永徳は素直に誉めたものの、学ぶべきところはここだけだと手厳しい一言を付け加えた。

一番目に札を入れたのは久蔵だった。迷いのない足取りで隣の部屋に行き、一度も信春と目を合わせずに元の席にもどった。

八人の高弟がそれにつづき、開票が始まった。松栄が読み上げ、二人の弟子が東西と記した紙に正の字で票数を書き入れた。

「一枚目、西。二枚目、西」

二票つづけて永徳だった。三枚目は東だが、四枚目は再び西である。

信春はこのまま八対一で負けるのではないかと思った。八大弟子はすべて永徳に入れ、久蔵だけが自分を支持する。そんな結果になる気がした。

永徳は落ち着き払って雀を描きつづけている。開票の行方など興味がなさそうな小面《こづら》憎い態度だった。

「五枚目、東。六枚目、東」

信春にたてつづけに二票入った。

これで三対三と対等になった。様子を見守っていた狩野派の弟子たちがどよめいたが、一番驚いたのは信春だった。

七枚目は白票だった。どちらとも判断できないという意味である。それを聞いた永徳が、初めて不快そうに眉をひそめた。

「八枚目、西」

永徳が一歩先んじ、残り一枚となった。

「九枚目」

松栄は札を持ったまま皆を焦《じ》らすように間を取った。

西なら永徳の勝ち。東なら引き分けである。信春は緊張に体を固くして生唾をのんだ。

「九枚目、東。よって勝負は引き分けとする」

発表を聞いた途端、狩野派の弟子たちは静まりかえった。八大弟子の中の少なくとも三人が、永徳よりも信春の絵を支持したのである。

「そのように強張らずともよい。これは我が狩野派が、絵に対して公平で真摯《しんし》な目を持っている何よりの証だ」

松栄は中立の立場を貫いた八大弟子の見識を誉め、信春に内野の御殿の仕事に加わってもらうことにすると言った。

「永徳、異存はあるまいな」

「ございません。父上の目論見《もくろみ》通りに事が運んで良うございました」

永徳は青ざめた顔で弟子たちをにらみつけた。

「目論んでなどおらぬ。これが今のお前の掛け値なしの力だ」

「なるほど。そうかもしれませんね」

永徳は自分が描いたふすま絵の前に立ち、唇を引きつらせて自嘲の笑みを浮かべた。

そうして矢立てからおもむろに筆を取り出し、名状しがたいうめき声を上げて絵に斬りつけた。右から一撃、左から一撃。満開の梅から飛び立とうとしていた鶯が、鋭い線で無惨に切り裂かれた。

松栄は痛ましそうに永徳を見つめていたが、口を出そうとはしなかった。

狩野派の面々が引き上げた後も、久蔵は永徳の絵の前から動かなかった。正座をしたまま身じろぎもせずに絵と向き合っていた。

「どうした。久蔵」

「この絵が、可哀想です」

膝頭を握りしめて涙を浮かべ、自分に修復させてもらえないだろうかと言った。

「それほど気になるのなら」

松栄に頼んでみようと言いかけ、信春はふと久蔵はどちらの絵を推したのだろうと思った。

あるいは永徳だったかもしれないが、気軽に聞けない雰囲気を今の久蔵はただよわせていた。

第七章　大徳寺三門

聚楽第の普請は天正十四年（一五八六）二月から始まり、翌年秋にはほぼ完成した。関白となった秀吉が自己の権勢を見せつけるために築いた壮麗《そうれい》な御殿で、本丸、北の丸、西の丸、南二の丸の四つの曲輪から成る。まわりには幅二十間（約三十六メートル）、深さ三間、全長一千間の外堀をうがっていた。

本丸には金箔瓦でかざり立てた五層の天守閣を上げ、帝の行幸をあおぐための儲《もうけ》の御所を建てている。東には門扉を黒く塗ったいかめしい大手門を配していた。

御殿には何百枚もの障壁画《しょうへき》が必要である。この仕事に加わってくれるように頼まれた長谷川信春は、築城開始の頃から城が完成するまでの一年半、狩野永徳らとともに腕をふるった。

永徳の父松栄は一方の頭を任せると言ったが、三百人ちかい弟子を持つ狩野派の中に入ると、そういう訳にはいかなかった。

さすがに百五十年の伝統を持つ職人集団で、弟子の序列が厳重に決められ、八大弟子を中心と

した八つの組に分れて仕事を進めていく。

現場の作業も絵の進行も定められた手順に従っているので、経験のない信春には割り込むことができない。二十人ばかりの年若い弟子を預かり、本丸の遠侍《とおさぶらい》や南二の丸御殿を受け持った。

城の中心部からはずされたわけだが、狩野派の絵の配し方や集団での仕事の進め方を学ぶにはいい機会だった。

この仕事の間に、久蔵がめきめきと腕を上げた。おだやかだが物怖《ものお》じしない性格で、大きな仕事を任せるほど力を発揮する。狩野派の若い弟子たちからも慕われ、いつの間にか彼らの兄貴分になっていた。

受け持った仕事が終ったのは、この年、天正十五年の八月末である。永徳らはまだ本丸御殿や儲の御所の仕事に追われていたが、信春に手伝ってほしいという要請《ようせい》はなかった。

しばらく骨を休め、能登屋の仕事にかかろうと考えていると、九月の初めに前触れもなく狩野永徳がたずねてきた。

角樽《つのだる》を持った若い弟子を従えただけの気軽な出立《いでた》ちだった。

「少し相談させていただきたいことがあります。よろしいでしょうか」

角樽を差し出し、長い間ご苦労さまでしたとねぎらいの言葉をかけた。

「これはご丁重《ていちょう》に。痛み入ります」

店も部屋も散らかっている。信春は永徳をどこに案内していいか分らず、まごついてあたりを見回した。

「すぐにお暇《いとま》しますので、ここで結構です」

永徳が長床几に腰を下ろし、店棚に並べた扇を手に取った。

「いい仕上がりですね。洛中で評判になるはずだ」

「絵屋の仕事です。誉めてもらえるような代物《しろもの》ではありません」

「お陰さまで聚楽第の仕事も順調に進みました。いろいろ失礼なことを申しましたが、長谷川どのに来ていただいて良かったと思っております」

「こちらこそ、多くのことを学ばせていただきました。さすがに天下の狩野派です」

信春は永徳が打ち解けてくれたのが嬉しくて、若い頃に永徳の二十四孝図を手本にして水墨画の稽古をしたことまで打ち明けた。

「そうですか。ちょうど今、書院に二十四孝図を描いているところです」

「まだ時間がかかりそうですか」

「ええ。本丸御殿と儲の御所を同時に進めているので、人手が足りないのです」

「それなら僭越《せんえつ》ですが」

手伝いに行ってもいいと申し出ようと、信春は身を乗り出した。

「そこで相談に上がったわけですが、長谷川どの」

「は、はい」

「息子の久蔵をしばらく私に預けていただけないでしょうか」

「悴をですか」

「これまで久蔵の仕事ぶりを見て参りましたが、天与の才質に恵まれている。私の手元において修行をすれば、四、五年のうちには天下に名を知られる絵師になるでしょう」

「弟子にしていただくということですか」

「そうです。当面は本丸御殿の絵を手伝わせますが、やがては狩野図子に移って本格的に手ほどきをいたします」

住み込みの弟子にするというのである。永徳が直々に話しに来たのだから余程見込んでくれたのだろうが、信春は返答をためらった。

これから長谷川派を立ち上げるためには、久蔵は欠かせない。長谷川家の四代目となる跡取りでもある。それを永徳に横取りされるのではないかという不安があった。

「狩野家には四代の間に蓄積してきたさまざまな技法があります。失礼ながら、こちらで修行するよりは、久蔵のためになると存じますが」

「それは分っています。しかし倅は長谷川家の跡取りです。養子に入った私には、この家を守る義務がありますので」

「久蔵を一流の絵師に育てることより、家を守るほうが大事だとおおせですか」

「ちがいます。もちろん」

一流の絵師に育てる方が大事だと、信春は即座に答えた。

自分もそう思ったからこそ七尾の家を出ようともがいたのである。家への責任を押しつけて、久蔵を縛るわけにはいかなかった。

「聚楽第の仕事をしている間に、久蔵は見ちがえるほど腕を上げました。それは狩野の高弟たちから指導を受け、技法を取り入れたからなのです」

「倅はこのことを知っているのでしょうか」

「いいえ。まず長谷川どのの了解を得てからでなければ、軽々に話をするわけには参りません」

「それなら久蔵の気持をたずねてから返答させていただきます」

「承知いたしました。よい返事をいただけると信じています」

永徳は無理強いするつもりはないと念を押して帰っていった。

聚楽第の仕事が終り、久蔵も能登屋にもどっている。仕事場にこもり、千之助や茂造とともに扇の絵付けに励んでいた。

華やかな障壁画にくらべれば、拍子抜けするような地味な仕事である。だが久蔵は不平ひとつもらさず、黙々と扇の絵に取り組んでいた。

それを見ていると、やはりこんなところで燻《くすぶ》らせておくわけにはいかないと思う。永徳の弟子になれば狩野派の技法を身につけられるばかりか、大きな舞台で仕事をつづけることができる。絵師としては願ってもない境遇なのだ。

(だが、しかし、……)

他派の有能な跡継ぎを弟子にし、自派に取り込むことによって従属させるのは狩野家の常套《じょうとう》手段である。永徳はそれを狙っているのではないかという不安をぬぐい切れず、久蔵に話す決心がつけられなかった。

九月十二日は静子の月命日だった。信春は居間においた小さな仏壇に萩《はぎ》の花をそなえ、鬼子母《きしも》神十羅刹女《じんじゆうらせつによ》像をかかげて供養した。

鬼子母神の像に静子を偲《しの》びながらお題目をとなえていると、ふいに赤ん坊の泣き声が聞こえた気がした。鬼子母神の顔も憂いに沈んでいた。

しかも目を上げた途端、

「あなたはどうして、久蔵を信じてやれないのですか」

静子の声がはっきりと聞こえた。

信春は図星をさされ、はっとして仕事場に駆けつけた。久蔵は端正な姿勢で文机に向かい、扇の下絵を描いていた。

「すまんが、ちょっと来てくれ」

信春は久蔵を仏壇の前につれて行った。

そして二人で手を合わせてから、

「実は先日、狩野永徳どのが店に見えられた」

その時、お前を弟子にしたいという申し入れがあったと打ち明けた。

「どうだ。行きたいか」

「父上はどうお考えですか」

「お前の好きな通りにすればいい。私に遠慮することはないのだ」

「それなら」

久蔵は少し口ごもってから、行かせていただきますと言った。

「不安はないのか」

「聚楽第で永徳さまから何度か手ほどきを受けました。心配はしていません」

「どうして、永徳どのと……」

「梅に小禽《しょうきん》図を直させて下さいとお願いしたのです。そうしたら面白い奴だと思って下さったのか、時々声をかけていただくようになりました」

「なぜそれを、私に話さなかった」

「お話しするほどのことでもないと思いましたので」

久蔵がふいに強情な顔をした。

「そうか。ところであの時、お前はどちらに票を入れた」

信春は急に久蔵が遠ざかったような気がして、そうたずねずにはいられなかった。

「腕競べの時ですか」

「そうだ」

「白票を投じました。判断がつきませんでしたので」

「分った。狩野に弟子入りしてこい。うちのことなど気にせず、永徳どのに思う存分腕をみがいてもらえ」

ただしいつかは必ず戻って来てくれ。信春はそう言いたかったが、久蔵が嫌がるのではないかと口にするのをためらった。

このことが後々まで、二人の間に微妙な行きちがいを生む原因になったのだ。

年が明け、天正十六年（一五八八）になった。

開店から三年、能登屋は順調な発展をとげていた。

久蔵は永徳の弟子になって店を出たが、千之助や茂造が一人前になり、扇の売り上げでは洛中で一、二を争う繁盛ぶりである。

職人も新たに雇い入れ、総勢十二人の大所帯になっていた。

店の切り盛りは、帳場に座った清子が引き受けている。接客や帳簿の管理ばかりか、得意先との連絡や職人たちの食事の世話など目が回るほどの忙しさだが、文句も言わず愚痴《ぐち》もこぼさず、毎日手際良くこなしていた。

「ちょっと大徳寺さんに行ってくる」

信春は清子に声をかけて表に出ようとした。

二年前から春屋宗園《しゅんおくそうえん》長老に師事し、禅を学んでいる。心の内の雑念を平らげ、より高い境地に達したいと願ってのことだった。

「お戻りは何刻《なんどき》になりましょうか」

清子が算盤をはじきながらたずねた。

「夕方には戻る。本坊にお邪魔しているから、急用があれば使いをよこしてくれ」

三条通を西に歩き、堀川通を北に向かった。都は春ののどかな陽気につつまれている。新緑の

香りのする風を受けながらしばらく歩くと、聚楽第の五層の天守閣が見えた。

秀吉は昨年九月、大坂城からここに移り、政権の拠点としている。諸大名にも土地を与えて贅《ぜい》をつくした屋敷を建てさせ、都のど真ん中を武家が占領したような威容を誇っていた。

久蔵も本丸御殿の仕事をしているという。昨年末に店を出て以来一度も顔を見せないが、今頃はこの城の中で絵の仕上げに没頭しているにちがいなかった。

大徳寺の総門をくぐり、勅使門の横をまわると、三門《さんもん》（山門）の前に人だかりがしていた。平屋の棟門《むねもん》に大工たちが取りつき、屋根や柱間《はしらま》の寸法をはかっている。門のまわりに町衆が集まり、物珍らしげに見物していた。

「何かあったのですか」

信春は初老の売女《うりめ》にたずねた。

「門を作り替えはるそうや。二階建てにする言うてはります」

「そうやで。ごっつう大きな三門ができるんや」

側にいた商人《あきんど》風の男が話に割り込んできた。

春屋宗園が三門造営を発願《ほつがん》し、喜捨《きしゃ》をつのることにしたという。

「この六月は信長公の七回忌やさかい、大名衆から喜捨が集まると踏んではるんやな」

いかにも都の商人らしい解釈である。

そんなはずがあるかと思いながら、信春は本坊をたずねた。

宗園は方丈にいた。山水図を描いたふすまを立て回した部屋で、千利休（宗易）と対面してい

た。

宗園は六十歳。永禄十二年（一五六九）に大徳寺の住職となって以来、二十年もの間主要な役割をになってきた。

小柄で目が細く、頬骨の出た顔立ちである。いつも質素な身なりをしているので、境内にいると下男に間違えられることがよくあった。

「これ、春長老はいずこかな」

高飛車にたずねる者がいると、

「ただ今遠行しておられます」

そう答えて煙《けむ》に巻く頓智《とんち》の持ち主でもあった。

利休は六十七歳。信春に劣らぬほどの偉丈夫で、肩幅が広く胸の厚いがっしりとした体付きをしている。角張った顔と大きな鼻をして、厚い唇をいつも不気嫌そうに引き結んでいた。

利休は信春が気に入ったようで、堺にいた頃からよく茶会に招いてくれた。信春が聚楽第の内装に加わっていると知ると、大徳寺に案内して宗園と引き合わせてくれたのだった。

信春はそれ以来、時間を見つけて宗園のもとに通うようになった。参禅や問答をするわけではない。ただ宗園の側に座って世間話をしたり、黙って様子を見ているだけである。

ただそれだけなのに、三門を出る時には世俗の垢《あか》がきれいに落ちた清々しい気持になるから不思議だった。

宗園と利休は後陽成《ごようぜい》天皇の聚楽第への行幸について話していた。

秀吉が悲願としていた行事が、四月十四日におこなわれることになったのだった。

「前々から噂を聞いていていましたが、ずいぶんご苦労なされたのでしょうな」

宗園が利休の労をねぎらった。

「武家が関白になった例は、これまで一度もありません。それゆえ朝廷の中には、御幸《みゆき》に応じるべきではないという意見も根強かったのです」

強情者の利休も、禅の師である宗園にだけは一目も二目もおいていた。

「その反対を近衛太閤がねじ伏せられたとか」

「秀吉どのは近衛家の猶子《ゆうし》になられたのだから、もはや武家ではないと強弁なされました。身方にすると頼もしいお方です」

「お迎えする準備はととのいましたか」

「なかなか。礼法ばかりか調度や襖絵、厠《かわや》の作りに至るまで難かしい定め事がありまして、往《おう》生《じょう》いたしております」

秀吉が三年前に禁裏《きんり》で茶会を開き、後陽成天皇に茶を献じた際、利休は後見の役をつとめた。利休という居士号を勅賜されたのはこの時である。

聚楽第への行幸の際にも、黄金の茶室で帝に茶を献じることになったという。

「あのお方のことだ。ずいぶん派手なお迎えをなされるのでしょうな」

「それはもう。いたし方のないことでございます」

「この先のことは考えておられますか」

できませぬ」

「武家は世俗の権力。神聖な世界を司《つかさど》っておられる帝を、いつまでも方便として利用することは
「お聞きになりましたか。誓紙のことを」

「帝の行幸の折、関白どのは諸大名に忠誠を誓う起請文《きしょうもん》を出させようとしておられるとか。これは帝を私物化することにほかなりますまい」

それがどれほど危険なことか、禅の悟りをきわめた宗園にはよく分っていた。

「恐れながら、あのお方は手に入れた力に酔っておられます。お茶の一杯や二杯では、覚ますことができません」

「そうですか。誰も意見することはできませんか」

宗園は利休の立場をおもんぱかって話に深入りすることを避け、信春に声をかけた。

「何か言いたいことがあるようじゃな」

「いえ、別に」

信春は宗園に邪念をさとられまいと口にしなかったが、さっきから三門造営のことが気にかかっていた。

二階建てにするなら、楼上の内部を華麗な壁画で荘厳《しょうごん》するはずである。その仕事を任せてもらえないかと、夢見るように考えていた。

「三門のことか」

宗園の洞察力は鋭い。信春の胸中などとうに見透《みす》かしていた。

「さっき門前を通った時、楼門になされるという話を聞きました。それが事実かどうか、気にかかっていたのでございます」

「本当じゃ。わしも還暦《かんれき》を迎えたので、寺のためになることをして身を引こうと考えておる」

「ご住持《じゅうじ》をおやめになるのでございますか」

「後進に道をゆずらなければ人は育たぬ。さっきも宗匠とそんな話をしておった」

「そんなら造営費を出させてもらいたいと、猊下《げいか》にお願いしていたところや」

利休が信春の方にゆっくりと向き直った。

「宗匠がお一人で寄進なされるのでございますか」

「そうや。この御寺《みてら》は茶人の聖地や。これほど名誉なことはないやろ」

利休はそう願っていたが、大徳寺は天皇の勅願寺であり、信長の菩提所でもあるので、そう簡単にはいかないという。

「何しろいろんな所からいろんなことを言ってくる方々がおられます。お志はまことに有難いのですが、もうしばらく待っていただきたい」

宗園が気の毒そうに頭を下げた。

結局三門のことは言い出せず、予定より早目に店にもどった。

帳場に座った清子が、

「お待ちかねの方が、見えられましたよ」

いたずらっぽい笑みを浮かべて謎をかけた。

誰だろうと問い返そうとすると、奥の作業場から久蔵が出てきた。

狩野家に住み込むようになって、すっかり一人前の顔になっている。黒目がちのやさしい目が、胸をつかれるほど静子に似ていた。

「おお、戻ったか」

信春は安堵のあまり涙ぐみそうになった。

「ご無沙汰しました。お変わりございませんか」

「この通り元気だ。つもる話もある」

奥で酒でも飲みながら話したかったが、久蔵はそんなにゆっくりしていられないと言った。

「なんだ。泊っていかないのか」

「今日は千之助さんに頼まれていた絵具を届けに来ただけです。すぐに狩野にもどって、やりかけの仕事を仕上げなければなりません」

「聚楽第の襖絵なら、もう終っているだろう」

「永徳さまのお目にかなわぬ所も多いので、少しずつ手を加えています。また朝廷からも、描き直しを命じられるところもあるのです」

帝の行幸を控えているので、儲けの御所やお休み処の格式はことのほか厳しい。少しでも有職《ゆうそく》故実《こじつ》に反するところがあると、描き直しを命じられるという。

「そうか。なかなか難儀《なんぎ》なことだな」

「初めはそう思いましたが、だんだん有職や故実には深い意味があることが分りました。いい勉強をさせてもらっています」

「向こうの暮らしはどうだ。何か不自由なことはないか」

「おかげさまで永徳さまにご指導いただく機会も多くなりました。弟子の皆さんにも良くしていただいております」

「今はどんな絵に取り組んでいる」

「二十四孝図屛風を描かせてもらえるようになりました」

「あれはいい。私も若い頃に永徳どのの郭巨《かくきょ》の絵を写して、松や岩の描き方を学んだものだ」

「永徳さまの筆遣いには、何ともいえない気品があります。どうしたらあのように濃《こま》やかな絵が描けるようになるのでしょうか」

「それは永徳どのから学ぶことだ。一日一日気持を新たにしてな」

取りようによっては、父上の絵は下品で雑だと言われたようにも聞こえるが、信春はこだわりなく永徳を誉めた。

「ところで、大徳寺の三門の話は何か聞いているか」

「いいえ。三門がどうかしたのでしょうか」

「何でもない。ちょっと気になる噂を聞いたのでな」

信春はあわてて話を切り上げた。修行に打ち込んでいる久蔵から狩野派の動きをさぐろうとしたことが、急に恥ずかしくなったのだった。

桜の花も散り終えた頃、信春は清子と思わぬ仲違《なかたが》いをした。

きっかけは些細《ささい》なことだった。信春は居間に小さな仏壇をおき、月命日には静子が好きだった野の花をそなえて供養を欠かさないようにしていた。ところがこの一月ほど、禅宗祖師《そし》図襖《ずふすま》に没頭していて、花をそなえるのがおろそかになっていた。

水墨画は面白い。二度と引き直しのできない線をつらねてひとつの世界を表現していくことには、色を重ねていく絵とはちがった緊張感と充実感がある。

しかも絵によって禅の悟りに通じる境地を表現しなければならないし、春屋宗園に評価を乞いたいという思いもある。それやこれやで、仏壇には見向きもしない日がつづいていた。

これに気付いた清子が、

「お花をとって参りましょうか」

そう言ってくれたが、信春は絵をにらみながらうわの空の返事しかしなかった。

「ずっと花を枯らしたままですよ。いいんですか」

「ああ、後で何とかする」

「お忙しいようですから、私が代わりにとって参ります」

「余計なことをしなくていい。お清どんは店のことだけやってくれればいいんだ」

何の悪気もなく口にした言葉だが、清子は急に顔色を変え、

「そんな薄情な方だとは思いませんでした。奥さまが可哀想です」

手にしていた箒《ほうき》を叩きつけるようにして店を出ていった。

清子はそのままもどって来なかった。次の日もまた次の日も、何の連絡もしないで店を休んだ。信春はようやく事の重大さに気付いたが、原因がよく分らない。あるいは病気かもしれないと、店の者に様子を見に行くように申し付けた。

「師匠がご自分で行かれた方がよろしゅうございましょう」

番頭格の千之助が忠告した。

この三年二人と間近で接しているので、おおよその事情は察していた。

「何だ。その事情とは」

「私の口からは申せません。どうぞ、本法寺さんにはご自分でおたずねになられますように」

ますます訳の分らないことを言う。そのまま従うのも業腹《ごうはら》なのでほっておいたが、清子がいないと店の営業はとたんに行き詰まった。

帳簿の管理は誰もできないし、客の注文や材料の仕入れのことも分らない。まるで馬に置き去りにされた荷車のようで、茫然と立ち往生するしかなかった。

「お前たちは、今まで何をしていたのだ」

千之助や茂造に八つ当たりしたが、清子に任せておけば良いと言ったのは信春なのだから、今さらどうにもならなかった。

やはり清子に会い、頭を下げて戻ってもらうしかあるまい。そう考えているところに日通がたずねてきた。

「お上人さま、良い所に来て下された」

信春は奥の間に招いて茶をふるまった。

日通は本法寺の住職になり、上人号を許されている。恰幅《かっぷく》も良くなって、堂々たる僧正ぶりだった。

「長谷川さまのお茶には、何ともいえないぬくもりがあります。お人柄のせいでしょうな」

「いただいた真形釜《しんなりがま》のおかげです。湯の味が良くなるばかりか、松籟《しょうらい》に奥ゆかしい余韻があります」

信春はひとしきり釜を誉めてから、清子はどうしているだろうかとたずねた。

「部屋に閉じこもったきり、誰にも会おうといたしません」

「ご病気でしょうか」

「それは拙僧にも分りません。こうして伺ったのは、そのことを相談したかったからなのです」

「私どもも大変困っております。尊い仕事ほど目立たないと申しますが、休まれてみて初めて、お清さんがどれほど大事な人だったか分りました。何とか戻ってもらえるように、お口添えいただけないでしょうか」

「大事な人とおおせですが」

日通はゆっくりと茶碗を置き、それは店のためだけだろうかとたずねた。

「と、おおせられますと」

「長谷川さまにとってはどうでしょうか。清子は大事な女ではありませんか」

「そりゃあ、もちろん」

大事な人ですと言おうとして、信春は日通の言葉には別の意味があることに気付いた。

「どうです。お答えいただけませんか」

「そう言われても、私はもうこの歳ですし」

人間五十年と謳《うた》われた歳である。今さらひと回り以上も歳下の清子を嫁にするなど、考えたこともなかった。

「実は移転先の寺が出来上がりまして、近々引っ越すことになりました。そうなると清子も、今までのようにこの店に通うことはできなくなります」

本法寺は一条戻り橋にあったが、秀吉に堀川寺の内に引っ越すように命じられた。そこで昨年から新築工事にかかり、油屋や本阿弥《ほんあみ》家の援助を得てようやく完成したのだった。

「ですから今まで通り働かせてもらうには、この家に住まわせていただくしかありません。しかし三十半ばになった清子を、下女働きさせるのは可哀想です。長谷川さまにお心があるのなら、娶《めと》っていただくのが一番いいと愚考したわけでございます」

「お清さんは、このことを？」

「申し訳ないことですが、まだ話しておりません。あれも嫁ぎ先から離縁されて以来、肩身の狭い思いをしておりますので、従妹とはいえ言い出しにくいのです」

「それでは承知して下さるかどうか分からないではありませんか」

「ご懸念《けねん》は無用です。拙僧は幼い頃から清子を見てきましたので、何を考えているかは分りま

す」

清子は信春の側《そば》から離れたくないのだが、寺が移転すればもう通えなくなる。どうしようかと思い悩んでいただけに、ささいなことで取り乱したにちがいないという。

「半月ほど前には、油屋に帰ろうかと申しておりました。帰ったところで居場所もないのに、強がりを言って気をまぎらしていたのです。長谷川さま、あれがあなたの優しい一言を待っていることは、拙僧が命をかけて保証します」

だから嫁にもらってやってくれと、日通は両手をついて頭を下げた。

「お話は分りました。ですが急なことなので、考える時間《いとま》をいただきとう存じます」

日通が帰った後、信春は井戸茶碗に大服《おおぶく》の茶を点て、自分の気持と向き合いながらゆっくりと口にした。

清子と初めて会ったのは、本能寺の変の後に堺の油屋に身を寄せた時だった。久蔵と二人で肩身の狭い思いをしていた信春を気づかい、いろいろと世話をしてくれた。

了頓図子の店に来てからは、働きぶりにいっそう磨きがかかった。あらゆる仕事をそつなくこなし、客からも職人たちからも絶大の信頼を得ている。

その一方で誰にも細かく気を配っていた。若い職人がへまをして怒鳴りつけられたりすると、おいしいものでも食べておいでと、人が見ていない所で小遣いを渡していたものだ。

信春が永徳に勝ちたいと焦るあまり間違った道に迷い込んだ時には、絵屋をしているうちに志を忘れたのですかと涙をうかべていさめてくれた。

思えばこの六年間、清子はずっと側にいてくれた。信春はそれに救われ、世事にわずらわされることなく絵の修行に打ち込むことができた。

それがいつしか当たり前になり、有難味を忘れていたことを、今度のことで思い知らされたばかりだった。

（あの人が嫁に来てくれるなら）

願ってもないことだと思うものの、再婚となると気にかかることも多かった。

ひとつは静子への申し訳なさである。自分の愚かさゆえに両親を自決に追い込んだばかりか、七尾から追放され、苦難の中で死なせてしまった。それなのに自分ばかりが幸せになっては、三人を裏切ることになるという気がするのだった。

もうひとつは久蔵のことだ。あれほど静子を慕っていただけに、再婚すると言えば反対するにちがいない。面と向かって口にしなくても、心の中では失望し軽蔑《けいべつ》さえするだろう。そしてますます家から遠ざかり、狩野永徳に完全に取り込まれてしまう。

長谷川派を立ち上げるには欠かせない息子が、敵となって立ちはだかるかもしれないと思っただけで、信春は動揺して浮き足立ってしまうのだった。

その夜、信春は静子の仏壇の前で酒を飲んだ。井戸茶碗に白濁《はくだく》した酒をなみなみとつぎ、二人だけで酒盛りをした。

清子に言われて以来、花は毎日替えている。仏壇の横には軸装《じくそう》した鬼子母神十羅刹女の像をかけ、在りし日の静子を偲《しの》ぶよすがとした。

「なあ、お前はどう思う」

心の中で語りかけた。

「あなたはどうなさりたいのですか」

静子の声が脳裡にひびいた。まるで巫女《みこ》の魂《たま》呼びのようだった。

「お前にはすまぬが、あの人を嫁にしたいと思っている」

「それなら、そのようになされればいいではありませんか」

「でもな、お前たちに申し訳なくて」

「お気遣いは無用です。そちらよりずっと幸せにしていますから」

「そうか。近頃は夢枕にも立ってくれぬものな」

信春は茶碗の酒をひと息に飲みほし、不平がましくつぶやいた。

「清子さんはいい方です。あんなに心根のやさしい人はめったにおられませんよ」

「お前もそう思うか」

「ええ、ちょっとおへちゃさんですけど」

おへちゃとは不器量とか不細工という意味である。

「お前に比べればそうだろうが、生まれつきだから仕方あるまい」

「お体つきも変ですよ。なんだかダルマさんのようで」

「そう言うな。少々強情なところはあるが、気立てのいい人なのだ」

「……」

「どうした。やきもちでも焼いたか」

「わたくしはもう何もしてあげることができません。それが淋しくなったのです」

「そんなことがあるか。お前は今でも私の心の支えになっているよ」

「それなら小さなことを思い悩まず、ご自分の信じた通りの道を歩いて下さい。それがあなたの絵の完成につながるのですから」

「久蔵はどうだ。許してくれると思うか」

「あの子はずっとあなたの生き様を見てきました。少しは反発するかもしれませんが、かならず分ってくれます」

「そうかな。近頃はすっかり大人になって、何を考えているのか分らないのだ」

「自信をお持ちなさい。あなたは天下の長谷川信春なのですよ」

信春は肌寒さに目を覚ました。酒を過ごし、いつの間にか仏壇の前で寝入っていたのだった。

翌日、信春は羽織、袴を着込み、一条戻り橋の本法寺をたずねた。

寺は信長が上京を焼討ちした時に焼失した。三年前に帰洛を許されてから本堂と庫裡だけ建て直したが、板葺きの簡素なものである。しかも移転にそなえてご本尊や荷物を運び出しているので、閑散《かんさん》としていた。

庫裏の玄関口に立つと、日通が中から飛び出してきた。

「首を長くして待っておりました。お心を決めて下されましたか」

「清子さんが承知して下さるなら、夫婦《めおと》になりたいと思って参りました」

「有難い。長谷川さま、こんなに嬉しいことはありません」

日通は信春の手を握りしめ、額に押し当てて感謝した。

「清子さんは、どちらに」

「本堂におります。もうじき解体されるというのに、御仏のお住いだからとふき掃除をしているのです」

呼んで来るという日通を制し、信春は一人で本堂をたずねた。

清子は廻り縁に四つん這いになり、力を込めて雑巾がけをしていた。仕事がしやすいように深緑色の作務衣《さむえ》を着ている。丸く太って腰のくびれもないので、確かにダルマさんのようである。

それでもそこが愛らしいと、今の信春は思うようになっていた。

「この間はすまなかった。ちょっと話をさせてくれないか」

側に寄って声をかけたが、清子はちらりと目を向けただけで手を休めようとしなかった。

「大事な話があって来た。これからのことについて相談したい」

それでも清子は応じない。口を固く引き結び、丸い体を右に左に動かして雑巾がけをつづけた。

信春は思わぬ抵抗にたじろいだが、ここで諦めるわけにはいかない。本堂の掃除が終れば話を聞いてくれるだろうと、一緒に雑巾がけをすることにした。

再建して三年にしかならない本堂には、かすかに木の香りがただよっている。ふき込むと木目《きめ》が鮮やかに浮き上がり、新築当時にもどったように美しくなった。

一枚一枚精魂《せいこん》込めてふいているうちに、信春は御仏と対話をしているような清々しい気持にな

った。そうして清子が頑なに雑巾がけをつづける理由が分った気がした。

信春がこの歳で結婚などできないと思っていたように、清子にもいくつかの障害がある。子供が出来ないという理由で離縁されているし、歳も三十路《みそじ》を過ぎている。これで嫁ぎたいと望むのは身の程知らずだと独《ひと》り決めして、気持を押し殺してきたにちがいなかった。

二人は廻り縁の両側からふき始め、本堂の正面で出会った。五段になった階段《きざはし》をふき上げると、信春は清子の手から雑巾を奪い、盥《たらい》で勢い良く洗った。

「手伝っていただき、ありがとうございました」

清子は顔を赤らめていた。雑巾を取られた時、かすかに手が触れたのだった。

「今度は私のために掃除をしてくれないか」

「えっ……」

「こんな男で良ければ、夫婦になってもらいたい」

清子は何とも答えない。どうしたのかとふり返ると、口に手を当てて泣いていた。

信春は見なかったふりをして雑巾をしぼり終え、盥の水を境内にまき始めた。少しでもほこりを防ごうと、手ですくってまんべんなくまき散らした。

「私のような者で、いいのですか」

清子が小さな声でたずねた。

「ああ。お清どん、いや、お清さんだから、私も心を決めたのだ」

「ありがとうございます。よろしくお願いいたします」

清子はその日から信春の許婚者《いいなずけ》として能登屋に住み込むことになった。だが油屋を訪ねて正式に許しを得るまでは、部屋も食事も別にしようと、律儀に申し合わせていたのだった。

四月初め、千利休が前触れもなく了頓図子の店をたずねてきた。

道服を着て宗匠頭巾をかぶり、竹の杖をついているので、帳場に座っていた清子はどこかのご隠居さんだろうと構いもしなかった。

信春がたまたま店に出て、扇子を物色している利休に気付いたのである。

「これは宗匠、ようこそお越しいただきました。お知らせ下されば、お迎えに参りましたのに」

「いや、なに。隣の了頓さんのところで茶を呼ばれたさかい、ついでに寄ってみただけや」

「お屋敷の水はいかがです。お求めの味でしたか」

「悪くはないけどな。今ひとつや。あれなら四条の化粧水《けわいみず》のほうがええ」

帝が聚楽第に行幸なされた時、利休は茶を献じる大役をになっている。そのための水を求めて洛中の名水をたずね歩いていたが、これぞというものに出会えずにいた。

「お疲れでしょう。奥でお休み下さい」

あいにく釜の火は入っていない。信春は鉄瓶で手早く湯をわかし、南蛮ガラスの茶碗で茶を点てた。四月とはいえ外の陽射しは強い。少しでも見た目に涼しい器を選んだのだった。

利休は上がり框《かまち》に腰を下ろし、作業場の仕事ぶりをながめながら茶を飲んだ。

「相変わらず下手な茶や」

そう言って二杯目を所望した。

今度は小ぶりの黄瀬戸《きせと》に濃い目の茶を点てた。

「下手やけど味がええ。茶というのは不思議なもんやな」

湯は鉄器でわかすのが一番いい。黄金の釜など使っては、よそ行きの味になってしまう。利休は黄瀬戸の茶碗のぬくみを楽しみながら、独り言のようにつぶやいた。

「ところで狩野から、内覧の知らせはあったか」

「内覧と申しますと」

「帝の行幸の前に、主立った方々に本丸御殿の中を見ていただくことになっとる。狩野永徳が案内するさかい、知らせとるはずやと思うたがな」

「いいえ。聞いておりません」

「そうか。おかしな話やな」

利休はしばらく考えてから、それなら付き添いとして連れていってやると言った。

「自分の仕事の仕上がりを見たいやろ。明後日の巳《み》の刻にわしの屋敷に来たらええ」

言われた時刻に訪ねると、八大弟子の一人である狩野宗光《むねみつ》が表門で待っていた。

大和絵の名門である土佐家の出身だが、永徳に弟子入りして狩野の名乗りを許されていた。

「利休さまのお申し付けにより、西の丸、二の丸を案内させていただきます」

「永徳どのは」

「後ほど本丸の案内をなされます」

宗光は多くを語らず、足早に案内を始めた。

西の丸の御殿は秀吉に対面する大名たちの控え室が中心で、格式もあまり高くない。絵柄も松や竹、柳などで、狩野派の中でも腕の低い者たちが担当していた。

南二の丸御殿は秀吉配下の奉行たちが仕事をする政所《まんどころ》となっていて、花鳥図や山水図が配してある。その半分くらいは信春が頭となって担当したものだった。

驚いたことに、信春が描いた老梅に小禽のふすま絵が対面所に使われていた。

永徳と勝負を分けた自信作なので、信春は本丸の遠侍《とおさぶらい》に用いることにしていた。ところが何の相談もなく、南二の丸に移されていた。

「これはどういうことでしょうか」

信春は足を止めて説明を求めた。

屋敷のどこを担当するかは、仕事にかかる前に取り決めた。いくら永徳が棟梁とはいえ、勝手に変えていいものではなかった。

「位置を変えるように、禁裏からのご指示があったのでございます」

「何ゆえのご指示でしょうか」

「新しい帝の御世に、このような画題はふさわしくないと」

「なぜふさわしくないのです」

信春は喰い下がった。老梅は長寿を寿ぎ、寒雀は春の到来を告げるものだ。有職故実に照らしても問題があるとは思えなかった。

「詳しいことは聞いておりません。後で担当の者に確かめて下さい」

対面所の先に、出口につづく長廊下があった。その両側に梅林と大河を描いたふすまを立ててあった。

信春が老梅の絵の左右に配するために描いたものだ。梅林は先に行くに従って花を開き、春が進んでいく様子を表している。大河のほとりにも菫《すみれ》やたんぽぽが花をつけ、正面の雪山からつづく時の流れを示している。

それをバラバラにしてこんな所に使うとは、悪意があってのこととしか思えなかった。

「本丸の遠侍は、どうなりましたか」

宗光に文句を言っても仕方がないとは分っていたが、黙っているわけにはいかなかった。

「これからご案内いたします」

遠侍とは寝殿造りの御殿で、警固の武士が控えていた部屋のことである。公家たちからは身分が低いと見なされていた武士たちが、遠くに控えていたことからつけられた名前である。

関白となった秀吉は聚楽第の本丸に遠侍を作り、対面を求める大名たちの控えの間にしたのだった。

二十畳ばかりの細長い部屋で、上段と下段に分かれている。上段の間の正面には、永徳が描いた梅に小禽の図が用いてあった。

勝負が引き分けと告げられると、永徳は腹立ちまぎれに自分の絵を傷付けた。枝から飛び立とうとしている鶯を、墨で斜め十文字に打ち消したのである。ところがその部分は完全に修復され、

前より良くなったほどだった。

「久蔵の仕事です。ご当主さまはこれを見て大変お喜びになり、ひときわ久蔵に目をかけられるようになったのでございます」

左右のふすまにも花をつけた梅林が描かれている。永徳の筆と見まがうほどの作品だが、これも久蔵が手がけたものだった。

「これを、悴が……」

信春は久蔵の上達ぶりを誇らしく思いながらも、内心激しく動揺していた。

絵を見れば、久蔵が永徳にどれほど心酔しているかよく分る。これでは二度と自分の所には戻って来ないかもしれない。

その懸念はふすま絵の隅に押された落款を見ていっそう大きくなった。狩野派の壺形《つぼがた》印に狩久の文字が記されていた。

「これは久蔵の」

「はい。狩野の名乗りと落款の使用を許されたのです。わずか四ヵ月でこんな厚遇を受けたのは、久蔵が初めてです」

宗光は大変な出世だと誉めたが、信春は喜ぶ気にはなれなかった。

やはり永徳は長谷川家をつぶすために、久蔵を弟子に取り込んだのだ。愛想良く振舞ったのは、その目論見を隠すためにちがいなかった。

対面所でしばらく待つと、永徳が裃《かみしも》姿で入ってきた。信春に気付くと迷惑そうに眉をひそめ、

上段の間に近い位置に席を占めた。

小柄な体を大きく見せようと肩ひじを張り、全身で信春を拒んでいる。美しく端整な顔立ちだけに、人をよせつけない頑なな感じがいっそう際立っていた。

やがて利休に案内されて左大臣近衛信尹が入ってきた。

後には勧修寺晴豊、中院通勝《なかのいんみちかつ》、広橋兼勝《ひろはしかねかつ》が烏帽子、水干姿で従っている。いずれもこれからの朝廷とわが国の伝統文化を荷う俊英たちだった。

信尹は信春に気付くと懐しげに声をかけようとしたが、場所柄をわきまえて知らぬふりを決め込み、重々しく上段の間についた。

三人の公家が左手に並び、右手には利休と京都奉行の前田玄以、大徳寺の春屋宗園が陪席《ばいせき》した。

「本日はお運びいただきかたじけのうございます。それがし狩野州信《くにのぶ》が、案内の役をつとめさせていただきます」

永徳が深々と平伏したまま挨拶した。

最初に案内したのは大広間だった。上段の床の間から違い棚まで、巨大な松を中心とした金箔障壁画を配している。

側面の小壁や帳台構《ちょうだいがまえ》、折り上げになった格天井《ごうてんじょう》まで、金箔と岩絵具をふんだんに使った、目もくらむほどきらびやかな絵におおわれていた。

信春は度胆《どぎも》を抜かれ、茫然とあたりを見回した。永徳との力の差を、まざまざと見せつけられた気がした。

黒書院は一転して水墨画の落ち着いた世界だった。囲炉裏の間や連歌の間、そして帝がお休みになる帝鑑《ていかん》の間は、瀟湘八景図《しょうしょうはっけいず》や商山四皓図《しょうざんしこう》、竹林七賢図などを描いたふすまで飾られていた。

「どうした。妙にしおらしい顔をしているではないか」

宗園が体を寄せてささやいた。

「あまりの見事さに、気圧《けお》されております」

「さようか。素直で結構なことじゃ」

宗園の言葉には別の意味がある。だが信春にはそこまで汲み取ることはできなかった。


内覧が終った後、信春は利休の屋敷に招かれた。この間のお礼に茶など飲んでいけという。

「少しは役に立ったか」

利休が茶を点てながらたずねた。

「かたじけのうございます。あのように立派な絵を見たのは初めてでございます」

「そらそうやろ。ここより立派な御殿は、日本のどこにもあらへん。しかしな、あんな仕事だけが本物《ほんまもん》の美しさやあらへんで」

そう言いながら茶を差し出した。

黒の楽茶碗の底に、深緑色の濃茶が輝やきながらたゆたっている。ひと口すると香りと味が涼風のように広がり、体中が清められていくようだった。

それにつれて永徳の仕事に圧倒され、浮き足立っていた気持が鎮まっていく。そうして掌《てのひら》の中

の黒茶碗が、御殿の絵と対峙する美しさと重みをもって心に迫ってきた。

利休が茶をふるまったのは、そのことを教えるためである。宗園が言いたかったのも、おそらく同じことだろう。信春はそのことに気付き、未熟さを痛感しながら茶をすすり終えた。

その時、表であわただしい足音がして、

「利休、戻ったぞ」

秀吉が無遠慮にふすまを開けた。

背が低く肩幅の広いがっしりとした体付きで、朱色のビロードに桐の紋を入れた陣羽織を着ている。後ろには石田三成が従っていた。

「大坂での仕事が思いのほか早く終ったのでな。待ちきれずに戻ってきた」

「ご無事のご帰洛、おめでとうございます。お茶などいかがでございますか」

「いただこう。だが先客があるようだな」

秀吉は部屋の隅に下がって平伏している信春に目を向けた。

「絵師の長谷川信春でございます。御殿の内覧のために参っております」

「はて、その名はどこかで聞いたことがあるな」

「三年前に前田玄以どのが」

帰洛御免の許可を求めに来たと、三成が即座に進言した。

三成は二十九歳。頭の回転が早く、記憶力も旺盛な時期である。円熟期を迎えた秀吉の補佐役として、絶大な信頼を得ていた。

「そうか。比叡山の難の折、玄以を助けたという絵描きじゃな」

「さようでございます。その折にはお許しをいただき、かたじけのうございました」

「あれは織田方にも非があった。おとがめなしにするのは当然じゃ。その方、たった一人で三人を討ち取り、五人に手傷を負わせたそうではないか」

「あの時は無我夢中で、何も覚えておりません」

「謙遜には及ばぬ。絵描きにしておくには惜しい偉丈夫じゃ」

生まれは武家であろうと、秀吉は打ち解けた口調でたずねた。

「父も兄も能登の畠山家に仕えておりましたが、取るに足らぬ下級の家柄でございます」

「わしは尾張中村の百姓の小悴じゃ。家柄など屁のようなものよ」

「ははっ、恐れ入りまする」

「二の丸の対面所の絵は、その方が描いたそうじゃの」

「さようでございます」

「あれは良い。梅の枝にとまった二羽の雀は、若い頃のわしと嬶《かか》のようじゃ」

秀吉は二の丸と本丸の絵を見て回ったが、あれが一番気に入ったと言った。

「見ればわしとさしてちがわぬ歳のようじゃ。精進して天下一の絵描きになるがよい」

「ときに利休どの」

三成が頃合いを計り、大徳寺の三門の寄進を関白殿下がお認めになられたと言った。

「かたじけない。何よりの誉《ほまれ》にございます」

「楼門になれば、二階の内部に壁画を描かなければなりますまい」

「さよう。それが仕来りと聞いております」

「その絵を狩野に寄進させてもらいたいと、永徳から申し出がありました。この件、いかがかな」

永徳は三門造営の話を聞き、いち早く三成に働きかけたのだった。

「春屋長老と相談して返答いたしましょう」

利休は即答をさけた。

「壁画は楼門の内のこと。普通は寄進する方がお決めになると存じますが」

「私は費用を出させていただくだけのこと。三門の造作については長老がお決めになります」

「そんなことは先のことじゃ。それより利休、帝の御幸《みゆき》の日取りが決ったぞ」

公家どもがのらりくらりと返答をしぶっていたが、ついに音を上げおったと、秀吉が得意の鼻をうごめかした。

「それは良うございました。して、何日でございましょうか」

「四月十四日にお出でいただき、十八日までご滞在いただく。信長公さえなし得なかった盛儀じゃ。そちも心してかかるがよい」

後陽成天皇の行幸は、予定通り四月十四日におこなわれた。御歳十八。天正十四年のご即位から二年目のことである。

室町時代の例では、武家が帝の行幸をあおぐ時には、屋敷の玄関先で出迎えるのを礼儀とした。

ところが秀吉は関白だからという理由でこの前例をくつがえし、牛車に乗って内裏まで迎えに参上した。

山鳩色（青みのある黄色）の束帯をめされた帝が紫宸殿《ししんでん》におでましになると、秀吉は束帯の裾を持って鳳輦《ほうれん》に乗られる手助けをした。

行列は鳳輦を前に、秀吉の牛車を後ろにして諸家百官を従え、正親町通（中立売通）を西に向かった。その距離十五町（約一・六キロ）。沿道には六千人の武士たちが警固にあたった。名のある者は道に筵《むしろ》をひいて大紋姿で正座し、その下臣たちは袴を着て路地や町家の土間にひかえている。

行幸の編成や作法については、長く中断していたために分らないことも多かったが、京都奉行の前田玄以が公家の記録などを調べて古式に近い形で再現した。

〈事も久しくすたれたる事なれば、おぼつかなしといへども、民部卿法印玄以奉行として、諸家のふるき記録故実など尋《たずね》さぐり相勤《あいつとめ》らる〉

『聚楽行幸記』はそう伝えている。

聚楽第には帝の行幸を迎えるための儲の御所がきずかれていた。

檜皮葺《ひはだぶき》の御殿の屋根のいただきには、王者の象徴である金の龍の飾りがほどこしてあった。御所の障壁画は狩野松栄・永徳父子が受け持ち、心血を注いで仕上げていることは言うまでもない。

帝が御座につかれ、秀吉や公卿たちが着座すると、祝いの酒宴が始まった。

盃がひと回りするごとに、贅《ぜい》をつくした肴の膳がはこばれる。床の間には蓬萊《ほうらい》の島や鶴亀の置き物、松竹の飾り物など、行末の幸せを願う縁起物が美しくならべてあった。

翌十五日、秀吉は朝家と朝廷の財源とするために、洛中の銀子地子《ぎんすちし》（住民税）五千五百三十両余を末代まで献上することを誓った。また公家や門跡の扶持にあてるために、近江高嶋郡のうち八千石を与えた。

いずれも今度の行幸を機に朝廷をもり立て、王政復古をなし遂げる姿勢を明らかにするための措置《そち》だった。

秀吉の狙いは、帝をまつり上げることで関白である自分への服従を諸大名に誓わせることにある。そのことは諸大名に出させた誓紙に、

〈関白殿の仰せ聴《き》かせらるるの趣《おもむき》、何篇《なんぺん》においても聊《いささか》も違背《いはい》申すべからざる事〉

秀吉の命令には一切背かないと記されていることからも明らかである。

三日目は歌会で、謡い始めは秀吉がつとめた。

　　わきてけふ待《まつ》かひあれや松か枝の
　世々の契りをかけて見せつゝ

駿河大納言徳川家康は、

みどりたつ松の葉ことにこのきみの
千年《ちとせ》のかすを契てそみる

四日目は能会。一番の萬歳楽、二番の延喜楽につづいて八番の能が演じられた。会の後は酒宴が開かれ、秀吉の妻北政所と母親の大政所から帝への進上物がとどけられた。小袖、黄金、お香、高檀紙などである。

仙洞御所からも、正親町上皇の御製《ぎょせい》の短冊《たんざく》がとどけられた。

万代《よろずよ》に又八百万《やおよろず》かさねても
猶《なお》かきりなき時はこのとき

いささかおもねりが過ぎる気がするが、信長の専横に長年苦しめられてきた上皇にとって、秀吉の王政復古策は歓迎すべきものと映ったのだろう。

五日目の十八日、帝は午《うま》の刻頃に聚楽第を出て内裏に向かわれた。秀吉もこれに従ったが、牛車の前には帝への進上物を入れた長櫃《ながびつ》三十、唐櫃《からびつ》二十を荷いだ者たちを歩《あゆ》ませていた。

いずれの櫃も黒漆の上に蒔絵をほどこし、菊の御紋を入れた金具を用いている。しかも上から紫色の唐織の布でおおっていた。

行幸の日も還幸の日も、沿道には大勢の者たちが見物に出て、静かに行列を見守っていた。

〈五畿七道よりのぼりつどひたる貴賤老少かまびすしきこともなく、声をしづめて鳳輦を拝《はいし》たてまつるに、道すがらの管鼓《かんこ》のひゞきなにとなく殊勝にして、感歎肝《かんたんきも》にめいしたり〉(『聚楽行幸記』)

かくて秀吉が仕掛けた一世一代の行事は無事に幕を閉じたのだった。

行幸が終っても、都のざわめきはしばらくつづいた。祭りの後のような高揚感と淋しさの中で、人々は帝や秀吉の行列の華やかさを語り合った。

信春もしばらくそうした日々を過ごし、日常にもどるにつれて清子との祝言をどうするかという問題に頭を悩ましはじめた。

一番の気がかりは久蔵のことである。亡き静子との思い出をひときわ大事にしているので、この縁組みには反対するだろう。前々からそう案じていたが、永徳への心酔ぶりを見てさらなる心配事が加わった。

もし清子が信春の妻としてこの家で暮らすようになったなら、久蔵は二度ともどって来ないのではないか。狩野家にそのまま住みつき、狩野久蔵となってしまうにちがいない。そんな懸念が黒雲のようにわき上がり、心を暗くおおっていた。

信春は数日の間思い悩んだ末に、清子に相談してみようと思った。世慣れた彼女ならいい知恵を授けてくれるかもしれないと店に出たが、

「あら、何かご用ですか」

帳場から信頼しきった目を向けられると、何も言えなくなった。

「い、いや。お茶でも淹《い》れてもらおうかと思ってな」

あれほど固く約束したのに、今さらこんな悩みを打ち明けられるはずがない。かくなる上は久蔵を信じてありのままを伝えようと、文机に座って筆をとった。

清子を妻に迎えることになったいきさつと自分の気持を記し、会って話をしたいので都合をつけて帰ってきてくれと付け加えた。

この文を久蔵と親しい千之助に届けさせたが、四、五日たっても返事はなかった。

了頓図子から狩野図子までは、わずか半里ほどしか離れていない。子供でも使いができる距離である。その気があるならちょっと仕事を抜けてでも来られるだろうに、久蔵は家にもどって来るどころか、返事ひとつ寄こさなかった。

(やはり嫌がっているのだ)

清子を後添いにすることが嫌で、無視しているのだろう。父親にも愛想をつかしているにちがいない。信春はそう思い、文を書く前より大きな混乱におちいった。

「おい、久蔵の様子はどうだった」

千之助を呼んでたずねた。

「忙しそうにしておられました。二十四孝図屏風に取り組んでおられるそうです」

「家のことは、何か言ってなかったか」

「いいえ。ゆっくり話をする時間もありませんでしたから」

それなら仕方があるまいともう少し待ってみることにしたが、十日たっても半月たっても梨のつぶてだった。

信春は気をもみながら待つことに疲れ、次第に腹が立ってきた。嫌がるのは仕方がない。だが反対なら反対で、返事のひとつくらい寄こすのが礼儀である。

それをこんな風に無視するのは、永徳にならって自分を軽く見ているからにちがいない。それなら目に物見せてくれようと、

「ちょっと久蔵に会ってくる」

清子に告げるなり勢い込んで表に出た。

三条通は人馬の往来がさかんだった。秀吉が聚楽第のまわりに大名たちの屋敷を建てさせ、家族や家臣を住まわせるように命じたために、洛中の人口は一割ほど増えている。

聞き慣れない方言を話しながら、店の棚をのぞいて回る者たちが増えていた。

信春は衣棚通を真っ直ぐ北へ向かった。

名前が示すように、衣服を売る店が軒をつらねる通りである。これから夏のさかりを迎えるとあって、棚には麻や薄絹、絽《ろ》や紗《しゃ》の着物が並べてあった。

狭い通りには人があふれている。それをかき分けるようにして歩いているうちに、信春は次第に気分が滅入ってきた。

こんなことで血相を変えて久蔵に会おうとしている自分が、嫌になったのである。

それに永徳の手前もある。大徳寺の三門のことで競り合うことになりそうなので、余計に弱味

を見せるわけにはいかなかった。

（ならば先に三門の決着をつければよい）

それは窮鼠《きゅうそ》が猫をかむような思いつきだが、今のように煮えきらないまま思い悩むよりましな気がした。

大徳寺の本坊を訪ねると、春屋宗園は朝顔の種をまいていた。昨年利休からもらった種があるので、雨が降ったこの機をのがさず庭にまいていたのである。

笠をかぶり尻をはしょった姿は、田夫野人《でんぶやじん》そのままだった。

信春は縁側に座って種まきが終るのを待った。

こんな時に声をかけると、修行が足らんと怒鳴られる。時には警策《けいさく》でしたたかに打たれることもある。黙って待つにしくはなかった。

「何やら話があるようじゃな」

宗園は意外に早く仕事を終え、ぬれた僧衣を着替えながら声をかけた。

「お願いがあって推参《すいさん》いたしました」

「三門の絵のことか」

ぴたりと言い当てられ、信春は二の句がつげなくなった。

そんな話をしたことは一度もない。それなのに心の内を見透されているのだから、うかつなことを言えば底の浅さをさらけ出すことになりかねなかった。

「おそれ入りましてございます」

「永徳に勝ちたいか」

「負けたくはありません。しかし三門の絵は、それとは別でございます」

「もう何年になる」

宗園が低い声でたずねた。ここに通うようになってから、という意味だった。

「二年半になります」

「その間に、何か分ったか」

「心の持ち方を学びました」

「ほう。それならわしにも教えてくれ」

心はどうやって持つ。両手で持つか肩にかつぐかと、宗園は厳しい問答を仕掛けてきた。

「分りません。ただ、在りのままの自分でいることだと思います」

「在りのままの自分というものは見えるか」

「いいえ。見えません」

「では、どうして在りのままかどうか分るのじゃ」

信春は返答に詰まってしばらく考え込んだ。

禅の問答は難しい。門前の小僧にすぎない信春には、この問いに答えるほどの悟りも学識もなかったが、黙っていては落第を認めるも同じだった。

「人にはすべて仏性がそなわっていると、お釈迦さまは説いておられます。その仏性に照らせば、在りのままの自分かどうか分ると存じます」

苦しまぎれに答えたとたん、

「馬鹿者」

宗園が烈火《れっか》のごとき声を発し、警策で肩口を打った。

「お前はまだそんな所をうろついておるのか。それではとても三門の絵は任せられぬ」

「おそれながら。何がどう間違っているのでしょうか」

「間違ってなどおらぬ。卑しさが透けて見えるだけじゃ。荷物をまとめてさっさと出ていけ」

愛用の警策をふり回し、肩といわず背中といわず打ちのめした。

初めて見る宗園の鬼の形相である。信春はどうしていいか分らず、ほうほうの体で逃げ出した。

衝撃のあまり、了頓図子の店にもどった時にも青ざめたままだった。

「久蔵さんと、何か行きちがいがあったのですか」

清子が案じ顔で帳場から声をかけた。

「久蔵と会っていたわけではない。心配するな」

居間にもどると、描きかけの禅宗祖師図があった。

「南泉斬猫《なんせんざんびょう》」の場面が半分ほど仕上がっている。中国唐代の名僧南泉が、一匹の猫をめぐって争う弟子を戒《いまし》めるために猫を斬ったという故事にもとづいたものだ。

左手で猫の首筋を持ってつまみ上げ、右手に剣を持って猫を斬ろうとする南泉を描いているが、何もかも成っていなかった。

南泉の姿にも表情にも、悟りをきわめた名僧の輝きがない。殺生をおかしてまで教えを授けよ

うという気迫もない。つかまれた猫は、昼寝でもしているように寝とぼけた顔をしているではないか。

こんな絵で宗園をうならせ、あわよくば三門の仕事を手に入れようとしていた自分の下心がまざまざと見えて、信春はいたたまれない気持になった。

「おい、酒だ。酒を出してくれ」

その日はあびるほど酒を飲んで荒れた心をなだめすかし、翌日から宗園の問いに向き合った。在りのままの自分を見るにはどうすればいいか。正解はどこにあり、自分は何を間違っていたのか。信春は宗園と真剣勝負をするつもりで答えを追い求め、他の一切を忘れはてた。


信春の最大の美質は、愚直なばかりの粘り強さにあった。

都で育った者のように頭の回転が速くないし、物事を手早く処理することもできない。そのかわり物事にじっくりと取り組み、本質を見極めようとする生真面目さがあった。

それはおそらく、一年の半分を雪に閉ざされて生きる能登の気候と風土が育んだものだろう。相手は大自然である。小手先の工夫でどうにかなるものではないし、じっと耐えて春を待つしか対処の仕様はない。

雪に行動の自由を奪われるが、深く考えじっくりと観察する時間はたっぷりとある。そうした暮らしの中で、信春は妥協しない粘り強さと物を正確に見る視力をやしなったのだった。

実に一年、春夏秋冬がひと巡りする間、信春は宗園の問いと向き合いつづけた。

その間に久蔵からは、清子との結婚を了解したという文が来た。返事が遅れたのは忙しさにまぎれていたからだという理《ことわ》りも書いてあった。

信春は清子にそれを見せて喜び合ったが、関心はもはや世事の外にある。居間にこもったり、外を歩き回ったりしながら、在りのままの自分を見るにはどうすればいいかということばかり考えていた。

ある雨上がりの朝、店の近くに大きな水たまりができた。そこを通りかかった信春は、ふと興味を引かれてのぞき込んだ。茶色くにごった水に、自分の姿が映っていた。

これは自分の外形であって心は映っていない。しかし在りのままの自分を見るには、心をとらえなければならないのである。その心をどうやって見るのか……。

信春は水たまりの前に立ちつくして考え込んだ。

後ろから薄汚れた野良犬が走り寄り、しばらく足元にすり寄っていたが、何もくれないと分ると水たまりを横切って去っていった。

水たまりにいくつもの波紋が広がり、鎮まるにつれて信春の姿がはっきりとした輪郭《りんかく》を持って浮かび上がった。それは描こうとする肖像画が、心の中で形を成していく時のようである。

信春ははっとした。形のない心は見えない。だが日堯《にちぎょう》上人や教如の肖像画に、内面まで描き写すことはできたのである。

(そうだ。在りのままの自分を見るには、絵を描けばよい)

自画像を描くのではない。自分が描くすべての絵が、在りのままの自分なのだ。

そう気付いた瞬間、信春の胸から歓喜がわき上がってきた。それは天空の高みで法を説かれる釈迦如来を夢で見た時と同じ、心が解き放たれていくような歓びだった。

信春はそのまま大徳寺に向かった。新築されたばかりの三玄院に駆け込んで、春屋宗園に答えを告げようとした。

あいにく長老は留守だった。

「待たせてもらう。答えが分ったのだ」

もう誰も自分を止めることはできない。そんな高揚した気分で方丈に入ったが、宗園は昼時分になってももどらなかった。

三方には桐紋を雲母刷りにしたふすまが立ててある。それを見ているうちに、信春は故郷に降るぼたん雪を思い出した。

後から後から音もなく降る雪が、人々の暮らしを封じている。静子や久蔵をつれて丹後の港にたどり着いた日も、こんな雪が降っていた。

信春は蓑笠《みのかさ》をつけ、静子は久蔵を傘でかばって都に向かって歩き出した。

忘れ難い、あの日あの時……。

想いは無限に広がり、記憶が形をなくしていく。信春はその時の光景を描きたくなり、筆と墨をさがした。

文机の上に宗園の文箱がおいてある。しかもあつらえたように墨がたっぷりと残っていた。

信春はまず天に向かって突き上げるように山を描き、ふもとに楼閣や寺院を配した。

これは周山街道を都に向かう途中で見た神護寺の風景だが、雅やかで水準の高い都の文化そのものを表している。その右側に描きなれた松を数本対置させ、さらに右には船から下りて歩き始めたばかりの三人を描き込んだ。

様子を見に来た二人の僧が、

「何をしておられるのです。おやめ下され」

血相を変えて後ろから組みついた。

「離せ。これが私の答えなのだ」

「なりませぬ。このふすまは関白殿下から下賜されたものでございます」

「案ずるな、責任は私が取る」

信春は巨体を利して僧たちをふり払い、一心不乱に絵を描き続けた。心の内からわき上がってくる想いに従って絵を描くこと。それが在りのままの自分だと、改めて確信していた。

夕方になっても宗園はもどって来なかった。嵐山の天竜寺に行っているので、今夜は泊ることになったという。

信春は日暮れまでかかって四面の山水図を仕上げ、宗園にあてた書き置きを残して三玄院を後にした。

三門の造築はほぼ完成し、朱色に塗られた巨大な楼門が薄闇の中にそびえている。これまで門の前を通るたびに気圧《けお》される感じがしたが、この日は自然と向き合うことができた。

次の日、宗園からの知らせを首を長くして待った。自分が見つけた答えを分かってくれるとい

う自信はあったが、知らせがなかなか来なかった。

五日たち十日たちすると、さすがに信春も不安になってきた。

あの答えで良かったはずである。だが僧たちの制止をふり切って、秀吉が下賜した桐紋のふすまに絵を描いたのはまずかったかもしれない。

桐紋は秀吉が朝廷から下賜されたものだから、それに絵を描くのは秀吉の顔に泥をぬるのも同然である。まして三玄院は狩野派寄りの石田三成らが創建したものだから、問題を大きくして信春をつぶそうとするかもしれない。

あれこれ考えると、いかにも軽率だったという気がしてくる。今度こそ宗園に、完全に愛想をつかされたのではないだろうか。

信春の考えは次第に悪い方へと進み、

「もしかしたら、この首を差し出すことになるかもしれぬ」

清子に泣き事をもらす始末だった。

「それならそれで、仕方ないではありませんか」

清子は何やら期するところがあるようで、算盤をはじきながら顔を上げようともしなかった。

天正十七年（一五八九）五月二十七日、秀吉の長子鶴松《つるまつ》が生まれた。五十三歳になる秀吉と側室の淀殿との間に、待望の世継ぎが誕生したのである。

秀吉の喜びようはひと通りではなく、京大坂の神社仏閣に土地を寄進し、方々に祝いの金を配

った。そのために洛中は時ならぬ鶴松景気にわき立ったほどだった。

その慶事のさなか、春屋宗園からの呼び出しがあった。信春は首を洗い、神妙な面持ちで三玄院の方丈をたずねた。

ふすま絵はそのままにしてある。その前で宗園と利休が向き合っていた。

「ずいぶん思い切ったことを仕出かしたもんやな」

利休が先に声をかけた。

「宗園さまの問いが解けましたので」

「嬉しさのあまり分別を忘れたというわけか」

「申し訳ございません。いかがでございましょうか」

信春は恐る恐る宗園に顔を向けた。

「お前はどう思う」

「力の限り描かせていただきました。どのような処罰を受けようと、悔いはありません」

「鶴松さまの誕生祝いに描かせたと、関白殿下や石田治部《じぶ》どのには伝えておく」

宗園が菓子器からせんべいを取り、丈夫な歯でかみ割った。

「そ、それでは……」

「普通なら許されまい。運のいい奴だ」

「ありがとうございます。して」

あの問いの答えになっているでしょうか。そうたずねた。

「いい出来だ。のう宗匠」

「さようでございますな。虚仮《こけ》の一念と申しましょうか」

「釈迦は六年、達磨《だるま》は九年。越えがたい問題に向き合う資質と覚悟がなければ、新たな世界を切り開くことはできません」

「良かったな信春。長老はお前に三門の絵も任せたいとおおせなんや」

年とともに歯が悪くなった利休は、せんべいを湯にひたして食べた。その手付きが、点前《てまえ》のように上品だった。

「宗園さま。まことでございましょうか」

「石田治部どのの口添えもあったが、狩野派の絵は定石通りで面白味に欠ける。宗匠とそう話していたところだ」

「それで、この私に」

「今年中に三門の落慶供養をしたい。それまでに間に合わせることができるか」

「間に合わせます。命を賭けて、間に合わせてご覧に入れます」

「銭はわしが出す。棟木《むなぎ》は長老が書かれる。三人の合作というわけや」

早々に三玄院を辞し、信春は了頓図子まで走って帰った。一刻も早く店に帰り、このことを清子や弟子たちに知らせたかった。


翌日から信春は勇んで仕事にかかった。

大徳寺の三門の壁画を描けるのは一流と認められた証である。将来城や御殿、寺社の仕事を手がけるための大事な足がかりにもなる。しかも狩野派とせり合って勝ったのだから、世間の注目度はひときわ高かった。

信春は三門の図面を広げ、下絵の構想をねった。

間口五間、二階二重で入母屋《いりもや》造りの楼門はさすがに大きい。この楼上の天井や壁にくまなく絵を描くのだから、これまでとは比較にならない大仕事だった。

下絵が出来上がったら、仕事の手順を決めて進行表を作らなければならない。どの色の絵具がどれほど必要か割り出し、画材屋にあらかじめ発注しておく必要がある。

信春はあれこれと考え、ともかく一度三門の中を見せてもらうことにした。

「どうぞ。足許にお気をつけになって」

寺の者に案内され、千之助や茂造とともに急な階段を登ると、京の都が眼下に広がっていた。

西に愛宕山、東に比叡山。正面の右手には船岡山がこぶのようにこんもりと盛り上がっている。その山の東側に聚楽第の金箔ぬりの屋根瓦が見えた。

天井までの高さは人の背丈の二倍ほどもある。ここに足場を組んで蟠龍《ばんりゅう》図や天人《てんにん》像を描くのだから、作業の難しさは想像を絶するほどだった。

「少なくとも二十人は必要ですね」

千之助がため息まじりにつぶやいた。

主要な所は信春が描くが、背景を塗ったり筆や絵具を手渡す者が必要である。だが信春には十

要だ」

「描くだけではない。下にいて全体の調子を見る者が必要だ」

絵の釣り合いや絵具の微妙な調合具合まで見るのだから、信春と同じくらいの力量の絵師が必要である。しかも阿吽《あうん》の呼吸で分りあえるほど気心が知れた者でなければ務まらなかった。

「久蔵さんに、戻ってきてもらうしかなさそうですね」

「そうだな。お前と久蔵がいてくれれば鬼に金棒だが」

久蔵は狩野家に住み込んだままである。しかも近頃では八大弟子の一人に数えられるほど腕を上げているので、戻ってきてくれるかどうか分らなかった。

絵のこととなると信春に迷いはない。さっそく久蔵を狩野図子の近くの茶屋に呼び出し、酒を酌みながら話をすることにした。

顔を合わせるのは、昨年の盆に久蔵が家にもどって来て以来である。その時には信春は宗園の問いで頭が一杯で、何を話したかも覚えていなかった。

「ずいぶん立派になったな」

親ながらまぶしいほどの成長ぶりだった。

「まだまだですが、父上に教えていただいたことが近頃になって実になってきた気がします」

こんな嬉しがらせをさらりと言える歳になったのである。しかも酒までたしなむようになっていた。

「酒の席に出ることも多くなったか」

「総帥のお供をして、大名家や公家衆をたずねる機会が増えました。総帥はあまり酒を飲まれませんので」

久蔵が代って相伴《しょうばん》をしているという。盃の持ち方にも、立派な座敷で気を張って飲むことになれた者の品格があった。

「清子のことでは、いろいろと心配をかけたな」

「心配などしていません。あのように立派な方が父上の世話をして下さるなら、私も安心して絵の修行に打ち込めます」

「そうか。そう言ってくれるか」

「お話というのは、祝言のことでしょうか」

「そうではない。まだ公にはできぬことだが」

信春は久蔵に盃を回し、大徳寺三門の壁画をうちで請け負《お》うことになったと言った。

「それは凄い。おめでとうございます」

久蔵には何のくったくもない。それは良かったと喜色を浮かべて盃を飲み干した。

「あれは狩野派も望んでいたというが、聞いてはおらぬか」

「いいえ。総帥はそうした話を一切なされませんから」

「この機会に念願の長谷川派を立ち上げるつもりだ。そこでお前にもどってもらいたいが、どうだろうか」

それを相談するためにこうして来てもらったのだと、信春は居住まいを正して切り出した。

「長谷川派、ですか」

久蔵は声に出して言葉の響きをたしかめた。

「この仕事がうまくいけば天下の注目が集まる。狩野派のように城や御殿の内装を任されるようになるのだ」

「そういえば了頓図子の店を出す時も、そんな話をしましたね」

「どうせなら長谷川派を立ち上げるくらいのつもりでやろうと、お前が言ってくれたのだ」

「都に長谷川派の旗が立ったなら、おじいちゃんが喜んでくれるだろうな」

久蔵が七尾の家を偲《しの》ぶ遠い目をした。幼い頃に膝に抱きかかえて絵の手ほどきをしたのは、祖父の宗清《むねきよ》なのである。

「そうか。お前も養父上《ちちうえ》のことを気にかけていてくれたか」

「あまり覚えていませんが、母《かか》さまが時々話をしてくれましたので」

「私も立派な絵師にならなければ養父上や静子に申し訳がないと思って、今日まで頑張ってきた。そうしてこの歳になって、ようやく機会が巡ってきたのだ」

だから力を貸してくれと、深々と頭を下げた。

「父上のお気持は分りました。しかし私の勝手にはできないのです」

「どうして」

「弟子入りする時、誓紙をさし出しました。狩野の技法を外にもらさない、許しなく辞めないと誓うことが、入門の条件なのです」

「聞いてないぞ。そんなことは」

信春は愕然とした。弟子入りの相談に来た時、永徳は誓紙のことなど話さなかったのである。

「それが仕来りですから仕方がありません。狩野派を出るには、その誓紙を返してもらわなければならないのです」

「それなら私が頼みに行く。それでいいか」

「そうしていただければ、何とかなるかもしれません。狩野派の掟は厳しいので、中にいると難しいことも多いのです」

「任せておけ。お前がもどってくれるのなら何でもする」

そう言って胸を叩いたが、事はそれほど簡単ではなかった。

永徳が三門の絵を手がけたいと望んでいることを知りながら、信春は宗園や利休の力でその仕事を受注した。悪意はなかったが、永徳が横取りされたと受け取り、信春に反感と敵愾《てきがい》心を持つことはさけられない。

そんな時に三門の仕事をするために久蔵を返してくれと頼んだなら、どんな態度に出るか分らなかった。

しかしこれには、長谷川派の未来がかかっている。弱音を吐くわけにはいかなかった。

信春はじっくりと考え、最善の道をさがした。永徳の反感をやわらげ、頑なな心をほぐすにはどうすればいいか……。

（松栄どのに頼んでみるか）

父親の口添えがあれば、永徳もすんなりと応じてくれるのではないかと思ったが、すぐに無理だと打ち消した。

ふすま絵の入札の一件以来、松栄と永徳は険悪な関係になっている。それに松栄は隠居して以来、家への口出しをさけているので、引き受けてくれるはずがなかった。

他には誰かと心の内でさがしたが、二人の掛け橋となってくれそうな人物は誰もいない。やはり自分で直接たずねるしかあるまいと意を決し、永徳に久蔵のことで相談があるので会ってほしいと申し入れた。

返事はその日のうちに来た。狩野宗光をつかわすので、用件を話してくれという。いつぞや聚楽第を案内した八大弟子の一人だった。

信春は長谷川派を立ち上げたいので久蔵を返してほしいと、内情を打ち明けて宗光に頼み込んだ。

「弟子の勝手にはできないことは、ご存知だと思いますが」

「誓紙のことなら聞きました。しかし永徳どのが相談に来られた時には、一言もそんな話はありませんでした。いつかは返していただけると思ったからこそ、久蔵を預けたのです」

「今さらそんなことを言われても」

どうしようもないと、宗光は信春の甘さを笑った。

「どうすれば返していただけるか、永徳どのにたずねたいのです。そのようにお伝え下さい」

次の日、宗光が再びやって来た。夏の陽射しを受けて、面長の色白の顔に汗を浮かべていた。

「事情は分ったと、総帥がおおせでした」

「それでは返していただけるのですね」

「ただし、ひとつ条件があります」

久蔵には門外不出の技法を伝授したのだから、口外されたなら狩野派にとって一大事である。そこで今後は一切迷惑をかけないという起請文を、信春の名で出してもらいたいという。

「書き方は、こんな風です」

宗光は手回し良く見本を用意していた。

狩野派に一切迷惑をかけないばかりか、背いたなら洛中から追放されても構わないと、神仏の名にかけて誓うものだった。

「洛中追放ですか」

これでは生殺与奪の権を永徳に握られるようなものだ。だが信春は久蔵を取りもどしたい一心で、この条件を呑んだのだった。

宗光は起請文を受け取ると、

「これで総帥も納得されるでしょう。できるだけ早く対面がかなうように計らいますので」

次の知らせを待てと言って帰っていったが、数日たっても何の音沙汰もなかった。

どうしたのかとじりじりしながら待っていると、十日後にようやく宗光がたずねてきた。

「総帥が多忙をきわめておられ、失礼いたしました。これから会うとおおせですので、ご案内いたします」

「そうですか。すぐに仕度をいたします」

信春は羽織・袴に着がえ、はやる気持を抑えて宗光の後についていった。

夏のさかりで、屋敷の松林で蟬どもがやかましく鳴いていた。玄関につづく踏み石には、たっぷりと打ち水がしてあった。

永徳は涼しげな上布《じょうふ》の小袖を着て、客間の上座についていた。

「このたびはご多忙中にもかかわらず」

ご対面いただきかたじけないと、信春は家来のようにかしこまった。

「無理なお願いをして、ご迷惑をおかけいたしました。久蔵をお許しいただき、お礼の申し様もございません」

「残念ですね。久蔵はようやく筆遣いをおぼえ、これから自分の絵を確立するだろうと楽しみにしていました。今去られては、これまでの苦労が水の泡です」

「勝手なことは重々承知しておりますが、久蔵にはやがて長谷川家をつがせなければなりません。こちらに預かっていただく時に、そのことは申し上げたつもりですが」

「聞きましたよ。養子の身で家を絶やすことはできないと」

嫌味な言い方だが、確かに信春はそれに近いことを言ったのだった。

「ならばご斟酌《しんしゃく》いただきとう存じます」

「分りました。起請文も出していただいたようだし、本人が望むなら引き止めることはできません」

永徳は付き人を呼び、久蔵を連れてくるように命じた。

信春は緊張して待ったが、久蔵は屋敷にいなかった。

「五日前から、加賀の前田さまの仕事に出ているそうでございます」

年若い付き人が告げた。

「それなら聚楽第に使いを走らせれば良かろう」

永徳が言ったが、久蔵が出かけているのは聚楽第の前田屋敷ではなく加賀の金沢城だった。

「それで、戻りは」

「十月末になるとのことでございます」

狩野家は数百人の弟子を抱えているので、誰がどこの仕事をしているかは担当の掛《かか》りにしか分らない。付き人はそこへ行って確かめてきたのである。

「お聞きの通りです。残念でしょうが、それまで待ってもらうしかありません」

永徳が話はすんだとばかりに立ち上がった。

「お待ち下さい。それではうちの仕事に支障をきたします」

「久蔵はまだ私の弟子です。お返しするまでは、狩野の仕事を優先するのが当たり前でしょう」

金沢に行っているとは知らなかったと永徳は言ったが、偶然とは思えない。信春が引き取りに来るのが分っていて、わざと遠くに行かせたにちがいなかった。

（十日も引き延ばしたのは、そのためだったのだ）

信春はやり口の汚さに歯ぎしりしたが、知らなかったと言われれば空しく引き下がるしかなか

った。

店にもどると大勢の客でにぎわっていた。越後方面から本山に参拝に来た一行らしく、なまりの強い言葉で言い合いながらみやげを物色している。

清子は土間に下り、客たちの求めに応じて商品を出したり質問に応じたりしている。いつもなら信春も店に入って手伝うところだが、今はそんな気にはなれなかった。

居間に入ってぼんやりしていると、清子がお茶を運んできた。

客たちは午の刻の鐘を聞くと、いっせいに帰っていったという。

「きっとどこかで昼食《ちゅうじき》でも召し上がるのでしょうね。潮が引くように帰っていかれました」

「疲れたろう。言葉もよく分らないのだからな」

「いいえ。美しい扇だと、みなさんとっても喜んで下さいましたから」

「狩野には断わられたよ」

「それでは久蔵さんは」

「十月末にしかもどらないそうだ」

永徳にしてやられたと、信春は自嘲気味にいきさつを語った。

「こうなったら新しく雇うしかない。腕のいい職人が五人、手伝いが十人ばかり必要だが、大丈夫か」

「お金のことなら心配ありません。お陰さまで商いは順調ですから」

「無理を言って来てもらうのだ。普通の二倍は給金をはずまねばなるまい」

「帳簿、ご覧になりますか」

清子が店からぶ厚い帳簿を持ってきた。

几帳面な字で数字がびっしりと書き込まれている。清子が帳場を預かるようになってからの貯《たくわ》えは、およそ金千二百両。現代に換算すれば一億二千万円にものぼっていた。

「凄いな。いつの間に」

「能登屋の扇は洛中一と評判です。これくらい残さなければ罰《ばち》が当たります」

「これだけあれば大丈夫だ。三門の絵を仕上げて、天下一の名を取ってやる」

仕事が無事に終ったなら油屋をたずね、正式に結婚の許しを得るつもりである。だがそのことは胸に秘めたまま、信春は三門の下絵に取りかかった。

三門の壁画の様式はほぼ定まっている。天井の中央に円形の蟠龍図を描き、左右に昇り龍と降り龍を配して仏教の悟りにいたる世界を表現する。

昇り龍は上求菩提《じょうぐぼだい》、降り龍は下化衆生《げけしゅじょう》。僧たちの理想を具象化したものである。

そうした制約があるので描きやすい半面、過去の名作をなぞるだけの似通った絵になる危険がある。春屋宗園が「狩野派の絵は定石通りで面白味に欠ける」と言ったのは、こうした弊害をさしてのことだった。

この点、信春には強みがあった。長年絵仏師の仕事をしてきたので、定められた画題の中に自分なりの表現を取り入れる訓練ができている。

重要なのは絵そのものに意匠をこらすことではない。描くべき画題の本質を理解し、それを自

分なりの手法で表現することだった。

　幸い信春は宗園の弟子となり、日頃から薫陶を受けている。大徳寺の禅の本質が、開山の大燈《だいとう》国師《こくし》の教えにあることを知っていた。

　僧たちは毎朝、国師の遺誡《ゆいかい》をとなえて一日の修行の始まりとする。

　その冒頭は次のとおりである。

「汝等諸人《なんじらしょにん》、此《こ》の山中《さんちゅう》に来《きた》って、道《どう》の為《ため》に頭《こうべ》を聚《あつ》む。衣食《えじき》の為《ため》にする事莫《ことなか》れ。肩《かた》あって着《き》ずと云《い》う事《こと》なく、口《くち》あって食《く》らわずと云《い》う事《こと》なし。只《た》だ須《すべか》らく十二時中《じゅうにじちゅう》、無理会《むりえ》の處《ところ》に向《む》かって、究《きわ》め来《きた》り究《きわ》め去《さ》るべし。光陰箭《こういんや》の如《ごと》し、謹《つつ》しんで雑用心《ぞうようじん》すること勿《なか》れ」

　お前たちは仏道修行のためにこの山中に集まったのだから、衣食のことなど気にかけずにひたすら修行に没頭せよというのである。

　その目標である「無理会《むりえ》の處《ところ》」とは、学問や知識、常識などが通用しない悟りの境地のことである。ここに至る道は険しく人生は短いのだから、俗世間の雑事にかかずらって一生を棒にふるなという。

　こうした狂気に近いような荒々しい求道《ぐどう》性は、信春の中にもある。だからこそ七尾を飛び出し、数々の困難に耐えながら絵の精進をつづけてきたのだった。

(肝心なのは、無理会に向かう修行者たちの気迫をとらえることだ)

　信春はまず中心の蟠龍図を描いた。

天空でとぐろを巻いた龍が、険しい目で近付く者をにらんでいる。昇り龍と降り龍も、おどろ

おどろしく体をくねらせ鋭い爪をふり立てて、悟りにいたる道の険しさと厳しさを教えている。

左右の柱に描いた阿吽の仁王像は、閻魔《えんま》大王のような怒気を発して人間の弱さや愚かさを見据えている。

三門を入る決断をし、身も世も捨てて修行に打ち込んだ者だけが、無理会の處にたどりつき、御仏《みほとけ》とひとつになることができる。この山はそのための修行場であり、この世とは一切の関係を絶った別世界なのだ。

そうした考えを追いながら筆を走らせているうちに、信春は若い頃に十二天像を描いた時の手応えを感じていた。自分が描いているのではない。身の内に棲む何者かが腕をあやつり、絵という形をとって外に飛び出している感じだった。

色も赤、黒、緑、青を原色に近い形で使った。力強さと激しさを際立たせようとしてのことだ。しかも細かい所にはこだわらず、太く荒々しい線を生かすことだけを考えた。

出来上がった下絵を並べてみて、信春はあっと息を呑んだ。子供の頃キリコ祭りの灯籠《とうろう》に描いていた絵とそっくりである。それは当たり前のような気もするし、何だか面映《おもはゆ》くもあった。

六月末に大徳寺をたずねて下絵を見てもらった。宗園は並べた絵に見入ったまましばらく何も言わなかった。

「ふむ」

感心したのかあきれたのか、低いうなり声をもらしたまま腕組みしている。

「いかがでございましょうか」

信春は待ちきれずにたずねた。

「生きておる。無理会の處に入りかけた修行者は、たいがいこうした幻影《げんえい》に悩まされるものだ」

悟りのとば口では、御仏の使いである龍が修行者の未熟を正すために怒りの形相で現れる。そこを越えて初めて、新たな世界に踏み込むことができるという。

「この絵が描けたのは、お前の修行がそこまで進んだからじゃ。よう辛抱《しんぼう》ができたな」

宗園は直す所はないと太鼓判を押したが、ひとつだけ問題があると言った。

「実は年末の行事が立てこんでおってな。十二月の初めに三門の落慶法要をいとなみたい。それまでに間に合わせてくれるか」

「承知いたしました。さっそく明日から仕事にかかります」

信春はその足で画材商の生野屋をたずね、必要な分量の岩絵具や膠《にかわ》、胡粉《ごふん》などを注文した。

「おめでとさんでございます。大徳寺さんの三門のお仕事を請け負わはったそうですな」

顔見知りの番頭はさすがに耳が早かった。

「もうそんな噂が流れていますか」

「そりゃあ狭い世界のことですよって。あちらの総師と揉《も》めてはるとも聞いとりまっせ」

「別に揉めているわけではありません」

「隠《かく》さんかてよろし。先生のお力がそこまで大きゅうなったということですがな」

長年この世界に君臨してきた狩野派の牙城《がじょう》を、裸一貫から身を起こした信春が突き破った。そのことは驚きと称賛と野次馬的な興味をもって、洛中の関係者に受け止められていた。

画材は問題なく仕入れることができたが、職人を雇い入れる件は思いがけず難航した。

洛中には職人を斡旋《あっせん》する業者が何人かいて、こうした場合には畿内近国から人を集めてくれる。ところが今回に限って、どこも応じてくれないのだった。

「新たに領国を与えられた大名が、いっせいに城や御殿を建てているので、どこの職人も出払っているそうでございます」

業者を回ってきた千之助と茂造が口をそろえて報告した。

（そんな馬鹿な）

信春はそう思ったが、二人を責めても埒《らち》が明かない。手みやげの包みを持って懇意にしている若狭屋をたずねた。

「まことに申し上げにくいのですが」

包みを受け取った主人が、脂汗をかきながら能登屋には人を回せないことになったと言った。

「それは、どうしてでしょうか」

「さる筋から廻状が来たのでございます。私どもとしては、背くわけにはいきませんので」

永徳が信春には人を回すなと命じたのである。三門の仕事を徹底的に妨害して、立ち上がりかけた長谷川派を潰しにかかったのだった。

「それなら他の店を紹介して下さい。大徳寺の三門の壁画を任され、人手が足りないのです」

「申し訳ありませんが、そんなことをすれば廻状に楯突くことになりますので」

「それなら結構です。自分で捜しますから」

信春は業を煮やして立ち上がった。

「お気の毒ですが、他の店に行っても無駄だと思います」

「京都が無理なら、大坂や堺に行きます」

「そちらにも廻状が回っています。畿内で仕事をしている者は、あのお方には逆らえないのです」

そんな馬鹿なことがあるかと、大坂や堺の店を当たってみたが、結果は若狭屋が言った通りだった。個人的な伝《つて》を頼り、金を積んで職人を回してくれと頼んでも、狩野家に出入りをさし止められるのを恐れて誰も応じてくれなかった。

(ここまでやるのか。狩野は)

信春は巨大な壁にはばまれて途方にくれたが、事ここに到ってようやく肚《はら》をすえた。

これは喰うか喰われるかの戦いである。相手がこちらを潰そうとするなら、狩野派を葬り去る覚悟で戦ってやる。持ち前の負けん気をふるい起こし、必ず挽回すると心に誓ったが、現状を打開する方策は思いつかなかった。

「堺の叔父さんに相談してみましょうか」

苦衷《くちゆう》を察した清子が、遠慮がちに申し出た。

油屋常金は西国の毛利家や大友家とも交流があるので、腕のいい職人を回してくれるように頼めるかもしれないという。

「いくら狩野家でも、そこまで口をはさむことはできないでしょうから」

「いや、それは駄目だ」

名だたる絵師になって清子を嫁にもらい受けようとしているのに、こんなことで弱味を見せたくはなかった。

都のお盆は七月十一日から始まる。

仏壇に迎え火をたき、迎え団子やなすび、きゅうり、豇豆《ささげ》などをそなえて先祖の霊を迎える仕度をする。やって来る霊をお聖霊《しょうらい》さんと呼び、十六日の送り火まで丁重にもてなすのである。

信春もこの日から店を休み、養父母や静子の霊を迎える仕度をした。七尾の長谷川家はなくったのだから、ここに迎えなければならないという思いはひときわ強かった。

清子も静子にひとかたならぬ敬意を払っていて、朝早くから起きて万全の仕度をととのえている。そうした気遣いを見るのは、信春にとっても有難いことだった。

正午すぎに清子が仏前に昼食をそなえようとした時、突然地面が揺れた。足元が下から持ち上げられたかと思うと、左右にふられるような揺れがきた。

清子は膳を持ったまま床にうずくまった。その背中に絵具を並べた戸棚が倒れかかった。

「危ない」

信春は清子を庇《かば》おうと、とっさにおおいかぶさった。

戸棚は信春の背中を直撃し、絵具の瓶や皿が音を立てて飛び散った。中には絵具を溶いたままのものもあり、服や床に色が散った。

「うち、嫌われとるんやわ」

清子が子供のようにべそをかきながら震えていた。

「馬鹿、地震だ」

この年の二月五日、駿河、遠江《とおとうみ》で地震が起き、大きな被害があった。それによって生じた地《ち》殻《かく》のひずみが京都にも及び、地震を引き起こしたのである。

幸い揺れは大きくなかった。絵具の棚が倒れたり、店の壁に飾った扇が落ちた程度である。だが職人たちを実家に帰しているので、後片付けが容易ではなかった。

服を汚したまま散乱した扇を集めていると、戸口に大きな影が立った。ふっと顔を上げると、旅姿をした久蔵が立っていた。

「地震、大丈夫でしたか」

「たいしたことはない。盆休みか」

それで帰ってきたのだと思った。

「狩野に暇《いとま》をもらいました。これからここで働かせてもらいます」

「金沢城の仕事は」

「まだ終りませんが、父上がお困りだと聞きましたので」

誓紙を取り戻すために起請文までさし出したと知り、永徳の制止をふり切って帰ってきたのだった。

「それなら、さっそく手伝ってくれ」

信春はぼそりと言って扇ひろいをつづけた。

嬉しくて飛び上がりたいほどである。安堵のあまり肩の荷がどっと下りた感じがする。だが弟子でもある息子の前で、手放しで喜ぶわけにはいかなかった。

翌日、久蔵を慕って狩野派の若手七人が駆けつけた。彼らは永徳の専制的なやり方についていけず、久蔵のもとで働きたいと望んだのだった。

「父上、お許しいただけますか」

久蔵は、すでに棟梁の顔をしていた。

「まあ、いいだろう」

七人を受け容れれば、弟子を引き抜いたと永徳に詰《なじ》られることは分っている。だが向こうが仕掛けてきたのだから、遠慮することはないのだった。

十六日に送り火と聖霊《しょうりょう》（精霊）流しを終え、翌日から三門の仕事にかかった。

信春が蟠龍図と昇り龍、降り龍を描き、久蔵が天人像と迦陵頻伽《かりょうびんが》像を、千之助が仁王像と波図を受け持った。まだ炭で素描する段階なので、少々描き方がちがっていても構わない。要は全体の均整がとれているかどうかである。

足場に乗っての難しい作業だが、三人は下絵にしたがってわずか十日で描き上げた。息もぴたりと合っていて、信春がすべて描いたかと見まがうばかりの出来だった。

次は彩色である。蟠龍図は孔雀石《くじゃくせき》で作った緑青色を中心にし、昇り龍と降り龍は藍銅鉱《らんどうこう》の群青色を効かせ、朱は水銀と硫黄《いおう》、黄色は虎眼石を使って色を出す。

いずれも高値な絵具だが、深みのある鮮やかな色が出せるように金に糸目はつけなかった。

十七人になった弟子たちも気が合っていて、長谷川派の旗上げにふさわしい仕事ぶりである。門出を祝うように天気にも恵まれ、十月末にはすべての仕事が仕上がった。

翌一日《ついたち》、宗園と利休に絵を見てもらった。

「まさに無理会のとばロじゃ。のう、宗匠」

禅を極めた者ならそれが分るはずだと、宗園がしきりに感心した。

「さようでございますな。この絵にふさわしい号を、信春に授けねばなりますまい」

何か希望はあるかと、利休がたずねた。

「ならば一門の先達である等春《とうしゅん》さまにちなんで、等の字をいただきとうございます」

「等の字か。それなら等白《とうはく》にせよ」

宗園が決めつけ、意味は追い追い考えるがよいと言った。

信春はそれに従い、蟠龍図のかたわらに「長谷川等白五十一歳」と署名した。等白(後に等伯)と名乗るのは、これ以後のことである。

三門の落慶法要は十二月五日におこなわれた。宗園が導師をつとめ、秀吉以下諸大名が参列した盛大なもので、壁画を描いた長谷川等白の名は一躍天下にとどろいた。

これほどの勢いと迫力のある絵は、これまでの狩野派にはない。表面の描写にとらわれずに本質に迫ろうとする奔放な画風が、美しい絵ばかりを見慣れた者たちの魂をゆさぶったのだった。

第八章　永徳死す

天正十八年（一五九〇）の年明け早々から、洛中はざわめいていた。秀吉が小田原の北条氏を征伐すると触れ、諸大名に出陣の仕度を命じたからである。

争いの発端は北条氏と真田氏の対立だった。北条氏の北進によって上野《こうずけ》（群馬県）の沼田領を奪われそうになった真田昌幸《まさゆき》は、秀吉に調停を依頼した。

惣無事令《そうぶじれい》を発して諸大名の争いを禁じていた秀吉はこれを受け容れ、沼田領の三分の一を真田に、残りを北条氏に与える条件で和解を命じた。

ところが沼田城に入った北条方と、名胡桃《なぐるみ》城を守っていた真田方の小競り合いは、その後もやむことがなかった。

業を煮やした北条方は、兵力に物を言わせて名胡桃城を攻め落としてしまった。これを聞いた秀吉は、惣無事令に違反したという理由で北条氏に宣戦布告したのである。

先陣を命じられた徳川家康は、二月十日に二万の軍勢をひきいて駿府城を発った。それにつづ

いて織田信雄、蒲生氏郷、豊臣秀次らも相ついで東海道を東へ向かい、三月一日には秀吉の本隊が天皇に見送られて京都を出発した。

小田原城は上杉謙信や武田信玄の攻撃にも耐え抜いた天下の名城である。全長九キロにもおよぶ土塁と空堀をめぐらした城内には、関東の荒武者五万人が立てこもり、周辺の城にも精兵をこめて迎え討つ態勢をととのえている。

だが総勢二十一万人を集めた秀吉は余裕綽々《しゃくしゃく》で、真田昌幸にあてた書状に次のように記している。

〈関東八州之物主《ものぬし》ども残らず相籠《あいこも》り候の間、小田原一城にて関東一篇《いっぺん》に討ち果《はた》さるばかりに候〉

関東地方の有力武士が小田原城に集まっているので、みんなまとめて討ち果たすことができる。かえって好都合だというのである。

秀吉がこれほどの自信を持ちえたのは、三倍ちかい兵力差のためばかりではない。北条氏は硝石や鉛を入手する道を断たれているので、長期戦になれば弾薬を使いはたして手も足も出なくなることが分っていたからである。

秀吉だけでなく、洛中にも楽観がただよっていた。しかも出陣にあたって武具、兵糧、馬糧、生活用品などをいっきょに買い集めるので、九州征伐以来の戦《いくさ》景気にわいていた。

了頓図子の能登屋も絶好調だった。

長谷川信春改め等伯が、大徳寺三門に描いた壁画の評判は、洛中洛外ばかりか近国、遠国、日本中に鳴りひびいている。

絵を直に見た武家や公家、僧侶たちは、その足で能登屋をたずねて等伯の作品を買いたがる。評判しか聞いたこともない者たちも、いったいどんな絵だろうと了頓図子に行列をなす。

そのために能登屋は、年明け早々からてんてこ舞いの忙しさだった。

店頭では扇や小型の屛風が飛ぶように売れる。大名家や寺社、商家から、襖絵や屛風の注文がひっきりなしに入ってくる。

職人を四十人にふやし、帳場にも油屋から店員二人を回してもらったが、それでもさばききれないほどだった。

「どんなに忙しくても手を抜くな。ひとつひとつ修行を積んでいると思え」

等伯は七尾を出て以来、十八年間もの不遇に耐え抜いてきた。そうしてようやく巡ってきた天の時だけに、どんな仕事にも全身全霊で取り組んでいた。

ところが近頃、気になることがある。桜の花が咲きはじめるのと軌を一にしたように、清子の元気がなくなったのだった。

昨年末に正式に夫婦になり、新婚三ヵ月目だというのに、妙にふさぎ込んでいる。帳場に座っていても辛そうだし、客の応待もどこかうわの空だった。

「正月から忙しすぎた。少し休んだらどうだ」

等伯は心配になって声をかけるが、大丈夫だからと妙に強情に言い返す。

どうしたものかと気を揉んでいると、油屋から来たお房が思いがけないことを言った。

「奥さまは身籠っておられるのではないですか」

「えっ」

「そんなに驚くことはないでしょう。身に覚えはございませんか」

「それは、もちろん」

ありますと答えて、等伯は顔を赤らめた。

「それなら結構なことではありませんか。神仏からのさずかりものですよ」

「しかし、清子は」

子ができなくて離縁されたと言っていた。それに自分はもう五十二歳である。子をさずかるとは想像さえしていなかった。

「人には相性というものがあります。関白さまも淀殿というご側室を得て、初めて子をなされたではありませんか」

「清子が身籠ったと言ったのか」

「いいえ。これは女の勘です」

「それなら本当かどうか、清子に確かめてみてくれ」

「何をおっしゃいますか。夫に一番に気付いてもらうのが、女子《おなご》にとって何より嬉しいのですよ」

そんなに鈍感だから奥さまが腹を立てておられるのですと、お房は脅迫めいたことを言って帳場にもどっていった。

等伯は清子の様子をそれとなくうかがった。もともと太っているので、体付きからは変化がう

かがえない。吐き気がしたり食が細くなったりしてはいないので、悪阻《つわり》でもなさそうだった。

（するとやはり、怒っているのだろうか）

それなら早く何とかしなければと気は焦るが、どう切り出していいか分からない。面と向かって妊娠したかとたずねるほど、等伯は図太くないのだった。

折しも桜の盛りである。二、三日迷った末に、清子を花見に誘い出すことにした。

めざすは仙洞御所の八重桜である。祖父の無分が株を分けてもらった桜が、今年も薄桃色のたおやかな花をつけていた。

「夫婦になって見るのは初めてだな」

「そうですね。最初につれて来ていただいたのは四年前でした」

「この桜は七尾の家にあったものと同じだ。私にとってはこれが我が家なのだよ」

だから新しい命が宿ったのなら、ここでみんなに報告したい。等伯がそう言うと、清子は涙ぐんで小さくうなずいた。

「ありがとう。こんなに嬉しいことがあるとは思ってもいなかった」

「お礼を言うのはわたくしの方です。でも、本当にいいのですか」

「何が」

「わたくしのような者が、お前さまの子をさずかって」

「妙なことを言う奴だな。お前は私の妻ではないか」

「それは、そうですが」

清子はいろいろ想うことがあるようだが、口にはしなかった。

家に帰ると久蔵を部屋に呼んだ。二人とも妙に緊張しているのは、久蔵の胸の中にいる静子を意識しているからだった。

「今日は折入って話がある」

等伯は気まずさに耐えかねて酒を出そうとしたが、久蔵は仕事が残っているからと断わった。

「どうしました、神妙な顔をして。また無理な仕事を引き受けたんじゃありませんか」

「そうではない。実は、その」

等伯は少し口ごもって、清子に児《やや》ができたと打ち明けた。

「お前の弟か妹になる子だ。年は離れているが」

「それはおめでとうございます。父上、やりましたね」

久蔵は等伯の肩を叩かんばかりに喜んだ。しかも、すでに女を知っているような余裕のある口ぶりだった。

「でも、お嫌《いや》ではないのですか」

清子が一番気にしていたのはこのことだった。

「何を遠慮なさっているのですか。我々はこれから長谷川派を立ち上げ、狩野派に負けない勢力にしていくのですよ。身内は多いほうがいいに決っています」

「そんなことを言うなら、お前も早く嫁をもらえ」

等伯は久蔵の配慮が嬉しくて、冗談めかしてきつく迫った。

「私はまだ修行中の身ですから」

「もう二十三だろう。誰か気に入った人がいるなら、つれて来てもいいんだぞ」

「そうですね。考えておきます」

久蔵はにこりと笑って仕事場にもどった。


三月末になって珍らしい客があった。狩野松栄が杖をついて久々に訪ねてきたのである。顔を合わせるのは、聚楽第の仕事をしていた時以来だった。

「忙しい時にすみませぬが、頼みたいことがありましてな」

「ようこそお越しいただきました。どうぞ、奥へ」

等伯は別邸の客間に案内した。仕事が増え弟子も多くなったので、家が手狭になっている。そこでとなりの屋敷を買い取ったのだった。

「いい庭ですな。ご繁盛でおめでとうございます」

「ありがとうございます。聚楽第では大変お世話になりました」

等伯は手早く茶を点てた。道具も新たにそろえているが、釜だけは前のように芦屋の真形《しんなり》を使っていた。

「こちらこそ、お陰で無事に終えることができました。倅が勝手なことをして、ご不快だったろうと存じますが」

どうか許してやってくれと、松栄は深々と頭を下げた。永徳が等伯の絵をぞんざいに扱ったこ

とを、松栄はずっと気にしていたのだった。

「お顔を上げて下さい。そんなことは、もう気にしていませんから」

「あれは幼い頃から頭抜《ずぬ》けた才能を持っておりました。それゆえ私の父が、狩野の宝だと溺愛したのです。欲しがるものは何でも与え、見たいものは何でも見せてやりました。あれが十歳の頃に、参内《さんだい》したという話をご存知でしょうか」

「いいえ。存じません」

「大和絵の修行をしていた時に、本物の宮中が見たいと言い出したのです。すると父はお公家衆に頼んで参内できるように計らい、帝《みかど》にまで対面させてしまったのです」

むろん無位無官の身で帝の御前に出ることはできない。そこで後宮に入り、帝のお成りを待ってうさぎの絵を描いてみせたという。

「時の後奈良天皇はいたくお喜びになり、神童を見たとお誉めになったそうでございます。こうしたことがあって増長したのでしょう。長ずるにつれて私の言うことなど歯牙にもかけなくなりました」

松栄はそう言って淋しそうに笑った。

「何か頼みがあるとおおせられましたが」

等伯には松栄の辛さがよく分る。これ以上こんな話をつづけたくなかった。

「実は倅のことです。大徳寺の三門のことでいろいろ行きちがいがあったようですが、水に流して手打ちをしていただきたい」

「ああ、そのことですか」

等伯は雑巾でも押しつけられたように嫌な顔をした。

永徳は三門の仕事を妨害するために、方々に圧力をかけて職人を雇えなくしたのである。こんな汚ない真似をされて許せるはずがなかった。

「お怒りはもっともですが、こちらにもうちの弟子が何人か来ております。それでおあいこということにしてもらえませんか」

「あれは久蔵を慕ってついてきたのです。私が引き抜いたわけではありません」

「確かにそうでしょうが、狩野では引き抜かれたと騒いでおります。それに久蔵さんへの反感も強いのです」

このまま争いをつづけては双方のためにならない。そこで等伯の方から折れてほしいと、松栄は再び頭を下げた。

「わびを入れろと、おおせでしょうか」

「悴や狩野のためだけではありません。長谷川派の将来のためにも、禍根《かこん》を残してもらいたくないのです」

その言葉に等伯は胸を衝《つ》かれた。松栄は狩野派のことだけ考えるような了見の狭い絵師ではない。等伯にも惜しみなく狩野派の技法を教えてくれたし、秘蔵の伺《うかが》い下絵まで見せてくれた。

絵師とは狭く険しい道を行く求道者だ。誰かがそこを越えてくれたなら、後につづく者の励みになる。そう言って門戸を開いてくれたのである。

「師匠、分りました。分りましたから、顔を上げて下さい」

翌日、等伯は久蔵をつれて狩野家をたずねることにした。永徳が在宅しているとは松栄から聞いている。どうせわびるのなら、久蔵も一緒の方がいいと思った。

「分りました。ちょっと待って下さい」

久蔵が仕事部屋から縦長の包みを持ってきた。

「何だ。それは」

「礼物《れいもつ》の絵です。いつかは挨拶に行かなければと思って、用意していました」

高さ三尺ばかりの六曲の屏風に、墨で梅に鶯を描いている。永徳が等伯との勝負の時に描いたものと同じ構図だが、不思議な奥行きがあった。

「なるほど。屏風の折れ目を生かすとは考えたものだな」

襖絵は平面だが、屏風には山と谷の折れがある。その特性を生かし、山の所には前に出てくる太い幹や枝、谷の所には遠ざかる細い枝や葉を描くことで、遠近感を強調しているのだった。

「総師が打ち消された鶯の絵を直している時に、この鳥がもっと遠くへ飛べるように見せる方法はないかと考えていたのです。そうして屏風にしたらどうかと思いつきました」

「狩野の技法をよく学んでいるし、線も生きている。これでは永徳どのが手放したがらないはずだ」

絵の描き方、色の出し方には各流派ごとの秘伝がある。絵具の調合法だけでも数百種類の方法があり、それを知っているかどうかで絵の質が決まると言っても過言ではない。狩野派が絵画の

世界に君臨していられるのは、こうした技術を四代にわたって蓄積してきたからである。

久蔵はその大半を学んで長谷川家にもどってきたのだから、狩野家の者たちが裏切られたと反感をつのらせるのは仕方がない。その反感が、久蔵の将来に影を落とすことにもなりかねなかった。

(師匠はそれを案じて下されたのだ)

等伯は松栄の心づかいの意味に改めて気付き、今日はどんな扱いを受けても腹を立てるまいと決意した。

等伯と久蔵は室町通を北に向かった。

二人とも頭抜けて背が高いので、並んで歩くとひときわ目立つ。しかも久蔵は顔立ちもよく涼しげな目をしているので、道行く娘たちが足を止めてふり返るほどだった。

「おい。お前が先に歩け」

等伯は視線がうるさくてかなわぬと後ろに下がった。だが久蔵がこれほど立派に成長してくれたことが嬉しくて、内心天にも昇るような心地なのだった。

狩野図子まではわずか半里。二人の足では四半刻で着く距離である。

初代正信以来の豪奢な屋敷の表門で訪《おとな》いを入れると、狩野宗光が応待に出た。聚楽第の絵を見に行った時に案内をした土佐派出身の弟子だった。

「あいにく総帥《そうすい》は外出中でございます」

さっさと帰れと言わんばかりの口ぶりだった。

「松栄師匠から、今日はご在宅だとうかがいましたが」

「急な用があって、先ほどお出かけになりました」

「それなら待たせていただきましょう」

等伯はにこやかに応じた。以前のように腹も立たなければ、狩野派の威厳に気圧されることもない。自分でも不思議なほど自然体でいられた。

宗光がしぶしぶ案内したのは弟子の間だった。八畳ばかりの板張りで、上座には三尺ばかり高くなった畳の部屋がある。永徳はここに座り、弟子たちと対面するのだった。

「おい。まるで天子様のようだな」

等伯は久蔵に肩をよせ、長押《なげし》に御簾《みす》までついているではないかとささやいた。

「弟子だけで三百人ちかくいますからね。この部屋に入れるのは、そのうちの三十人ばかりです」

「お前もここで教えを受けたのか」

「そんな時もありましたが、八大弟子にしていただいてからは茶室でお目にかかれるようになりました」

序列を激しくするのは、絵の上達をうながすためである。だがこうしたやり方が嫌で出て行く者も少なくないという。

「そうか。すると私は三十人並みの扱いを受けているわけだな」

丸窓の外の中庭には、岩で囲んだ池がある。池には大きな鯉が群をなして泳いでいて、時折尾びれで水面を叩く音が聞こえてきた。

すでに昼時《ひるどき》を過ぎている。朝から何も食べていない等伯は、かなり空腹を感じたが、茶菓子ひとつ出してはもらえなかった。

一刻《いつとき》。二時間近くしてから、ようやく永徳が現れた。羽織を着て袴をつけているので、外出していたというのは本当らしい。しかもかなり重要な相手と会っていたようだった。

「久蔵が長年お世話になりました。お礼の挨拶が遅れて、大変ご無礼いたしました」

等伯は床板に手をついて深々と頭を下げた。

「お礼など無用です。もう縁が切れたのですから」

永徳は等伯を見ようともしなかった。

「これが急に家にもどりましたのは、私の窮地を見かねてのことでございます。いろいろとご迷惑をおかけいたしましたが、親を案じる心ゆえと思《おぼ》し召して、お許しいただきとうございます」

「親を案じる心ですか。便利な言い訳もあったものだ」

永徳は鼻で笑った。許すつもりは毛頭ない。だが許さないと言えば久蔵が抜けた痛手をさらけ出すようで、狩野派の体面にかかわると思っているようだった。

「本人が帰りたいと望むなら引き止めることはできないと、永徳どのはおおせられました。久蔵は金沢城の仕事を途中で抜けたかもしれませんが、自分の持ち場だけは寝る間もおしんで仕上げたそうではありませんか」

「本人がそう言っているだけでしょう。私はそんなことは聞いておりません」

「久蔵を慕ってついてきた者たちから聞いたのです。悴は自分の手柄を吹聴するような男ではあ

りません」

久蔵を守りたい、心の重荷を軽くしてやりたい。その一心から、等伯は口早に言いつのった。

「総帥、この絵をどうぞお納め下さい」

久蔵が上段まで進み出て、木箱に入れたままの屏風を差し出した。

永徳はちらりと目をやっただけで受け取ろうとしなかった。

「私は生涯狩野派を名乗りません。教えていただいた技法を外にもらすこともありません。この絵とともに、そっくりお返し申し上げます」

久蔵は床に額を押しつけて誓ったが、永徳は信用していない。頑なに押し黙り、こめかみを苛立ちにひきつらせていた。

等伯は腹が立つより先に可笑しくなった。まるでだだをこねる子供のようである。これが天才絵師と呼ばれた男の器量かと、かえって哀れなほどだった。

「倅はその場かぎりの嘘をついたりはいたしません。安心して見てやったらどうですか」

「弟子でもない者の絵を、見る必要などない」

永徳が怒りを抑えた低い声で言った。

「貴殿は絵が嫌いなようですな。いや、絵に夢を持っておられぬと言うべきでしょうか」

「な、何だと」

「絵に夢を持っているなら、手塩にかけた弟子が、この半年の間にどれほど上達したか見たくなるはずでしょう。自分の立場と狩野の面子《メンツ》を守ることしか頭にないから、そんなことも分らなく

なるのです」

等伯は喧嘩を売ったわけではない。永徳を見て感じたことを素直に口にしたままである。

だが図星をさされた永徳は逆上し、血の気の引いた青い顔をして立ち上がった。

「たかが絵屋が。三門の絵で評判を取ったくらいで、のぼせ上がるのもたいがいにしろ。起請文をさし出したことを忘れたわけではあるまい」

「確かにさし出しましたが、久蔵の絵を見てくれと頼んでいるばかりです。迷惑をかけているわけではありません」

「私の意にそむくことが迷惑なのだ。この都で仕事がしたいなら、狩野に楯突くな」

永徳は金切り声を上げ、絵の箱をけり落として去っていった。

箱のふたが音をたてて飛び、屏風が外にこぼれ出た。

「これもご指導のひとつですよ」

後ろに控えていた狩野宗光が、あわてて屏風を箱におさめた。

永徳ともあろうものがこんなことをしたと外に聞こえては、狩野の信用に傷がつく。だからとっさに取りつくろおうとしたのだった。

「総帥は相手の顔を見ただけで、どれくらいの絵を描いたかお分りになります。きっと久蔵の慢心を見抜かれたのでしょう。だから厳しく戒められたのです」

この絵は自分が預かり、改めて総帥に見てもらう。そう言ってそそくさと引き下がった。

表門を出ると、等伯は曇天《どんてん》をあおいだ。名声をほしいままにしてきた狩野家に、こんな内幕が

あろうとは想像さえしていなかった。

「父上、申し訳ありません」

久蔵が涙を浮かべて永徳の非をわびた。

「なぜ謝る。辛いのはお前だろう」

「私は弟子でしたから。あれは総帥の病《やまい》です。いつもはこんなことはありません」

「分っている。私も少し言い過ぎたようだ」

「以前はあんなことはなかったそうです。しかし関白殿下に命じられて信長公のご尊像を描き直されたために、各方面から無言の非難にさらされ、心の病をわずらわれたのです。きっと狩野派を支えていく重圧は、我々が想像するよりはるかに大きいのでしょう」

「分っているって。そんなに方々に気をつかうな」

お前はどうしてそんなに出来がいいのだと、等伯は久蔵の肩を抱きしめてやりたくなった。


秀吉が豪語したとおり、小田原征伐は順調に推移していた。

三月二十七日に駿河の三枚橋城（沼津市）に入った秀吉は、山中城、韮山《にらやま》城に同時に攻めかかる作戦を取り、豊臣秀次、織田信雄を総大将とする軍勢を両城につかわした。

山中城は箱根峠を守る東海道の要衝《ようしょう》で、北条方の松田康長、北条氏勝らが五千余の兵をひきいて守備にあたっていた。

ところが秀吉の大軍勢と圧倒的火力には抗する術《すべ》がなく、わずか半日で攻め落とされた。

秀吉は四月一日に箱根峠をこえ、六日には北条氏の菩提寺である早雲寺を占領して本陣にした。箱根の温泉を楽しみながら、じっくりと小田原城を攻めにかかることにしたのである。

相つぐ戦勝の知らせに、洛中もわき立っていた。

都人にとって関東はいまだに東夷《あずまえびす》の地と認識されている。それゆえ秀吉の快進撃を坂上田村麻呂《さかのうえのたむらまろ》や八幡太郎義家の活躍になぞらえ、大いに気分を良くしている。

この頃が洛中における秀吉人気の絶頂期だった。

了頓図子の能登屋は相変わらずの繁盛ぶりで、等伯も仕事に追われる日々を送っていた。四月もあっという間に過ぎ、五月雨の時期も近くなった頃、京都奉行の前田玄以から使者が来た。

「私宅にて、茶をさし上げたいとおおせでございます」

指定された時刻にたずねていくと、庭の数奇屋に案内された。四畳台目のわびた茶室で、墨染めの衣を着た玄以が茶を点ててくれた。

京都奉行の要職にありながら、私生活では僧のようにつつましい暮らしをしている。それは信長の比叡山焼討ちに絶望して還俗した時の気持を忘れないようにするためだった。

「大徳寺の三門の絵は、相変わらず評判が高いようですな」

玄以が三島茶碗に薄茶を点てて差し出した。鉄分の多い高麗茶碗だが、三島の名にちなんで小田原の戦勝をことほぐ意を込めていた。

「先日もある大名に等伯どのを紹介してくれと頼まれました。よく精進《しょうじん》をなされましたな」

「これも皆様方のおかげです。回り道をしましたが、絵のためには良かったのかもしれません」

「近頃は大変お忙しいとうかがいましたが」

「お陰さまでいろいろな所から注文をいただいております」

「それでは、もう手一杯でしょうね」

玄以は伊羅保《いらぼ》の茶碗に二服目を点てはじめた。

「玄以どののお申し付けならどうにかいたします。何かご所望《しょもう》でしょうか」

「これはまだ内々の話ですが、このたび関白殿下は上皇さまのために仙洞御所の対の屋を造営なされます。その襖絵を描いていただけないかと思ったのです」

「せ、仙洞御所ですか」

等伯は一瞬聞きまちがいではないかと思った。

内裏や御所に絵を納めるのは、この国最高の絵師だと認定されることである。いかに三門の評判が高かったとはいえ、自分のところにこんな話が来るとは信じられなかった。

「私が対の屋の造営奉行をおおせつかっております。それゆえ絵師を推せんすることはできるのです」

「それは願ってもないことです。仙洞御所には祖父の無分が株を分けていただいた八重桜があります。あの花に添う絵を描かせていただけるなら、どんな犠牲もいとわないつもりです」

能登屋の仕事をすべて後回しにしてでも、いや、店をたたんでもいいとさえ思った。

「それなら推せんさせていただきますが、私ができるのはここまでです。絵師を決めるのは朝廷ですから」

「こちらから朝廷にお願いしても、いいのでしょうか」

「伝《つて》があるのなら、働きかけをした方がいいでしょう。おそらく狩野もこの仕事を逃すまいと動くでしょうから」

対の屋造営のことは、すでに石田三成が狩野永徳に知らせているはずである。狩野家は公家衆との付き合いが深いので、これにせり勝つのは至難の技だった。

「何とかなると思います。懇意にしていただいている方もおられますから」

数日後、等伯は東山の風景を描いた風炉先《ふろさき》屏風を持って近衛前久の屋敷をたずねた。

前久とはここ二年ほど音信がない。だが前々から親しくしてもらっているので、力になってもらえるだろうと当てにしていた。

前久は屋敷の一角にもうけた的場で弓を射ていた。等伯より三つ上だから五十五歳になるはずである。だが相変わらず背筋の伸びた端正な姿勢をして、弓を満月のように引きしぼっていた。

「ただ今、十射《じゅっしゃ》の行《ぎょう》をしておられます」

案内した従者が的場の入り口で控えているように言った。

十射の行とは、十本の矢すべてを的に当てることである。一本でもはずしたら初めからやり直す厳しい行で、胆力と集中力をやしなうための鍛練《たんれん》だった。

前久は不思議なくらい何でもできる男である。剣術や馬術は武士も顔負けの腕前だし、歌や書は公家の中でも一、二を争う水準にたっしていた。

しかも政治的な手腕は怪物じみている。本能寺の変の後は秀吉を猶子にすることで関白任官の

道を開いてやり、今でも隠然たる勢力を保っていた。

弓の腕も尋常ではない。的までゆうに半町。五十メートル以上も離れているのに、十射すべて中黒を射抜いたのだった。

「何や信春、来とったんか」

前久は従者からふくべを受け取り、喉を鳴らして酒をのんだ。

「ご無沙汰いたしました。ご健勝のご様子を拝し、祝着《しゅうちゃく》に存じます」

「俺はもう隠居の身や。お前のような勢いはない」

前久は大徳寺の三門の絵を見て、大いに感心したと言った。

「お前の性根は武士やな。あれは戦場の絵や」

「有難きお言葉、かたじけのうございます」

「誉めとるわけやない。武士やからこそ描けんもんもある。まあ、そのことは追々《おいおい》分るはずや」

前久は歯に衣《きぬ》きせぬことを言い、それは新作の絵かとたずねた。

「風炉先屏風でございます。お使いいただければと存じまして」

等伯は屏風を開いて絵を披露した。東山三十六峰を墨の濃淡とわずかな線で表現したものである。目に見える本当らしさより、心に迫る印象を重視した新しい意匠の作品だった。

「ええな。牧谿《もっけい》の神髄をつかみかけとる。だが俺の茶には合わんようや」

「おそれながら、どのような絵をご所望でしょうか」

「華があって静かな絵や。気持だけもろとくさかい、それは利休にとどけてやれ」

「承知いたしました。そのようにさせていただきます」

「それで何の用や。頼みたいことがあるようやな」

胸中を見透され、等伯は珍らしく動揺した。たいがいのことには自然体でいられるようになったのに、前久の前では勝手がちがっていた。

「実は、仙洞御所のふすま絵の件でお願いに上がりました」

「対の屋か。上皇さんのために、秀吉が造営してくれるそうやな」

「前田玄以どのからそのように伺いました。推せんだけはしておくので、自分で朝廷にお願いするようにと」

「そのことなら力になれん。残念やったな」

「あの、何ゆえでございましょうか」

「いろいろあるが、そんなことまでお前に話さないかんか」

「これはご無礼いたしました。お許し下されませ」

等伯は冷水をあびたように引き下がった。以前はあれほど好意を示してくれたのに、なぜ急に掌《てのひら》を返したような態度を取るのか分らない。分らないだけにいっそう痛手は大きかった。

(無沙汰をしていたので不興を買ったのだろうか。それとも絵所の別当を断わったことが、お気に召さなかったのか)

いずれにしても頼みの綱が断ち切られたのである。等伯は失意のまま店にもどり、清子に胸の内を打ち明けた。

「油屋さんなら親しくしておられる公家も多いはずだ。そちらに頼んでもらえないだろうか」

「それはおやめになった方がよろしいと思います」

清子は生まれてくる子のためにおむつを縫っていた。

「どうしてそう思う。迷惑をかけるようなことにはなるまい」

「お公家衆に借りを作ると、後の付き合いが大変なのです」

「何がそんなに大変なのだ」

「当座のお礼ばかりでなく、盆暮れの付け届けも欠かせなくなります。商品を安く買い叩かれたり、貸した金までうやむやにされることがあるのですよ」

公家たちは戦乱の世に翻弄され、長い間食うや食わずの生活を強いられてきた。だから金蔓《かねづる》になると見ると、恥も外聞もなくしがみつく。清子は油屋にいた頃、そうした光景を何度も見てきたのだった。

清子の言うことはよく分る。当てにしていた近衛前久に断わられたのだから、無理をするべきではないと、いったん自制を利かせて引きさがったが、心の底には諦めきれないものがあった。

仙洞御所の桜の側に絵を添えれば、祖父無分以来の願いを成就できる。自分の手でつぶしてしまった長谷川家を、御所の中に生かす道が開けるのだ。

そうした思いが断ち切りがたい執着となって、等伯の心をつかんでいた。

我が国の文化も芸術も芸能も、朝廷を原流として生まれている。世俗の権力によってではなく、国民の心を惹きつけることによって王権を維持してきた朝廷が、己れの存続をかけて磨き上げて

きた豊饒《ほうじょう》な実りがある。

文化や芸術、芸能にたずさわる者は、すべて心の国の住人であり、その道を極めれば極めるほど、朝廷を抜きにしてはこの世界が成り立たないことを理解するようになる。

等伯もそのことは実感していた。だからこの機会を逃《の》がしたくない。何もかもかなぐり捨てても、対の屋に絵を描かせてもらいたかった。

（そうだ。夕姫さまなら）

ある夜、満ちていく月をながめながらそう思った。

三条西家に嫁いだ夕姫なら、朝廷の内情にも通じている。どうすれば対の屋の仕事が取れるか教えてくれるにちがいない。

（だが、しかし……）

これが危険な賭けであることはよく分っていた。

等伯は決心がつかないまま数日悩み、心が倦《う》んだような状態におちいった。微熱がつづいて体が重い。感覚が鈍って絵筆をとる気にもなれなかった。

「風邪をひかれたのではありませんか」

このところ無理がつづいたからと、清子が生姜湯《しょうがゆ》を持ってきた。

だが等伯は手を伸ばそうともしなかった。お前などに私の気持が分るかと、牛のようなギロリとした目を向けたばかりだった。

等伯がためらっているのは、夕姫には抗しきれないと分っているからだ。旧主の姫君であり、

若い頃からあこがれた相手である。強い光をたたえた瞳で見つめられると、従わずにはいられなくなる。

だから敬して遠ざかるべきだと思うものの、そんな相手だから近付いてみたくもある。昔は煮え湯を飲まされたが、今ならうまく対応できるはずだった。

（そうだとも。もう昔の私ではない）

そんな自信が等伯の背中を押した。

相談をしてみるだけだ。無理なことを言われたなら、きっぱりと断わればいい。気持の整理を無理につけて、夕姫に文をしたためた。

返事は次の日に来た。しかもそれをもたらしたのは思いもよらぬ相手だった。

「御免」

店を開ける時刻より前に、一人の僧が玄関先に立った。柿渋をたっぷりとぬった黒光りする笠をかぶり、洗いざらしの僧衣を着ている。手には木の根で作った握りの太い杖を持っていた。

「存じ寄りの者でござるが、長谷川先生にお目にかかりたい」

声は太く、どすがきいている。

庭を掃いていたお房は強請《ゆすり》の悪僧が来たと思い、血相を変えて奥に駆け込んできた。

「み、妙な勧進《かんじん》が、先生に会いたいと言っております」

勧進とは俗に乞食《こつじき》のことを言う。ならば追い返そうと、等伯は帯をしめ直して表に出た。

「又四郎、久しいの」

前歯の抜けた口でにっと笑って、悪僧が笠の縁《へり》を持ち上げた。

何と兄の奥村武之丞《おくむらたけのじょう》である。しかも僧形にした顔の左目に、黒い眼帯を当てていた。

「あ、兄者でございますか」

血のつながりとは厄介である。等伯は一瞬にして、幼い頃に武之丞をあおぎ見ていた頃の気持にもどっていた。

「そうじゃ。夕姫さまの使いで来た。話ができる場所に案内《あない》せい」

「兄者、その目は」

「ああ、これか」

鉄砲の弾が当たったのだと、事もなげに眼帯をはずした。まぶたが赤黒い火傷の跡になって眼窩《がんか》をふさいでいた。

「刀根坂《とねざか》の戦いで殿軍《しんがり》をつとめた時、織田の鉄砲隊にやられたのだ」

間近から撃った弾が兜《かぶと》の吹き返しに当たり、左目に飛び込んできた。直撃ではなかったので命に別状はなかったが、鉛弾の熱で眼球が焼けたという。

「それやこれや積もる話もある。朝から何も食べておらぬゆえ、飯《めし》の仕度も忘れるな」

我物顔で店に押し入ろうとする武之丞を制し、等伯は隣の別邸に案内した。

武之丞のことは清子や久蔵に話していない。こんな兄がいて、自分がまったく頭が上がらない所を、二人に見られたくはなかった。

動揺のあまり足早になる等伯の後ろから、武之丞が杖にすがりながら歩いてきた。

どうやら右足が不自由らしい。おそらく合戦で負傷したのだろうが、等伯はそのいきさつを聞く気にもなれなかった。

「ほう。さすがは天下の長谷川先生だな」

武之丞は中庭の池の側で足を止めた。

鯉の群れが十四ばかり、餌《えさ》でもくれるのだろうと泳ぎ寄ってきた。武之丞はそれをしばらく眺めていたが、いきなり緋鯉《ひごい》の腹を杖の先で突き刺し、高々と宙にかかげた。

杖の先は特別に尖《とが》っている訳ではない。それなのに鎧通しでも使うように一瞬で貫くのだから、鍛え抜いた武芸の腕は少しも鈍《なま》っていなかった。

「ちょうど良い。料《りょう》って酒の肴にしてくれ」

串刺しにされて身もだえする鯉を、等伯の鼻先に突き付けた。

「やめて下さい。これは食べるための鯉ではありません」

「鯉は鯉だ。食べられぬわけがあるまい」

客間に入ると、武之丞は当然のごとく上座についた。床の間を背にし、右足を投げ出して床柱によりかかった。

「刀根坂の戦でひざに槍をくらった。それ以来曲がらぬ」

だから不作法を許せと言う。こうした気づかいをする律儀さは失っていなかった。

「あの戦では三千人ちかくの朝倉勢が討ち取られたと聞きました。よくご無事でしたね」

「わしは畠山家を再興するために朝倉に仕え、手柄を立てようとした。家が亡《ほろ》ぶのに、命までく

れてやる義理はない」

戦場で生き延びる方法はいくつもある。他の奴らはそれを知らなかっただけだ。武之丞はそう吐き捨てた。

「これまでどこで何をしておられたのですか」

「傷を負って動けなくなったところを、近くの寺の僧に助けられた。そこで寺男をしながら仏道の修行をした」

こんな体では戦場に立つことはできない。勧進聖《かんじんひじり》になって生き延びようと決意したという。

「ところが三年前に、畠山修理大夫さまが北近江の余呉《よご》に隠棲しておられることが分った。そこでお仕え申し上げることにしたのだ」

「殿さまはご健在であられますか」

「ああ。大殿はこの春に亡くなられたが」

武之丞は首にかけた珠数をはずし、ひと揉《も》みして冥福を祈った。

十九年前、畠山家の再興計画が失敗した後、義続、義綱父子は、義綱の岳父である六角義賢（承禎）をたよって近江に逃れた。ところが義賢も信長に観音寺城を攻め落とされ、伊賀や甲賀の旧臣の所領を転々としている有様である。

畠山父子もしばらく義賢と行動を共にして露命《ろめい》をつないだが、七尾時代の旧臣が余呉浦で廻船業をしていると聞き、生き残りの家臣や妻子をつれて身を寄せたという。

二ヵ月前の三月十二日、義続はこの地で失意のまま生涯を終えたのだった。

「しかし、我らはまだ畠山家の再興をあきらめたわけではない。何とか手がかりをつかもうと、二十名ちかい旧臣たちが伝《つて》を頼って奔走している。お前にも力を貸してもらわねばならぬ」

武之丞は当然のような口ぶりで迫った。

等伯にとっては迷惑この上ない話である。ここはきっぱりと拒んでおかなければ、引っ込みがつかなくなりかねなかった。

「以前にも申し上げたはずです。私は長谷川家に養子に出された身ですから、畠山家とは関係がありません」

「たとえどこにいようと奥村家に生まれたことに変わりはない。当家に生まれたからには、畠山家への恩義は片時たりとも忘れてはならぬ」

「そんな話に惑わされて、十九年前に取り返しのつかないことをしました。そのせいで養父母を死なせ、七尾を追われることになったのです。静子も私が殺したようなものだ」

等伯は諸々のことを一度に思い出し、悔しさのあまり涙を浮かべた。

「しかし、そのお陰でお前はこうして立派な絵師になった。願っていた通り、七尾を出ることもできたではないか」

「何を、何をおおせられますか。兄者は私の苦しみなど、毛の先ほども分っておられない。そんな方の話は、金輪際聞きたくありません」

「わしとてお前を苦しめるためにあんなことをしたわけではない。時勢にはずれ負け戦となったために、迷惑をかけることになっただけだ。戦に勝ち負けはつきものだ。多くの死人が出ること

もあるが、いたし方あるまい」

「私はもう武士ではありません。畠山家がどうなろうと知ったことではないんだ」

「本当にそう思うか」

武之丞が右目だけでじろりとにらんだ。等伯がたじろぐほどの鋭い眼光だった。

「わしも旧臣たちも、畠山家の再興に命をかけておる。それをお前は、知ったことではないと言うのか」

「それは……」

「もし本心からそう思うのなら、何ゆえ夕姫さまを頼った。自分が出世するためなら、ご主君の姫君を利用してはばからぬ男になり下がったか」

「ちがいます。あれは」

長谷川家のためだと言おうとして、等伯は言葉に詰《つま》った。たとえそうだとしても、夕姫を利用しようとした責めを免《まぬ》かれることはできなかった。

「わしは責めておるのではない。お前の心の中に畠山家を主家とあおぐ気持があるからこそ、夕姫さまを頼る気になった。そのことを教えておるのだ」

体の不自由をおぎなうために、武之丞は弁舌を磨き上げている。画筆の徒である等伯に、これを打ち破る力はなかった。

「しかし、今さら畠山家の再興ができるのでしょうか」

「大名に復することは無理であろう。だが五千石か一万石をいただいて、家の存続をはかる道は

ある」

ひとつは畠山義綱を秀吉のお伽衆《とぎしゅう》にしてもらうことである。秀吉は没落した守護大名家の当主をお伽衆にして政権の権威化をはかっているので、伝さえあれば可能性は充分にある。

もうひとつは義綱の孫の春王丸を取り立ててもらうことだ。春王丸は義綱の子義隆の嫡男だが、母親が三条家の姫なのでそちらから尽力してもらう手もある。

武之丞らはこの二つに主家の再興をかけ、秀吉政権の要人に接近しようとしていた。

その日の午後、等伯は武之丞に案内されて夕姫を訪ねることにした。

白味噌仕立ての鯉濃《こいこく》を肴に酒を飲み、飯をたらふく食べて昼寝までした武之丞は、杖にすがりながらも元気よく歩いていく。

等伯は鼻面を取られた牛のように黙ってついていった。不吉な予感に胸がざわめいている。このまま言いなりになっては、十九年前の二の舞いになりかねないと、もう一人の冷静な自分が警告を発している。

それでも逆らうことができないのは、兄への遠慮や夕姫への想いからばかりではない。危険な場所に近付き、真実を見極めたいという表現者の性《さが》に、否応なく突き動かされていた。

(何とかなる。今さら尻込みなどできるものか)

振り子のように上体を揺らしながら歩いていく兄の後ろに従いながら、等伯は開き直った気持になっていた。

武之丞が案内したのは紫野の大徳寺だった。境内には畠山義総が建立した興臨院《こうりんいん》があり、畠山

家の縁者には特別な敬意を払っている。世間の目をはばからねばならない夕姫が、ここで等伯と会おうとするのは当然だった。

夕姫は書院にいた。四十を過ぎているはずだが、相変わらず端整な美しさを保っている。齢を重ねてふくよかになり、かえって魅力を増したほどだった。

側には初音が控えていた。本法寺にいた頃、夕姫が初めてつかわした御所人形のような顔立ちをした侍女だった。

「お久しゅうございます。このたびは無理なお願いをいたし、まことに申し訳ございません」

等伯は昔と同じように深々と頭を下げた。

「本当になつかしいですね。わたくしのことを思い出していただき、大変嬉しく思っております」

「その折には近衛太閤さまにお引き合わせいただきまして、ありがとうございました」

「あれはご家門さまが望まれたことです。しかし、かえってご迷惑だったのではありませんか」

夕姫に案内されて石山本願寺を訪ねた等伯は、近衛前久に教如の肖像画を描くように頼まれた。これは教如と朝倉義景の娘を結婚させて、信長包囲網を盤石にするためだったが、信長の電撃作戦によって各個撃破され、朝倉も浅井も武田も亡ぼされた。等伯も信長包囲網に協力した敵対者と見なされ、本能寺の変で信長が斃《たお》れるまで世に出ることができなかったのである。

「確かに辛い時期もありましたが、太閤さまにはその後いろいろと助けていただきました。決して迷惑とは思っておりません」

「あれからもう、十七年ですか」

夕姫が心の中で年月を数え、早いものですねとつぶやいた。

その間に実家の畠山家が亡び、嫁ぎ先の三条西家では殻《から》を失った蝸牛《かたつむり》のように頼りない暮らしを強いられてきた。そうした思いの詰ったつぶやきだった。

「このたびは大殿さまがご逝去あそばされたと聞きました。心よりお悔みを申し上げます」

「父も最後は零落《れいらく》し、病気になっても医師にも診てもらえなかったそうです。誇り高い人でしたから、さぞ無念だったことでしょう。もはや華やかだった頃の父の姿を偲《しの》ぶよすがとてありません」

「それなら、それならば私が、大殿さまの肖像を描かせていただきます」

等伯はそう申し出た。まさかこんなことを言おうとは、今の今まで思ってもいなかった。

「まあ、そうしていただけるならどんなに嬉しいことでしょう」

「任せて下さい。威風堂々たる大殿の姿を描いて、この塔頭《たっちゅう》におさめさせていただきます」

「ならば太刀と鷹をそえた絵にして下さい。父は鷹狩りが好きで、大空をゆく鷹をこよなく愛していましたから」

「承知しました。二引両《ふたつひきりょう》の紋の入った脇差をたばさんで、高麗縁の畳に座しておられるところを描きましょう。楡原村でお目にかかった時のお姿は、今もこの目に焼きついておりますから」

夕姫が喜ぶ顔を見て、等伯は有頂天になった。

端《はた》から見れば馬鹿である。だが何かがしきりに胸に迫り、そう言わずにはいられなかった。

「そうですか。せっかくお出でいただいたのですから」

夕姫が初音に酒肴の仕度を申し付けた。

初音は敷居際まで下がり、ふすまを開けて武之丞に伝えた。

武之丞は物音もたてず、ずっとそこに控えていたのである。しかも曲がらぬと言った足を無理に曲げて、蹲踞《そんきょ》の姿勢を取っていた。

そこに夕姫を主君の姫君としてうやまう一途な思いがにじみ出ていて、等伯は胸をつかれた。

「さあ、どうぞおひとつ」

夕姫が手ずから酌をした。等伯は盃を受けたものの、武之丞の目が気になってくつろぐことができなかった。

「ところで、頼みがあると記しておられましたが」

夕姫も酒の相伴《しょうばん》をし、頬をうっすらと染めている。白い肌を裏から彩色したようななまめいた風情だった。

「実はこのたび、関白さまが仙洞御所の対の屋をご寄進なされるそうでございます」

「そのことなら聞いております。前田玄以さまが造営奉行をなされるそうですね」

「その前田さまから、襖絵を描かせてもらえるように推せんすると言っていただきました」

そこで近衛前久に力添えを頼みに行ったが、一言のもとに拒まれた。その理由もこれからどうしたらいいかも分らないので、相談に乗ってほしい。等伯は平伏して申し出た。

「分りました。わたくしに分ることは、何でもお話しいたしましょう」

夕姫が妖しげな笑みを浮かべて盃をおいた。

「関白さまが何ゆえ急に対の屋をご寄進なされるか、長谷川さまはご存知ですか」

「いえ。聞いておりません」

「そうですか。これには公にできない複雑な事情があるのです」

夕姫が目くばせをすると、初音が武之丞に席をはずすように伝えた。

等伯は立ち去っていく兄の足音を聞きながら、緊張に身を固くして次の言葉を待った。

「事の始まりは三年前。秀吉公が関白になられる時に、六の宮さまをご猶子《ゆうし》にして関白職をゆずるとお誓いになられたことにあります」

六の宮とは八条宮智仁《としひと》のことだ。誠仁《さねひと》親王の第六男。後陽成天皇の弟君にあたられる。

秀吉は近衛前久の猶子になって関白に任官する時、やがては八条宮に位をゆずると誓約した。だから前久も朝廷内の反対を押し切り、地下《じげ》の出である秀吉を関白にするという離れ技を演じることができたのである。

「この時秀吉公は、自分には子種がないので誓約を破る気づかいはないと、公卿方の前で明言なされたそうでございます」

夕姫が一段と声を落とし、秘密めかした目くばせをした。

ところがその翌年、淀殿が鶴松を生んだ。すると秀吉はこの誓約をかなぐり捨て、八条宮を天皇家にお返し申し上げると言い出した。

これでは詐欺のようなものである。

関係者一同唖然として撤回を求めたが、秀吉はこれに応じるどころか「われ天下を保ち末代に名あり」という理由で、源平藤橘《げんぺいとうきつ》にならぶ新しい姓を下賜するように朝廷に迫った。

朝廷はこれに屈して豊臣という姓を与え、五摂家に準《じゆん》じる扱いをすることにした。

この有史以来初めての措置によって、秀吉は堂々と我子に関白職をゆずることができるようになった。

ところが八条宮の処遇が宙に浮いたままである。生母である勧修寺晴子《かじゆうじはるこ》（のちの新上東門院）はこれに心を痛め、直々に秀吉をたずねて善処するように求めた。

そこで秀吉は八条宮に親王宣下《せんげ》をして、宮家を立てられるように計らおうとしたが、これには後陽成天皇が強く反対なされた。親王になれば東宮（皇太子）になる道も開けるので、やがて八条宮に位を奪われるのではないかと危惧されたのである。

「そこで秀吉公は上皇さまに近付き、親王宣下の後押しをしていただくことになされました。対の屋の寄進はそのためのものなのです」

仙洞御所には退位なされた正親町上皇が住んでおられる。御歳すでに七十四歳になられるので、対の屋ができたなら歓修寺晴子が同居をしてお世話をすることになっているという。

「このために上皇さまと主上の間に波風が立ちつつあります。近衛太閤は愛娘の前子《さきこ》さまを主上の女御にしておられますので、この件について口出しすることを控えておられるのです」

「それでは、私の頼みをお断わりになったのも」

「長谷川さまを推せんすれば、対の屋の造営に関わっているように見られます。主上の手前、そ

れをはばかられたのでございましょう」

「ありがとうございます。それをお聞きして、胸のつかえが取れました」

等伯は芯からほっとした。前久の審美眼には敬服しているだけに、冷たく拒まれたことがずっと気にかかっていた。

「それでこれからどうなされます。対の屋の仕事はあきらめますか」

「もし、どうにかできるのなら、お力添えをいただきたいと思っております」

「わたくしは晴子さまに懇意にしていただいております。長谷川さまの絵をご覧いただけば、道が開けるかもしれません」

「そうしていただけるなら、これほど有難いことはありません。どのような絵柄がいいか申し付けていただければ、すぐにお届けいたします」

「ただし、手ぶらでお願いに上がるわけにはいきません。それなりのお礼をしなければなりませんが、それでもよろしいですか」

そう迫られ、等伯は一瞬迷った。公家衆に借りを作ると後が大変だという清子の言葉が脳裡をよぎったからである。

だが、対の屋の仕事を取りたいという気持はそれ以上に強い。それに今さら断わって、不様な男だと思われたくもなかった。

「構いません。少しは貯えがありますので」

身上《しんしょう》に見合ったお礼ならできると、制限をつけたつもりだった。

「分りました。何かあったら武之丞をつかわしますので、指示に従って下さい」

夕姫は初音に命じて縦長の桐の箱をはこばせた。

「それは父が愛用していた扇子です。どうぞご覧下さい」

七尾湾の景色を描いた、伸びやかな水墨画である。室町時代の周文の作だった。

「祖父の頃に周文さまを七尾にお招きしました。そのお礼に描かれたものです。父の形見に、どうぞお持ち下さい」

「このように大切なものを」

「いいのです。長谷川さまに持っていただいた方が、父も喜ぶと思います」

思いがけない贈物を得て、等伯は夢見心地で家にもどった。周文は雪舟の師にあたる高名な画僧である。しかも畠山義続が愛用していた品だけに、等伯にとって特別な値打ちがあった。

（兄者がこのことを知ったなら、さぞうらやましがるだろう）

扇子を開いたり閉じたりして悦《えつ》に入っていたが、喜びは長くつづかなかった。

翌朝武之丞から文がとどき、明後日までに天正大判で三百両、興臨院にとどけるように伝えてきたのである。

（さ、三百両……）

等伯は目の玉が飛び出るほど驚き、字面をまじまじと見つめた。

三百文や三十両ではない。まぎれもなく三百両と記されている。現代でいえば三千万円に相当する額だった。

こんな法外な大金はとても出せない。初めはそう思ったが、相手は主上のご生母である。これくらいのお礼は当然かもしれないと思い直した。

(何しろ仙洞御所の対の屋だからな)

金額の大きさがかえって夕姫の根回しの確かさを保証している気がして、等伯は申し出に応じることにしたが、店の金を管理しているのは清子である。事情を話し金庫から出してもらわなければ、工面がつかなかった。

「ちょっと相談がある」

店を閉め夕餉《ゆうげ》の仕度にかかろうとした清子に、ためらいがちに申し出た。

「何でしょう。今夜は鰯《いわし》の煮付けですが」

清子は酒の肴のことかと思ったらしい。妊娠六ヵ月目に入り、おなかのふくらみがだいぶん目立つようになっていた。

「仙洞御所の仕事について、あるお方にお願いしてある。ついては礼物として三百両が必要なのだ」

「あるお方とは、どなたですか」

豪商油屋の娘だけあって、清子は金額の大きさには少しも驚ろかなかった。

「勧修寺晴子さまだ。新築された対の屋には、国母《こくも》さまがお住まいになるそうだ」

「そのお方にお目にかかったわけではありますまい。どなたが仲介して下さるのかと、おたずねしているのです」

「それは、その……」

等伯はまごつきながら夕姫だと白状し、畠山家の姫君で三条西家に嫁いでいる方だと付け加えた。

「失礼ですが、没落した大名家の姫君にそのようなお力があるのでしょうか」

「三条西家のご正室さまだ。国母さまとは懇意にしておられるそうだ」

「その話を信用できるほど、深いお付き合いをしておられるのですか」

「相手は能登の大守の姫君だ。今の能登屋の身上なら、三百両くらい都合がつけられるだろう」

「お金はありますが、みんなの働きで稼いだものです。わたくしたちの勝手にはできません」

清子は久蔵もこの場に呼んで、納得できる説明をしてほしいと言った。

等伯は二人の前で、夕姫に相談したことや武之丞の案内で興臨院をたずねたことを包み隠さず打ち明けた。

「久蔵さん、どう思われますか」

「母上が許して下さるなら、父上の思う通りにさせてやりとうございます」

久蔵も仙洞御所と同じ桜を見て育っている。等伯の気持はよく分っていた。

「それならわたくしにも異存はありません。ただし、ひとつ条件があります」

清子はおなかに手を当てて大儀そうに等伯の方に向き直り、金銭の支払いは今度だけにしてもらいたい。先方にもそう伝えるようにと念を押した。

「分った。向こうにもこちらの事情は伝えてある。そんなに無理なことをおおせられるはずがあ

るまい」

等伯は当てもなく、その場しのぎを言った。

清子はその日のうちに両替商に行き、天正大判三十枚を都合してきた。秀吉が天下人になって鋳造した、真新しい十両大判だった。

興臨院にいる武之丞にお金をとどけた翌日、夕姫から文がとどいた。

三百両は確かに受け取った。勧修寺晴子さまにもお目にかかる約束をいただいたので、安心して待っていてもらいたい。お方さまは桜をこよなく愛しておられるので、これぞという絵があればお目にかけたほうがいいと思う。できるだけ早く、興臨院にとどけてもらいたい。

そうしたことが水茎《みずぐき》あざやかに記されている。等伯は大いに意を強くし、桜の屛風と扇子二本を持って興臨院をたずねた。

「さすがに、なかなかのものだ」

武之丞が仰々しく品定めをして、これなら良かろうと言った。

三百両も払わされた、という思いがあるからだろう。等伯は横柄な態度にむっとして、

「兄者は絵もご覧になりますか」

鑑識眼のほどを確かめたくなった。

「見るとも。まだ片方の目があるからな」

「どなたの絵がお好きですか」

「誰ということはない。その折々に心惹かれた絵をいいと思うだけだ」

「どのような絵に心を惹かれますか」

「草木国土、悉皆《しつかい》成仏という。その本質をとらえた絵だ」

「私の絵はいかがです。とらえきれているでしょうか」

等伯は意地になって喰い下がった。

「なかなかのものだと申しておる。天下に名を知られただけのことはある」

「なかなかとは、足りないところがあるということでしょうか」

「むろんある。お前もこれで完璧だとは思っておるまい」

「思ってはおりませんが、参考までに何が足りないのか教えて下さい」

「お前は絵師だ。素人のわしに教えを乞うてどうする」

迷うのは心が練《ね》れていない証拠だと決めつけ、それよりお前に頼みたいことがあると言った。

「京都奉行の前田玄以どのに引き合わせてもらいたい」

畠山家再興について願い上げたいことがあると、武之丞が身を乗り出した。

「どのようなご用件でしょうか」

「玄以どのに直に申し上げる。お前に話すことではない」

「どんな用件かも分らずに、引き合わせることはできません」

「実はな。六角承禎さまが、関白殿下のお伽衆になられた」

承禎は織田信長に観音寺城を攻め落とされて以来、旧臣を頼って転々としていたが、このたび秀吉のお伽衆に取り立てられた。

六角氏は近江源氏の名家で、源平争乱の時代に宇治川の先陣争いをした佐々木四郎高綱ゆかりの家である。先祖には南北朝時代に足利尊氏の右腕として活躍した佐々木道誉《どうよ》もいる。

しかも長年近江の守護職として治政にあたってきた功績が評価され、お伽衆として家が存続されることになったのだった。

「わが主家とて源頼朝公に仕えた畠山重忠公ゆかりの家じゃ。足利幕府においては管領《かんれい》家として重職をになってきた。家格においては近江源氏に劣るものではない」

それに畠山家と六角家は、強い姻戚関係で結ばれてきた。先々代義総の娘は六角承禎に嫁いでいるし、当代義綱は承禎の娘を妻にしている。承禎がお伽衆に取り立てられるなら、義綱も同じ扱いを受けてしかるべきだというのである。

「それゆえわしは玄以どのにお目にかかり、このことを計らって下さるようにお願い申し上げる。それが夕姫さまのためでもあるのだ」

「申し訳ありませんが、そのようなお役には立てません」

「なぜじゃ。お前は玄以どのと昵懇《じっこん》の間柄だと申したではないか」

「親しくしていただいているのは、絵師として評価していただいているからです。政治向きのことをお願いできる立場ではありません」

「信長が比叡山を焼討ちした時、お前は玄以どのを助けたそうではないか」

武之丞はどこからかそんな話まで聞き込み、その時の恩を返してもらえと迫った。

「恩は充分に返していただきました。頼りがたいものに頼ろうとするのはやめて下さい」

「畠山家が再興できるかどうかの瀬戸際なのだ。お前は我らがどうなってもいいと申すか」

「何と言われようとこれだけは無理です。申し訳ありません」

等伯は拒み抜いた。武之丞を玄以に引き合わせたなら、この厚かましさで何を仕出かすか分からなかった。

「さようか。ならばこの場で訴状を書く。それを玄以どのに取り次いでくれ」

武之丞は仕方なげに譲歩し、これだけは聞きとどけてもらうと凄《すご》んだ。

長年修羅場をくぐってきた者らしい、二段、三段構えの交渉術である。そのしたたかさに太刀打ちできず、等伯は引き受けざるを得なくなった。

数日思い悩んだ末に、等伯は重い足取りで玄以の屋敷をたずねた。愛用している井戸茶碗を持参している。これが玄以に対するわびの印だった。

「もしやこれは、利休どのがご所持になられていたものではありませんか」

玄以は利休の茶会でこれと同じ茶碗を見たことがあると言った。

「大徳寺三門の仕事を終えた時に、褒美《ほうび》にいただいたものでございます」

「そのように大切なものを、いただくわけには参りません」

「どうぞ、お納め下さい。そうでなければ顔向けできないお願いに上がりました」

等伯は申し訳なさと恥ずかしさに冷汗をかきながら、武之丞の訴状をさし出した。

立て文にした訴状を読み進むうちに、玄以の表情が険しくなった。京都奉行として難しい訴訟や公事《くじ》をさばいてきた、有能な官吏の顔だった。

「等伯どのが畠山家の家来筋だとはうかがっておりましたが」

訴人《そにん》の奥村武之丞とはどんな間柄かと、玄以が訴状をたたみながらたずねた。

「私の生家の兄です。奥村家は代々畠山家に仕えてまいりました」

「それで断わりきれずに、これを取り次がれた訳ですね」

「申し訳ございません」

「辛いお立場は分りますが、こういうことには関わらないほうがいいでしょう」

ようやく開けた絵師の道が閉ざされることにもなりかねない。玄以は険しい表情のままきっぱりと申し渡した。

等伯にはその理由が分らない。当惑して恐れ入るばかりだった。

「このようなことを申し上げるのは、いろいろと難しいことがあるからでございます」

玄以は気の毒になったらしく、旧家の取り立ては今や複雑な政治問題になっていると言った。

「これはご内聞に願いたいのですが、鶴松君がお生まれになって以来、豊臣家は二つの勢力に割れつつあります」

ひとつは秀吉とともに天下取りに邁進《まいしん》してきた大名たち。中でも加藤清正や福島正則、黒田長政ら、武断派と呼ばれる子飼いの大名を中心とする勢力である。

もうひとつは秀吉が長浜時代に召し抱えた石田三成や長束正家《なつかまさいえ》ら、豊臣家の政権運営にあたる吏僚《りりょう》派で、その多くは浅井家の旧臣の出だった。

これまで後者は前者に及ぶべくもなかったが、淀殿が生んだ鶴松が秀吉の後継者と定まったた

めに勢力図は大きく変わった。三成らは旧主の姫君である淀殿のもとに結束することで、にわかに発言力を強めていたのである。

「近頃両派は政権内の人事や諸大名の処遇などをめぐり、事あるごとに争っています。没落した守護大名家をお伽衆に取り立てることも、その例外ではないのです」

このたび六角承禎が取り立てられたのは、浅井家の旧主である京極家と同族だからという理由で三成が推挙したからだ。これが淀殿の意向に添っていることは言うまでもない。

だから庇護者を持たない畠山家と、六角家を同列に論じることはできないというのである。

「この訴状は私が預かり、時期を見て関白殿下に取り次ぎます。兄上にはそう伝えて下さい」

玄以は等伯の顔が立つように、そうした配慮までしてくれた。

(やはり夕姫に頼るべきではなかった)

了頓図子に向かう道すがら、等伯は己れの愚かさに臍《ほぞ》をかんだ。

対の屋の仕事をしたいという欲にかられ、あやうく十九年前の過ちをくり返すところだった。もうこの件からは手を引こう。三百両はくれてやったと思えばいいのだ。

等伯は心に巣喰う未練に警策《けいさく》を入れ、家に帰るなり畠山義続の肖像画に取りかかった。

円満な丸い顔をしているが、眼力が鋭く立派なひげをたくわえている。左に太刀、右に鷹を配した、能登の大守らしい堂々たる姿である。この絵を興臨院に寄進することを餞《はなむけ》として、畠山家や夕姫との関係をきっぱりと断つつもりだった。

畠山左衛門佐義続。法名、興源院殿霊岩徳祐大居士の肖像画は二十日ばかりで完成した。

縦三尺、横二尺の大きなものである。太った体の肩をいからせて威厳を示し、銀杏《いちょう》の小紋を散らした素襖《すおう》をまとい、右手には愛用していた周文の扇子を持っている。

腰には畠山家の家紋である二引両の紋を入れた脇差をたばさんでいる。絵の上部を広々と空けたのは、春屋和尚か古渓宗陳に義続への賛《さん》を書いてもらうためだった。

お盆前の猛暑の日に、等伯は完成した絵を持って大徳寺をたずねた。

表門を抜けると、真新しい朱塗りの三門がそびえている。あの楼上に自分の絵がおさまっていると思うと、等伯は天地に足跡を残したような誇らしい気持になった。

武之丞は興臨院の作業場にいた。ここに寄宿させてもらっているお礼に、僧たちが使う草鞋《わらじ》をあんでいたのである。

「良い所に来た。これがすんだら訪ねていこうと思っていたところだ」

僧衣についた藁《わら》くずをはたいて立ち上がった。

「何かご用ですか」

「夕姫さまから知らせがあった。国母さまがお前に対の屋の絵を任せたいとおおせられたそうだ」

「それは……、まことでしょうか」

「ああ。頂戴した文があるゆえ、自分で確かめるがよい。それに相談したいこともある」

ところでそれは何だと、等伯が持っている巻物に目を止めた。

「大殿の肖像画です。軸にして持参いたしました」

「拝見させていただこう。水を浴びてくるゆえ庫裡で待て」

武之丞が敬語を使ったのは等伯に対してではなく、描かれた義続に対してである。水を浴びるのも汚《けが》れを清めるためだった。

等伯は庫裡で待ちながら、夕姫の文を早く見たいと心をはやらせていた。これきり縁を切ろうと決意したことなど、きれいに忘れ去っていた。

武之丞は麻の白小袖に着替えて現れた。無精ひげをそり落としたさっぱりとした姿だった。

等伯は軸の紐《ひも》をといて披露しようとしたが、

「待て。床に広げてはおそれ多い」

床の間にかけろと言い、三間ばかり下がって平伏した。

等伯は言われた通りに軸をかけ、武之丞の横に正座した。

まるで生きていた頃の義続を見るようである。楡原村で会った時、勁《つよ》くてしなやかな腕だと誉めてくれた。その時のことが、脳裡にあざやかによみがえった。

隣でうっとうめく声がした。武之丞が拳をにぎりしめ、声を押し殺して泣いている。

七尾を追放されて以来の苦難を思い出し、家を守り抜けなかった申し訳なさに、はらはらと涙を流した。ひとしきり泣いてから、

「長谷川等伯どの」

このように立派な絵を描いていただきかたじけないと改まって頭を下げた。

「これで大殿の事績《じせき》を後世に伝えることができる。夕姫さまもさぞかし喜んで下されよう」

「もったいないお言葉、かたじけのうございます」

武之丞から初めて礼を言われた面映《おもは》ゆさに、等伯は深々と頭を下げ返した。

「して、対の屋の件じゃが」

武之丞が涙をぬぐい、夕姫からの文を見せた。

たしかに勧修寺晴子さまが等伯に任せたいとおおせられたと記してあった。

「ところが、いささか難しいことがあってな」

皇室の絵は、本来朝廷の絵所《えどころ》が担当するものである。これを外注するには、公卿たちの会議で了承を得なければならないという。

「内裏の近衛陣《このえじん》でおこなわれるゆえ、陣定《じんのさだめ》とも仗議《じょうぎ》ともいう。三位《さんみ》以上の方々が列席なされ、政《まつりごと》に関することを話し合われるのだ」

その会議で逆転をはかろうと、狩野家が懇意の公卿たちに働きかけを始めている。これに対抗するには、あと三百両の献金が必要だというのである。

「そんな馬鹿な」

等伯は思わず大きな声を上げた。

「この間三百両をとどけた時、これ以上は出せないと言ったはずです。兄者も了解なされたではありませんか」

「たしかにそうだ。だが状況が変ったのだから致し方あるまい」

「これ以上は出せません。金の管理は店でしていますから、私の勝手にはできないんです」

「ならば、ちがう理由をつけて出させれば良かろう」

「そんなに簡単にはいきませんよ。私の身にもなって下さい」

「このままでは対の屋の仕事が取れなくなり、先に出した三百両も無駄になるのだぞ」

「仕方がありません。これ以上の金は出せないと、店からも釘をさされていますから」

「それでは夕姫さまのお立場はどうなる。ここまでご尽力いただいて、見殺しにすると申すか」

武之丞が鋭く迫ったが、三百両を出さなければなぜ夕姫を見殺しにすることになるのか、等伯には分らなかった。

「考えても見よ。夕姫さまはお前のために国母さまに掛け合って下された。そうして了解するというご返事をいただいたのだ。それなのに陣定で狩野に仕事をさらわれたなら、夕姫さまの面目は丸潰れになるではないか」

「そんな。それはそちらの……」

「ご実家が傾いて、夕姫さまは今でも辛い思いをしておられる。その上に国母さまの庇護まで失ったなら、公家社会では生きてはいけまい。たった三百両のために、お前は大恩ある大殿の姫君を犠牲にするつもりか」

妙な理屈だが、等伯は反論することができなかった。

武之丞の押しの強さにはかなわないし、たしかにそれも一理ある気がした。

(しかし、清子はとても応じてくれまい)

大店の娘らしいしっかりとした口ぶりで反対されるのは分っている。等伯はこのまま家に帰る

のがおっくうになった。

どことという当てもなくぶらぶらと歩いていると、仙洞御所の近くの辻に来ていた。

どうやらあの八重桜に呼ばれているらしい。そう思って足を踏み出しかけた時、御所の門から裃《かみしも》姿の五人が出てきた。

狩野永徳である。嫡男の光信や高弟の宗光らを従え、御所の重職らに見送られて辞去している。永徳はかなり疲れているようで、弟子に体を支えられて門前に待たせた駕籠に乗り込んだ。

御所の門が閉ざされるのを待って駕籠が出る。その脇に光信や宗光が従い、等伯の方に向かって進んできた。

等伯はあわてて塀の陰に身をひそめた。

「前《さき》の大納言さまにお口添えをいただけるなら、間違いございますまい。内侍《ないし》さまもあのようにおおせでございますし」

駕籠が辻を通る時、弟子の一人が追従《ついしよう》気味に光信に語りかけた。

「これ。めったなことを申すでない」

宗光が険しい口調でとがめた。

黒漆ぬりの大きな駕籠は、ゆっくりとした足取りで通り過ぎていく。それを見送りながら、等伯は激しい憎悪を覚えた。

永徳らは御所の内侍を通じて、前の大納言にまで働きかけている。それが誰かは知る由もないが、相当の手応えを得ていることは弟子の口調から明らかだった。

（ここで引き退ってたまるか）

生来の負けん気が等伯を駆り立てた。

狩野派に対抗できる勢力をきずき上げるためには、永徳より絵がうまくなるだけでは足りない。優秀な弟子を育て、公武の要人との人脈を持ち、天下の耳目を集める大きな仕事を手掛けなければならない。

その絶好の機会が目の前にあるのに、三百両を惜しんで後れを取ってなるものか。已れのすべてを賭けて挑まなければ、勝利を得られるはずがないのだ。

たすき掛けで決闘の場にのぞむような気持で、等伯は了頓図子の能登屋にもどった。

「話がある。悪いがちょっと来てくれ」

清子と久蔵を居間に呼び、武之丞の申し出を伝えた。

「対の屋の仕事を取るには、あと三百両必要なのだ。お前たちにも考えはあるだろうが、私の思う通りにさせてくれ」

手をついて頼み込んだ。

これが静子であれば、一も二もなく応じただろう。ありったけの金をはたいて、等伯の思い通りにさせようとしたにちがいない。

それは長谷川家に養子に入って以来、等伯がどれほど辛い思いに耐えて絵の道をきわめてきたか、父宗清がどれほど等伯の大成を願っていたかを知っているからだ。

同じ七尾に生まれ、幼い頃から一緒に暮らし、何に泣き何を喜んできたかも知っている。だか

ら等伯が誤った道に進もうとしても、その心情は我が事のようによく分るのである。

ところが清子はそうはいかなかった。日本でもっとも開明的な堺で生まれ、有数の豪商である油屋で人となった。だから発想の根本が等伯とはまったくちがう。

しかも二人が出会ったのは、等伯が絵師としても一流の域に達し、人としても落ち着きを得た頃である。それゆえ等伯の胸の奥底に、名状しがたい憤激《ふんげき》の情があることを知らない。

たとえ雪の荒野に裸で飛び出すことになろうとも、やり遂げずにはおくものかという無念まじりの鬱屈した感情を理解できないのである。

だから理を説き、常識を明きらかにして、等伯の暴挙を思いとどまらせせようとした。

「初めから、このようなことになると思っていました」

清子は冷静に話そうとつとめている。それが彼女の口調をいつになく冷たくしていた。

「このようなことにとは、どういう意味だ」

「口利きをすると言って金品を引き出すのは、お公家衆がよくお使いになる手です。だからこれ以上お金は出せないと、先方に伝えてくれと申し上げました」

「夕姫さまと兄者が、私をだまして金を巻き上げようとしていると申すか」

「わたくしとて、このようなことを申し上げたくはありません。でも陣定などという仕来りは、ずっと昔にすたれています。今も行なわれているとは聞いたことがありません」

「お前が聞いておらぬだけであろう。秀吉公が関白になられて、さまざまな旧儀を復しておられる。陣定もその一つかもしれぬではないか」

等伯は感情を懸命に押さえている。だが全身は怒りに粟立《あわだ》っていた。

「それならば前田玄以さまに、陣定が復されたかどうかたずねて下さい。復されたことが確かなら、わたくしも反対はいたしません」

「そ、そんなみっともないことができるか」

「どうしてですか。事実かどうか確かめることが、それほど無作法なことでしょうか」

清子は一歩も退かなかった。

「夕姫さまは主家の姫君、兄者は血のつながった身内じゃ。二人を信用できないなどと、口にできると思うか」

「それではお前さまは、主家の姫さまのおおせには何でも従うとおおせられますか。実の兄なら嘘でも構わぬとお考えですか」

「やかましい。何も知らずに理屈を言うな」

等伯は激情を押さえきれずに怒鳴りつけた。それが理屈に合わないことは自分でも分っている。分っているだけに、余計に感情的になるのだった。

「父上、たまにはどうですか」

久蔵がすっと立って徳利と茶碗を持ってきた。

ひと息入れて、落ちついて話をしようと言うのである。

「すまぬ。つい……、な」

等伯は久蔵の心づかいに静子を見て、思わず声を詰らせた。

「母上のおおせられることはもっともですよ。父上のお気持もよく分りますが」

久蔵は二つの茶碗に酒をつぎ、お先に御免と飲みほした。気品と勢いのある、惚《ほ》れ惚《ぼ》れするほど美しい飲みっぷりだった。

等伯は取り乱したことが急に恥ずかしくなり、茶碗を取って酒を飲んだ。

「それで、お前はどう思う」

「三百両に三百両。合わせて六百両ですから、能登屋の一年分の利益に相当します」

「そんなことは分っている」

「その中から画材費や弟子たちの給金を出すのですから、帳場を預かる母上としては慎重にならざるを得ないでしょう」

だから夕姫や武之丞がどう動いてくれるのか、それを払えば確実に仕事が取れるのかどうか、気になるのは当然だという。

「私はお前の意見を聞いている。お前が私の立場ならどうする」

「払いません。お金で仕事を取っても、祖父も祖母も喜んではくれますまい」

「そうか。お前たちの存念は分った」

等伯はため息をついて二杯目の酒を飲みほした。残念だが、二人の意見ももっともだと思えるほどの分別は取りもどしていた。

「しかし、対の屋の仕事をしたいという私の気持は変らない。そこで、だ」

三百両を店から借りることにする。借用書を書くし、何年かかっても必ず返す。

「それで納得してくれ。なあ、清子」

「分りました。それではお前さまの月々のお手当から天引きさせていただきます」

清子は再び両替商へ走り、天正大判三十枚を用立ててきた。

等伯はそれを武之丞にとどけ、運を天に任せる気持で決定を待った。

対の屋の普請《ふしん》はすでに始まっている。仙洞御所の西に、寝殿造りにならった雅やかな御殿が造営されつつある。

等伯は決定の知らせを待つ間、知り合いの画商から有職故実の古書を借り受け、対の屋にどんな絵が描かれてきたか確かめることにした。次に大和絵の画帳の中から適したものを選び、省略や変形をほどこしながら、今の時代にふさわしい下絵を考案する。

その間も胸は不安に波立っていた。清子には強いことを言ったが、等伯とて夕姫や武之丞を信用しきっているわけではなかった。

（六百両もの大金だ。端《はな》から騙すつもりなら、そんなに吹っかけるはずがあるまい）

そんな甘い理屈で自分をなぐさめ、藁にもすがる思いで決定の知らせを待った。

七月末日、前田玄以からの使者が来た。対の屋の絵を貴殿に任せることが決ったと、朝廷から知らせがあったという。

「今後のことについて打ち合わせたいので、明日にも奉行所にお出でいただきたい。そうおおせでございます」

使者の口上を、等伯は茫然と聞いていた。腰が抜けるほどの安堵と、試練に勝った歓びが同時

に突き上げ、気持の整理がつかなかった。

等伯は仏間に入り、養父母や静子の位牌に手を合わせた。ここまでたどりつくことができたのも、この人たちの教えと支えがあったからだった。

ひとしきり仏間に座って心を鎮めてから、清子と久蔵を呼んだ。

「お陰で仕事が取れた。私の我ままを許してくれてありがとう」

自慢するでも得意がるでもない。ただただ感謝の気持で一杯だった。

「父上、おめでとうございます」

久蔵もよほど心配していたようで、ほっと安堵の息をついた。

「すみません。強情なことを申しました」

清子は身をちぢめてわびながらも、嬉しさをこらえきれない顔をしていた。

翌朝、朝一番に前田玄以をたずねた。

「等伯どの、ようございましたな」

玄以は対の屋の図面を渡し、十月末までに仕上げてもらいたいと言った。

「立派な仕事をして下さい。費用は関白殿下から出ますので、必要な分だけ請求していただいて構いません」

「重ね重ねのご配慮、かたじけのうございます」

「私も肩の荷がおりました。比叡山の焼討ち以来のご縁ですから」

いつかは本当のご恩返しがしたかったと、玄以がはにかみながら打ち明けた。

等伯はさっそく仕事にかかった。

まず対の屋の図面をもとに、襖絵の位置と枚数を確認する。そのひとつひとつの絵柄を定め、主要な場所は等伯と久蔵が受け持ち、他は力量に応じて弟子たちにふり分ける。

墨も絵具も最上のものを用意しなければならないし、人手が足りないのであと三十人ばかり周旋屋《しゅうせんや》に集めてもらわなければならなかった。

「長谷川派の旗上げだ。一瞬たりとも気を抜くな。精魂を込めて、後の世まで残る仕事をしようではないか」

ところが八月十一日になって、前田玄以から思いがけない知らせがとどいた。対の屋の仕事が中止になったというのである。

等伯は血の気が引く思いで奉行所に駆けつけ、どういうことだと説明を求めた。

「申し訳ありません。朝廷から中止の知らせがあったばかりで、詳しいことは分らないのです」

問い合わせたがまともな返答は得られなかったと、玄以も苦悶の表情を浮かべていた。

「そんな馬鹿な。我らはすでに仕事にかかっているのですよ」

「それは承知しておりますが、朝廷のご意向で進めていることゆえ、中止すると言われれば従うしかないのです」

「今度のことは陣定で決められたと聞きました。それなのに簡単にくつがえるのでしょうか」

「陣定？　どなたがそのような」

「さるお方からうかがいました。公卿衆が参列しておこなわれる公《おおやけ》の朝議だと」

「それは昔の話です」

玄以は言下に否定した。今はその件に関わりのある有力公卿の意向で決まる。陣定などは開かれていないという。

等伯は言葉を失った。あまりのことに頭が真っ白になっていた。

「早く知らせなければ余計にご迷惑をかけると思って、使者をつかわしました。ただ今調査にあたっておりますので」

詳しいことが分ればすぐに知らせると、玄以は固く約束した。

理由は三日後に分った。狩野永徳が一門をひきつれて勧修寺晴豊《はれとよ》（晴子の兄）をたずね、等伯への発注を取り消すように求めたのである。

晴豊はこの件を准后《じゅごう》である九条兼孝《かねたか》にはかり、永徳らの申し入れを受けることにした。

ところが長谷川から仕事を奪って狩野に与えるのはあまりに露骨なので、日取りが悪いという理由でいったん中止し、頃合いを見て狩野に発注することにしたのだった。

この間のいきさつについては、勧修寺晴豊の日記である『晴豊公記』に詳しい。

天正十八年八月八日、永徳は長男光信と弟宗秀をともなって晴豊邸をたずね、御所の絵を「長谷川と申す者に申し付けたのは迷惑なので断わってほしい」と申し入れた。

晴豊はさっそくこの意を九条兼孝に伝えて協議し、狩野派に発注することにした旨を八月十一日に永徳に伝えている。

八月十三日には、永徳らがお礼のために晴豊邸をたずねて祝杯を上げているのである。

晴豊は記していないが、この決定を得るために永徳が相当の献金をしたことは想像に難くない。このことは決して他言しないとも、互いに申し合わせたはずである。ところが京都奉行所の密偵たちは、各方面にさぐりを入れて数日のうちに真相を突きとめたのだった。

この知らせに等伯は打ちひしがれた。決った時に天にも昇る心地がした分、失望もまた大きい。清子や久蔵に合わせる顔もないし、都中の笑いものになることは目に見えている。

中でも無念なのは、夕姫と武之丞にあざむかれたことだった。

(何が陣定だ。何が国母さまだ)

等伯はぎりぎりと歯嚙《が》みし、己れの愚かさを呪った。

対の屋の仕事を取りたいという欲がこんな結果を招いたことも、騙された方が馬鹿だということも分っている。だがこの無念、怒り、悔しさは治まらない。やり場のない憤りは日に日にふくれ上がり、横槍を入れた永徳へと向けられていった。

翌日の夕方、等伯は表に出た。

画材に囲まれ絵具の匂いをかいでいると、いたたまれない気持になる。家族や弟子たちからも非難の目を向けられているようで、外で気分を変えようと思った。

旧暦八月十五日、仲秋の名月の夜である。東山から昇る月に背を向けて三条通を歩いていると、手頃な酒場があった。

表に長床几を並べ、肴に晩菜《ばんさい》を出している。仕事終りの職人や店を終えた商人たちが十人ばか

り、押し合うようにして酒を飲んでいた。

等伯の好きな類の店である。席をつめて座らせてもらい、湯呑みの酒を口にしながら喧噪《けんそう》に身をひたすと、気持が次第に落ち着いていった。

人はそれぞれ重荷を負いながら、一日一日を懸命に生きている。大切なのはその生き様であって、地位や名誉を手にすることではない。本延寺の日便和尚がそう教えてくれたことを、等伯は久々に思い出した。

「絵仏師の仕事は、御仏の教えを衆生に伝えることだ。如来使《にょらいし》の心を持って精進しなければならぬ」

養父の宗清は常々そう言っていたものだ。

そこを基本にするなら、仙洞御所の仕事が取れたかどうかは二の次である。身命を惜しまず画業に打ち込んでいれば、やがてまた機会がめぐってくることもある。

心がそこに落ち着きかけた時、店の奥から甲高い話し声が聞こえた。

「あかん、あかん。あないな奴に仕事をさせられまっかいな」

「そやけど、いい腕しとりまっせ」

「いくら腕が良うても、越前あたりから出てきた田舎者《いなかもん》や。大事な仕事を任せるわけにはいかん」

二人とも五十がらみの商人である。偉そうにしているのはやせて強情面《づら》をした男だった。

自分の意見は正しいと言ってはばからぬ、等伯の一番嫌いな型である。しかも鼻にかかったキ

ンキン声が何とも耳障りだった。

「愛宕屋《あたごや》はん、そないなこと言うたらあきまへんがな。四代五代つづいた店かて、もとは田舎から出て来とるんやさかい」

実力を認めてやらなければ成長しないと、太っておだやかそうな相方がたしなめた。

「あんたんとこはそうかもしれへんけど、うちはちがいまっせ。清和源氏から出た正真正銘の都人や」

「そんなん応仁の乱でぐしゃぐしゃになったさかい、一緒やて」

「一緒とちゃう。いざという時には家柄が物を言うんや。それにな、播磨屋はん」

あいつの親が何をしていたか知っとるかと、強情面が急に声を落とした。

「いいや。知らしまへん」

「染物屋やで。桂川のほとりに住んで青屋《あおや》をやっとったんや」

青屋とは藍染め屋のことで、洛中ではいわれのない蔑視を受けることもあるのだった。

「今度の錦《にしき》は聚楽第に納めるもんや。わしの目の黒いうちは、あんな奴に織らせるわけにはいかん」

等伯は聞くまいとしていたが、酒場の喧噪の中でも嫌な声だけは妙にはっきりと耳に入ってくる。それを黙らせることもできないので、次第に不快さがつのっていった。

都ではまさに家柄と付き合いの広さが物を言う。それを持たない織物屋が老舗《しにせ》の顔役に仕事を奪われる様《さま》は、今の自分と瓜二つだった。

(きっと永徳は、勧修寺卿の前でこんな風に言ったにちがいない)

そんなことまで思われて、等伯の心が再び怒りに波立ってきた。

このまま泣き寝入りするわけにはいかない。もはやどうにもならないことは分っているが、せめて一言、「お前が何をしたかは知っている」と永徳に伝えなければ気がすまなかった。

等伯は大きな体をゆらして酒場を出ると、皓々《こうこう》と降りそそぐ満月の光に照らされて狩野図子まで歩いた。

大名屋敷のように大きな屋根が、影絵のようにそびえている。表門は固く閉ざされ、門番もいない。

もうそんな時間かといぶかりながらくぐり戸を押すと、音もたてずに内側に開いた。

庭ではしきりに秋の虫が鳴いている。等伯は一瞬引き返そうと思ったが、酔いに背中を押されて屋敷に足を踏み入れた。

(言うべきことを言いに来たのだ。遠慮することがあるか)

そんな開き直った気分だった。

永徳らは中庭に舞台のような涼み台を作り、月見の宴を張っていた。永徳と光信が上座につき、十人ばかりの高弟が左右に居流れていた。

等伯は宴のにぎやかさに誘われるように柴折戸《しおりど》を開け、ふらふらと中庭に踏み込んだ。

「誰だ。お前は」

末席にいた猪首の弟子が、涼み台から下りて立ちはだかった。

足腰の構えといい距離の取り方といい、武芸の心得がある者だった。

「長谷川等伯という者だ。永徳どのに話があって来た」

「こんな時刻に断わりもなく入るとは、無礼であろう」

「表門のくぐり戸が開いていたのだ。対の屋の絵のことで、永徳どのに一言申し上げたいことがある」

等伯はおだやかに話す気になっていた。

ところが狩野には仕事を横取りした後ろめたさがある。それを責められることを恐れて、弟子たちは過剰に反応した。

「ならぬならぬ。ここはお前のような者が来る所ではない」

猪首の弟子が胸を突いて戸の外に押し出そうとした。

最初の一撃で等伯は大きくよろめいたが、次の一撃を受け止めて腕をねじり上げた。

幼い頃に叩き込まれた武芸の技は、五十二歳になっても身にそなわっている。腕の関節を逆にきめると、猪首は情ないほど大きな悲鳴を上げた。

「おのれ、狼藉者が」

高弟たちが我先にと涼み台を飛び下り、等伯を取り押さえようとした。

等伯ははっと手を放した。もがいていた猪首の弟子が、支えを失って地面に倒れた。

「待て。手荒な真似をするつもりはない。永徳どのに話をしに来ただけだ」

「ならば礼儀というものがあろう。昼間に出直すがよい」

こんな時刻に酒に酔ってくるとは何事だと、弟子たちが口々に責め立てた。

「それは謝る。この通りだ」

等伯は土下座をしてわびた。酔いはすっかり覚めていたが、このままでは引き退がれないという思いは残ったままだった。

「ひと言、永徳どのと話をさせてくれ。それがすめばすぐに帰る」

「ならぬ。身分のちがいをわきまえよ」

ここは絵屋などが来る所ではないと、大柄な弟子が二人がかりで引っ立てようとした。

「待て」

永徳が弟子たちをたしなめ、ひと言だけなら聞いてやると言った。

「ただし、土下座したまま申すがよい。でかい図体をさらされては月見の邪魔だ」

永徳は余裕をみせようと盃を口に運んだが、腕が小刻みに震えていた。

「お許しをいただきかたじけない。永徳どの、仙洞御所の仕事は、この等伯に任されておりました。それを横から取られましたな」

「知らぬ。何の話だ」

「勧修寺晴豊卿に直訴なされたことは知っております。それを恨《うら》みには思いませぬゆえ、自分のしたことだけは認めていただきたい」

「知らぬと申しておる。あらぬ因縁をつけるとただではおかぬぞ」

永徳は嘘をつき通そうとした。認めたなら狩野派の体面に傷がつくし、晴豊にまで迷惑がおよ

ぶからである。

「あらぬ因縁かどうか、ご自分の胸に手を当てて聞いてみられるがよい。私も潔白だったとは申しませぬ。こちらにご迷惑をかけるつもりもない。ただひと言、事実を認めてもらえたなら、この胸のおさまりがつくのでございます」

「それはそちらの都合であろう。我らの与《あずか》り知らぬことじゃ」

永徳は三度白《しら》を切った。権力や権威を守り抜くには、嘘の力を借りることも必要である。そのことを知り抜いた、臆面もない開き直りだった。

「さようですか。なるほど、これで得心がいきました」

そんな了見だから魂のこもった絵が描けないのだと、等伯は地べたにあぐらをかいて物申した。

「さるお寺であなたの檜図《ひのきず》を拝見しましたが、これはひどい。大向こうをうならせようとする底意と工夫ばかりが目立って、肝心の絵心が見えません。自分の絵にまで嘘をつくようでは、絵師をつづける意味がありますまい」

「黙れ。わしは天下一の絵師とうたわれ、それだけの仕事もしてきた。絵屋風情《ふぜい》に講釈をたれられる下種《げす》ではないわ」

激昂《げっこう》した永徳は、立ち上がるなり折敷《おしき》を蹴り飛ばした。

徳利や皿が大きな音をたてて涼み台の上に飛び散った。

「絵師さま、お鎮まりを」

狩野宗光が永徳の前に立ち、取り乱したところを見せまいとした。

「早く、早くその狼藉者をつまみ出せ」

声がかかると同時に、五人の弟子が等伯につかみかかった。

腕をねじり上げようとする者、胸倉をつかむ者、袴の腰に手をかける者。いずれも怒気と敵意をあらわにして、柴折戸の外に引き出そうとした。

「邪魔するな。もう一言、言わねばならぬことがある」

等伯は身をもがいて弟子たちをふり払った。

頭が白熱して力の加減を忘れている。手荒くしたつもりはなかったが、両腕をつかんでいた二人を突き飛ばし、腕をふり回した拍子に前後の二人をなぎ倒していた。

「おのれ。慮外者《りよがいもの》が」

猪首の弟子がいつの間にか木刀を持ち出し、真っ向から打ちかかった。

予想外の攻撃を、等伯はかわすことができなかった。

武芸の心得がある鋭い一撃が、等伯の額をとらえた。衝撃のあまり目の前が真っ黒になり、気を失いかけたが、等伯は踏みとどまった。

(倒れたら、殺されるぞ)

幼い頃に武之丞から叩き込まれた戦場の教訓が、危ういところで等伯を支えた。

髪の生え際がぱっくりと割れて、血が流れ出している。金錆《かなさび》くさい匂いが鼻をかすめ、あごから血がしたたり落ちた。

等伯は額に手を当てた。ぬるりとした感触があり、掌《てのひら》が赤く染った。もう少し背が低かったら、

脳天を打ちすえられて死んでいたはずである。それほど鋭い、容赦のない一撃だった。

「お主《ぬし》、卑怯であろう」

等伯はいつの間にか武士言葉になり、顔中を血だらけにして詰め寄った。

猪首の弟子は怖気づいて二、三歩後ずさったが、後ろ足をふっとたわませ、体ごとぶつかる双《もろ》手《て》突きに来た。

長身の鎧武者の弱点は喉首である。そこを貫くために鍛え上げた技だった。

等伯は体を右に開いて切っ先をかわし、その回転を利して左のひじを相手のこめかみに叩き込んだ。猪首の弟子は地べたに突っ伏し、ぴくりとも動かない。等伯はその手から木刀を奪い、涼み台に上がった。

「永徳どの、よう聞かれよ」

髪ふり乱し血だらけになった姿は、落武者さながらである。後ろに背負った満月が、その姿をいっそう凄惨《せいさん》な色合いに染め上げていた。

等伯はおだやかに語りかけているつもりである。だが永徳は恐怖にかられ、腰を抜かしたまま口を半開きにしていた。

「そうして嘘に嘘を重ねておられるゆえ、あのように虚仮《こけ》おどしの絵しか描けなくなったのじゃ。貴殿の天稟《てんぴん》は誰もが知っておる。もう一度初心にかえり、魂のこもった絵を描いて下され」

「な、ならば、久蔵を返せ」

永徳は後ずさりながら訴えた。

「あの起請文はいらぬ。だから久蔵を返せ」

「どうして、悴《せがれ》を」

「久蔵がいてくれたなら、私も立ち直ることができた。あれに絵を教えていると、初心にかえることができたのだ」

永徳は堰《せき》が切れたように言いつのり、両手で顔をおおって泣き出した。

等伯ははっと胸を衝かれて立ちつくした。今まで自分は永徳をうらやましがってばかりいたが、狩野家四代の蓄積にもまさる宝に恵まれていたのである。

それに気付いたとたん、永徳の苦しみがまざまざと分った。

「永徳どの」

木刀を取り落として土下座しようとした時、宗光が猿のように音もなくすり寄って何かを握らせた。

天正大判である。それも五枚。血まみれの手の中で、月の光を受けて鈍く輝いていた。

「今夜はこれでお引き取り下され。残りの五枚は明日とどけますので」

「何の真似だ。これは」

「国母さまへ献金なされた大判十枚。こちらで弁償させていただきます。それゆえ何とぞ穏便《おんびん》に」

夕姫が勧修寺晴子に献金したのは百両らしい。狩野派は方々に手を回してそのことを調べ上げ、兄の晴豊にそれ以上の献金をしたのだった。

等伯は急に興醒《ざ》めし、大判五枚をばらばらと涼み台にこぼした。

何というくだらぬことに係《かかずら》ってきたことか。七尾を出る時の夢や志は、いったいどこに消え失せたのだろう。

哀しみと後悔のないまぜになった無力感にとらわれ、涼み台を下りて門に向かった。だが柴折戸を出て間もなく、頭が割れるような激痛におそわれ、その場に頽《くずお》れたのだった。

気がついたのは三日後である。

枕元には清子が座り、やつれの目立つしなびた顔でのぞき込んでいた。汗の匂いがする。風呂にも入らず横にもならず、看病していたのだった。

「お前さま、分りますか」

清子が指を一本立てて左右に動かした。

「ああ。指だろう」

「良かった。目が見えなくなるかもしれないと、春子さんが言うものだから」

一睡もせずに額を冷やしつづけていたという。心配のあまり、医学の心得のあるモニカ春子に堺から来てもらったのだった。

「私は大丈夫だ。それより横にならなければ体にさわるぞ」

出産はもうじきである。こんなに大きなおなかをして座りつづける奴があるかと、等伯は清子の不注意を叱りつけた。

「お前さまこそ、もう少し後先《あとさき》のことを考え下さい。この子がいるのですから」

等伯が倒れた後、狩野家では医師を呼んで応急措置をし、戸板に乗せて送りとどけた。清子はそれを見て、死んでいるのではないかと肝《きも》を冷やしたという。

「あんな時刻に、いったい何があったのですか」

「私もよく覚えていないのだ。三条通で酒を飲んだところまでは、はっきりしているのだが」

等伯は清子に心配をかけまいと、酒のせいにして多くを語らなかった。

こんな結果になったものの、後悔はしていない。永徳の苦しみはよく分ったし、自分が久蔵という宝に恵まれていることも改めて実感できた。これからはわだかまりなく永徳と接し、腕を競っていける気がした。

幸い額の傷は、神経にまでは及んでいなかった。皮膚を裂き頭蓋をわずかに陥没《かんぼつ》させただけで、七日も横になっていると傷口もふさがり腫《は》れもひいていった。

等伯は床を離れ、新たな気持で仕事にかかった。仙洞御所の仕事を奪われたので、さしあたってすることはない。そこで檜図を描いてみることにした。

永徳の檜図は大向こうの受けを狙った虚仮おどしだ。そう批判したからには、自分なりの檜図を完成させ、これこそが魂のこもった絵だと証明する必要がある。その絵を持って狩野図子をたずね、永徳に非礼をわびるつもりだった。

重陽《ちょうよう》の節句が過ぎ、菊の花の時期も終りかけた頃、久蔵が真っ青な顔をして部屋にやってきた。

「父上……」

敷居際でつぶやくなり絶句した。

「どうした。何かあったか」

「昨日、総帥が亡くなられたそうです」

「永徳どのが……、まさか」

「弟子の頃の仲間が知らせてくれました。間違いありません」

「し、死因は何だ」

「夏場になって体調をくずしておられましたが、一月ほど前から寝たきりになるほど悪化したそうでございます」

昨日は九月十四日。一月前とは等伯が怒鳴り込んだ日の前後だった。

「弔問に行く。すぐに仕度をしろ」

あの夜の永徳は、月見の宴で酒を口にするほど元気だった。もしや体調が急変したのは、自分のせいではないだろうか。

不吉な予感に鷲づかみにされたまま、等伯は羽織袴に着替えて狩野図子へ向かった。

狩野家の門前には、多くの弔問客が並んでいた。大身《たいしん》の武士や高位の僧、裕福な町人たちが、供を従えて順番を待っている。後方には御所車をつらねて待っている公卿や女御もいる。

その人脈の多彩さと、狩野図子を埋めつくすほどの人の多さが、永徳の大きさを物語っていた。

列の最後尾に並んでいると、

「もしや、長谷川さまではございませんか」

客の応待に当たっていた弟子の一人が声をかけた。

「長谷川等伯と、こちらにお世話になっていた息子の久蔵でございます。このたびはまことに」

等伯は悔《くや》みをのべようとしたが、若い弟子は聞こうともせずに邸内に走り去った。

何事かといぶかっていると、狩野宗光をつれてもどってきた。あの夜、天正大判を握らせようとした永徳の側近だった。

「何のご用でしょうか」

あの時とはうって変った高飛車な物言いだった。

「永徳どのがご逝去されたと聞き、お悔みをのべさせていただきたいと」

「そのような心遣いは無用です。そちらと当家は何の関係もありませんから」

「それなら私は帰りますが、久蔵だけはお許し下さい」

「どなたか存じませんな。二人して能登にお帰りになったらどうですか」

宗光は取りつく島もない冷たい態度をくずさなかった。

等伯は永徳の仇であり、久蔵は裏切り者だ。狩野家を敵に回して、この都で生きていけると思うな。言外にそう言っている。

能登に帰ったらどうだという言葉には、目につくところにいるなら容赦はしないという意味が込められていた。

第九章　利休と鶴松

天正十九年（一五九一）は、日本史上においても時代を画《かく》する年になった。関白秀吉が小田原征伐と奥州平定を終えて天下統一をなしとげ、朝鮮出兵という戦争の泥沼に足を踏み出しかけていたからである。

この激動の年の元日を、長谷川等伯は家族四人で迎えた。昨年十一月に生まれた又四郎（後の宗也）が家族の一員に加わったのである。

清子に似て丸々と太り、乳もたっぷりと飲む元気な児《やや》である。無事に育ってくれるようにという願いを込めて、等伯は自分と同じ幼名をつけたのだった。

新しい命を迎えて祝う正月は格別である。親しくしている料理屋に御節《おせち》をたのみ、家族水入らずで酒を酌み交わした。

「昨年はいろいろと迷惑をかけた」

等伯は六百両もの損失を出したことと、狩野派と行きちがいを起こしたことをわびた。

すべては仙洞御所の仕事を取ろうと欲を出したための失敗だった。

「それゆえ今年は初心にかえり、ひたすら自分の絵の完成をめざそうと思う。おかげで大名家や寺社からも大きな仕事が入っている。ひとつひとつに丹精をこめていれば、いつか公《おおやけ》の目に留まることもあろう」

「そうですよ。扇の注文もたくさんいただいていますから、しっかり働いてもらわないと」

清子は赤ん坊を産んでいっそうふくよかになり、堂々たる貫禄がそなわっている。以前より遠慮のない口をきくのは、家刀自《いえとじ》になった自信のあらわれだった。

「久蔵はどうだ。今年はどんな目標を立てている」

等伯は酒をつぎながらたずねた。

久蔵はいつものように美しい所作で飲みほし、

「総師の境地に一歩でも近付くことです」

永徳への追慕をためらいなく口にした。

「この私には、近付いてくれぬか」

「父上は飛び抜けておられます。鍛練《たんれん》をつんだからといって近付けるものではありません」

等伯の絵は技法によって仕上がったものではなく、天才的な個性からあふれ出るように発したものである。だから近付こうとしても、同じ方向をめざしているかぎり等伯以上のものは描けないという。

「ところが総師の絵は、狩野家が長年積み上げてきた技法と修練の土台の上に成り立っています。

ですから誰でも鍛練をつめば、今の水準をこえる可能性があるのです」

「そうか。お前は八大弟子だったからな」

等伯はいささか気分を害したが、久蔵の言うことはもっともだった。

「弟子だったからではありません。私も総帥と同じように生まれた時から絵具の匂いをかぎ、筆をおもちゃにして育ったからです」

だから永徳の気持も、狩野派の絵を新しい水準に導こうとしていた努力の大変さも分るという。

「その努力は時には単なる模倣とか、大向こうの受けを狙った型破りのように見られるかもしれませんが、本質はまったくちがいます」

「どうちがう。良かったら教えてくれ」

「新しく作るのではなく、完成したものをひと回り大きくするのです。ですから、先代たちの仕事をすべて身の内に入れておかなければなりません」

総帥はその重みに耐えきれずに儚《はかな》くなられたのだと、久蔵は澄みきった目に涙を浮かべた。

「なるほど。永徳どのがお前を重んじられた訳がよく分ったよ」

「総帥が……、何かおおせでしたか」

「お前を手放したくなかったと、そう言っておられた」

等伯は多くを語らなかった。久蔵がこれほど重んじている永徳を、踏みにじるような真似をしてしまった。しかも深く理解もしないで感情的になり、嘘に嘘を重ねてなどと口走ったのである。

そのことが大きな悔恨《かいこん》として胸に残っていた。

年明け早々、秀吉政権は朝鮮出兵に向けて動き出した。松の内があけるとともに沿海の諸大名に軍船の建造を命じたのである。

これには政権内部や諸大名の中にも反対する者がいて、国論を二分する状況となった。出兵を推進しようとしたのは石田三成を中心とする官僚派と、イエズス会の意を受けたキリシタン大名たちである。

三成らは出兵を契機として中央集権体制を強化し、淀殿が産んだ鶴松への権力委譲を円滑にしようと考えていた。

キリシタン大名たちは、明国を植民地化してキリスト教を広めたいというイエズス会の方針に従って動いている。それゆえ官僚派と結びつきを強め、出兵に向けての動きを加速させていた。

反対していたのは秀吉の弟秀長や甥の秀次ら、北政所おねに近い豊臣一門。それに徳川家康、前田利家、蒲生氏郷ら分権派の大名たちだった。

彼らの多くは新しく与えられた領国の経営に着手したばかりで、出兵の負担に耐えられる状況ではない。それに戦時体制になれば上意下達が徹底され、官僚派の命令に従わざるを得なくなることが分っていたのだった。

出兵か内政重視か。それぞれの思惑がからんだ工作は激しさを増し、一触即発の対立がつづいている。

そんな折も折、二つの事件が起こった。

ひとつは豊臣家の重鎮だった大和大納言秀長が、一月二十二日に他界したことである。秀長が秀吉政権でどれほど重要な役割をはたしていたかは、天正十四年（一五八六）に大坂城をたずねた大友宗麟《そうりん》に、

「内々の儀は宗易（千利休）、公儀の事は宰相（秀長）存じ候」（『大友家文書録』）

と語ったという記録が雄弁に物語っている。

その秀長が死んだことによって、官僚派の発言力がにわかに強くなっていった。

もうひとつは、イエズス会の東アジア巡察師であるアレッシャンドロ・ヴァリニャーノが、遣欧使節の一行四人をつれて聚楽第をたずねたことだ。

伊東マンショ、千々石《ちぢわ》ミゲルら四人は、天正十年（一五八二）一月にヴァリニャーノにつれられてヨーロッパに向かった。そして三年後に無事にローマに着き、ローマ教皇と対面をはたした。西暦一五八六年四月にリスボンを出港、二年後の八八年八月にはマカオに着いた。

ところが秀吉が前年六月にバテレン追放令を出していたことを知り、帰国を見合わせていたが、この年になって九年ぶりに故国の地を踏むことができたのだった。

沿道には彼らの姿を一目見ようと大勢の群衆が集まったが、問題はなぜこの時期に秀吉がヴァリニャーノらの入国を許したかということである。

秀吉は天正十五年（一五八七）六月にバテレン追放令を出してキリシタンの取締りにあたってきたのだから、この行為は方針を変更した結果だとしか考えられない。

しかも秀吉はインド副王への返書に「日本は神国ゆえキリスト教を禁止する」と明記したが、

ヴァリニャーノの抗議によって削除している。これは官僚派の三成らが、キリシタン大名を身方に取り込むために、バテレン追放令を撤回、ないしは緩和したということだ。

こうして権力闘争の針は大きく出兵推進派の側に傾き、やがて利休や等伯にまで災いが及ぶことになったのだった。

この年には閏一月がある。

等伯のもとにその知らせがとどいたのは閏一月二十二日のことだった。

「大徳寺の三門のことで問題が起こったようです。さきほど千利休さまが春屋長老をたずね、どうしたものかと相談しておられました」

春屋宗園の使者がそう告げた。

「問題とはどのようなことでしょうか」

「三門の楼上には利休さまの木像が安置してあります。関白殿下はこれを聞き、僭越《せんえつ》であるとご立腹なされているそうでございます」

「あれは宗匠のご意志ではないでしょう。古渓宗陳さまが御礼に寄進なされたものだとうかがいました」

「その通りです。それゆえ近々、豊臣家の奉行衆が古渓和尚を詰問されることになりました」

場合によっては三門が破却されるかもしれないし、利休の意を受けて壁画を描いた等伯にも罪が及ぶかもしれない。それを危惧した宗園が、使者をつかわして状況を知らせたのだった。

使者が帰ってからも、等伯は動揺から立ち直れなかった。

大徳寺の三門の壁画は心血を注いだ作品である。七尾を出て十八年目に、ようやく世に出ることが出来た記念碑的な仕事でもある。その三門が破却されるばかりか、絵を描いたことが罪に問われるとは、想像だにしていないことだった。

数日後、徳川家康、前田利家、細川忠興、前田玄以が、古渓宗陳を訊問した。

宗陳は三年前の九月に秀吉の逆鱗《げきりん》にふれて大宰府に流罪に処された。しかし利休の尽力によって、翌年七月に罪を許されている。その恩に報いるために、利休の木像を三門に安置したのである。

この罪を問われた宗陳は、自分が一山の長としておこなったことで、利休には何の責任もないと明言した。しかも大将軍さえなしえなかった三門の建立をしてくれた大檀那（利休）のためにしたことが、どうして悪いのだと啖呵《たんか》を切った。

宗陳は越前朝倉家の出で、胆《はら》の底に武士の魂を持っている。いざとなったら自決して責任を取ろうと、僧衣の懐中に脇差をしのばせていたという。

この報告を受けた秀吉は激怒した。大将軍でもできなかったという言葉は、自分への当てこすりだと受け取ったからである。

秀吉は信長の後継者の地位を手に入れるために、大徳寺で盛大な葬儀をおこない、宗陳を開祖として総見院を建立した。しかし信長を敬う気持は露ほどもなかったことは、狩野永徳に信長の肖像画を貧相に描き直させたことからも明らかである。

「そんな下種な根性だから、三門の建立さえまともにできなかったのだ」

宗陳は言外にそう言っていると、秀吉は受け取ったのである。

報復は死だった。宗陳ばかりか春屋宗園も磔《はりつけ》にし、三門に首をかかげよと厳命した。ところが母親の大政所と妻の北政所にいさめられ、かろうじて思いとどまったのである。

こんな有様では、利休はとても助かるまい。そんな噂が風のように洛中に広がり、了頓図子の等伯の耳にも入ってきた。店のまわりを得体の知れない者たちがうろつき、客足がぴたりと途絶えたのもこの頃からだった。

「等伯が逃げ出さんように、奉行所の者《もん》が見張っとるんや。能登屋もこれでおしまいやで」

聞こえよがしに言って通り過ぎる者もいた。

等伯は次第に追い詰められ、半ば捨鉢《すてばち》になって前田玄以の屋敷をたずねた。

「今日はうかがいたいことがあって推参《すいさん》いたしました」

店を見張っているのはあなたの配下かと、等伯は切りつけるようにたずねた。

「いいえ。そんなことは命じておりません」

玄以はいつものようにおだやかだった。

「それでは何者でしょうか。あのような者にうろつかれては、客が怖がって店に近付きません」

「そうやって等伯どのを暴発させようとしているのでしょう。挑発にのってはいけませんよ」

「何のために私を挑発するのです」

「あなたが罪をおかせば、三門の壁画を描かせた利休どのにも責任がおよぶ。罪状のひとつに数え上げることができます」

「それは、つまり……」

「石田治部どのの企てです。この機会に利休どのをつぶそうと、あらゆるところに手を回して落度をさがしておられます」

木像の問題ばかりではない。茶道具を法外な値段で売ったとか、鑑定のために預かった道具を横領したとか、利休に不利な証言を躍起《やっき》になってかき集めているという。

「ここだけの話ですが、等伯どの、実はあなたも危うい瀬戸際に立っておられました」

「私は絵師です。三門に絵を描いたからといって、咎めを受けるいわれはありません」

「絵のことではありません。三条西家の奥方を通じて、勧修寺晴子さまに百両の献金をなされたでしょう」

「そ、それは……」

いきなり図星をさされ、等伯は顔を赤らめて口ごもった。

「仙洞御所の仕事を取るためだとは分っています。しかし狩野家は、それ以上の献金をして仕事を横取りした。あなたはそれを怒って、狩野屋敷に怒鳴り込まれたそうですね」

玄以は閻魔《えんま》のごとくすべてを調べ上げている。

等伯はぐうの音も出なかった。

「責めているのではありません。仕事が取れなくて良かったと言っているのです」

「どうして、でしょうか」

「もし取れていたなら、治部どのの歯牙《しが》にかかっていたでしょう。国母さまを買収して仕事を取

ったとなれば、言い訳は通じません。即刻三条河原で断罪しなければならなくなります」

「しかし、どうしてそんなことが」

表にもれたのかと、等伯は肝を冷やして首筋をおさえた。

「治部どのと狩野家は昵懇《じっこん》の間柄です。そのことをお忘れですか」

玄以はひと息いれて席を立ち、赤っぽい茶をはこんできた。

「これは南蛮人が飲む紅茶というものです。ヴァリニャーノどのが殿下に献上されたものを、下賜していただきました」

「そんな貴重なものを」

「飲んで下さい。気持が落ち着きますよ」

等伯は怖る怖る手に取った。香りはすばらしく豊かである。だが渋味が強すぎて口に合わなかった。

玄以はそれ以上何も言わなかった。茶を出したのはそろそろ帰れという意味なのである。等伯はそれに気付き、問題の深刻さに打ちひしがれて席を立った。

玄以の言葉通り、日ならずして利休の醜聞《しゅうぶん》が噂となってばらまかれた。その中には秀吉が娘を側室としてさし出せと命じたが、利休が頑強に拒んだというものもあった。

石田三成の圧力もあって、利休の身近からも罪状を言い立てる者が現れた。

利休は閏一月二十九日の細川忠興にあてた書状に、

「又、宗無一儀ふしぎに存じ候。もず屋にとてもの御事《おんこと》候。一笑々々」

と記し、住吉屋宗無と万代《もず》屋宗安が不可解な動きをしているといぶかっている。宗安は娘婿なので、衝撃はなおさら大きかったにちがいない。「一笑々々」という言葉から、利休のやりきれなさがうかがえる。

醜聞攻撃の矛先は等伯にも向けられた。

あの男は養父母を殺して金を奪い、七尾を出奔《しゅっぽん》した。油屋の娘と結婚して経済的な支援を得ようと、先妻を見殺しにした。

三条西家の女御と密通し、朝廷の絵所の別当に取り立ててもらうように工作した。それを永徳の奏上によって阻止されたために、逆うらみして狩野家の屋敷に乱入して狼藉を働いた。

等々、事実を巧妙にねじ曲げた作り話がばらまかれ、等伯は金にも女にも汚なく、目的のためには手段を選ばぬ極悪人に仕立て上げられた。

まさに「一笑々々」と笑い飛ばすしかない愚劣さだが、世間は案外こうした噂に左右されるものである。他人の不幸は鴨の味という諺《ことわざ》があるように、心のどこかに他人の不幸を見て自分の幸せを確認したいいじましさを持っている。

まして等伯は大徳寺三門の壁画を手がけて以来、飛ぶ鳥を落とすような活躍をつづけている。そのことに嫉妬している者たちは、真偽を思い量《はか》りもせずに噂に飛びつき、勢威《せいい》ある者の失墜に胸のすく思いをしていたのだった。

二月になって間もなく、市女笠《いちめがさ》で顔をかくした御殿女中がたずねてきた。夕姫に仕えている初

音だった。

等伯は人に見られるのを恐れて、初音を隣の別邸に案内した。

「姫さまから、これをお渡しするようにと」

初音がさし出した文には、明日午の刻、興臨院《こうりんいん》においでいただきたいと、たおやかな女文字で記されていた。

「何のご用ですか」

等伯は文を突き返した。六百両もだまし取っておきながら何だと言いたかった。

「窮地を脱する手立てを、話し合いたいとおおせでございます」

「ご心配いただかなくて結構です。自分で何とかしますから」

「お困りになっているのは長谷川さまだけではありません。このままでは姫さまのお立場が危くなるのです」

「それは……、私を国母さまに推せんしたからですか」

「そうです。もし長谷川さまが罰を受けられたなら、姫さまは三条西家から追われることになるでしょう」

公家は何よりも汚《けが》れを忌《い》む。血の汚れ、罪の汚れに触れたなら公の場に出ることはできなくなると、初音が御所人形のように上品な顔をゆがめてまくしたてた。

等伯は出かけることにした。夕姫が窮地におちいっているのなら、そしてそれを脱する手立てがあるのなら、このまま知らないふりは出来なかった。

店は得体の知れない男たちに見張られている。その目をさけて夜明け前に裏口から抜け出し、深編笠《ふかあみがさ》をかぶって大徳寺をたずねた。

約束の時間まではあと二時《ふたとき》ほどもある。どうしたものかと思案した末に、三玄院の春屋宗園をたずねることにした。宗園なら利休がどんな状況におかれているか知っているはずだった。

あいにく朝の座禅中だというので、方丈で待たせてもらうことにした。

ふすまには僧たちの制止をふり切って描いた山水図がある。中央には都の文化の高さを象徴する山が険しくそびえ、優雅な御殿が建っている。

右の隅には都に向かって足を踏み出したばかりの等伯と静子、久蔵の姿が描き込んである。

この頃には、難しいのは絵の技量を上げることだとばかり思っていた。まさか政争に巻き込まれ、こんな立場に立たされるとは想像さえしていなかった。

(浮木の亀か)

等伯は本延寺の日便和尚に授かった日蓮上人の教えを思い出した。

人は輪廻《りんね》をつづけるかぎり絶え間のない苦しみにさらされる。そうした時に法華経に出会うことは、水に流されている亀が浮木に乗ってひと時体を休めるようなものだというのである。

等伯は久々に山水図と向き合い、これまでのさまざまな出来事を思い出して、心がおだやかに鎮まっていくのを感じていた。

廻り縁で談笑する声がして、宗園と利休が入ってきた。

庭には雪がぶ厚く残り、床板は氷のように冷たい。それでも二人は白小袖に僧衣を重ねたばか

りで、素足で歩いていた。

「宗匠、来ておられたのですか」

「ああ、久々に心の垢《あか》を落としていただいた」

「それでは三門の件は」

もう解決したのだろうと、等伯はほっと胸をなで下ろした。そう思わせるほど、利休も宗園も屈託のない清々しい顔をしていた。

「あれはあかん。お前にも迷惑をかけているようやな」

「迷惑などとは思いませんが、どのようなことになるのでしょうか」

「わしは打首か切腹や。そやけど御寺《みてら》の三門だけは守らないかん」

利休は飄々《ひょうひょう》として、小僧が運んできた白湯《さゆ》を口にした。

「そのことならご心配は無用です。治部も拙僧の弟子ですから」

この寺に手出しはさせないと、宗園も音をたてて湯をすすった。

「それでは長老は」

利休が討たれてもいいとおおせかと、等伯は語気を荒くした。

「仕方があるまい。宗匠がそれを望んでおられるのだからな」

「まさか。そんなことが」

「長老のおおせの通りや。筋の通らぬことに屈して生きるよりは、己れの生き様を貫いて命を終えた方がええ」

秀吉は謝罪をしたなら許すと伝えてきたし、秀長の正室だった智雲院《ちうんいん》や北政所も取りなすと言ってくれたが、利休にそのつもりはなかった。

命を惜しんで節《せつ》を曲げたなら、これまで築き上げてきた茶の湯の道も嘘になるからである。

「そやさかい、今日は長老に引導《いんどう》を渡してもろうたんや」

「しかし、それでは」

三成の思う壺ではないかと、等伯は承服できなかった。

「信春、お前にとって治部とは何や」

「それは……」

等伯はとっさには返事ができなかった。

秀吉の威を借る君側《くんそく》の奸《かん》。淀殿の子鶴松に豊臣家をつがせようと計る策謀家。恐ろしいばかりに頭の切れる実務家。そして何より利休をおとしいれようとする陰湿な敵……。

頭の中にはいくつもの言葉があるが、どれも世に流布した三成評である。利休の問いに対する答えにはなっていなかった。

「分らんか。そんなら長老にたずねてみい」

等伯は言われるままに宗園に同じ質問をした。

「そうさな。門の外の人間と言わせてもらおう」

宗園は火鉢に手をかざしながら外をながめていた。

「そういうことや。わしには茶の湯の門、お前には絵師の門がある。門の外のことは仕方がない

が、内側は自分の世界や。命をかけて守らんでどうする」

お前にその覚悟があるかと、利休は等伯の顔を真っ直ぐに見つめた。

「あります。絵と家族のためなら」

「そうか。そんだけ胆《はら》をすえとんのやったら、身内の死をあんまり気に病むな」

「身内と申されますと」

「静子さんと養父母どのや。みんな自分なりに懸命に生き、命をまっとうしてこの世を去られた。自分のせいで死なせてしもたなどと嘆くのは、その人たちの生き様を否定する思い上がりや」

「しかし、私は……」

三人に申し開きのできないことをした。その悔恨が一度にせり上がり、等伯は膝頭をつかんで涙を流した。

「泣いたかて悔んだかて、どうにもならん。生き残った者《もん》にできるのは、死んだ者を背負って生きることだけや」

利休が警策を打ち込む激しさで一喝《いっかつ》した。

等伯は手の甲で涙を押しぬぐい、あごだけ動かしてうなずいた。

「そんなら形見を分けてやる。わしが死んだと聞いたなら」

利休は文机につくなり等白と書いた。これが宗園から与えられたこの頃の名乗りだった。

「白は無の境地ということや。これからは死んだ者《もん》を背負ったまま、そこに向かっていけ」

そう言うなり白の字に人偏《にんべん》を加えた。等伯という名乗りは、この遺訓に従ったものだった。

この日利休は総見院に古渓宗陳をたずねている。長年愛用してきた青磁の茶碗二つを渡し、茶を喫《きっ》して別れの挨拶をした。

宗陳が「末後の一句乍麽生《そもさん》」、末後の一句はいかがとたずねると、利休は、

「白日青天怒雷光」

青くすみわたった空にいなずまが光ったようだと答えた。

これをどう解釈すべきかは諸説がある。悟りの境地をあらわした禅語の常套句《じょうとうく》だというとらえ方や、青天の霹靂《へきれき》に遭遇して動揺している利休の心境を示したものだという見方もある。

しかしこの句は『江湖風月集』におさめられた道源禅師の「守口如瓶」、口を守ること瓶の如しという七言絶句をふまえたものだ。

その読み下しは次の通りである。

「明々として只《た》だ鼻孔《びこう》の下に在《あ》り　動《やや》もすれば著《な》す是《こ》れ禍門《かもん》に非《あら》ざるは無し
直下放《ちょっか はな》ち教《おし》う木椟《ぼくとつ》の如《ごと》きを　青天白日怒雷奔《せいてんはくじつ どらいはし》る」

口が鼻の下にあるのは明々白々のことだが、時にはそれが禍いの元になることがある。その直後に木椟（警策）のように厳しい教えを受け、青天白日に雷が走るように緩んでいた心が引き締った。そんな意味である。

この句をもとに利休が「白日青天怒雷光」と答えたとすれば、

「口は禍いの元と昔から言いますが、私も同じ過ちをおかしてしまいました。しかし教えを受けたお陰で、緩んでいた心が引き締りました」

そう解釈するのが妥当だと思われる。

教えを授けたのは春屋宗園。緩んでいた心が引き締ったとは、信じるもののために命を捨てる覚悟が定まったということだろう。

ところが等伯は、残念ながらそこまでの境地に達していない。利休が与えてくれた書き付けを懐に、迷いながら夕姫の待つ興臨院の門をくぐった。

夕姫は墨染めの衣を着ていた。豊かな髪を白い元結でたばね、化粧もしていない。かなりやつれ、唇が凍えたような色になっていた。

床の間には畠山義続の肖像画がかけてある。自分が描いたものながら、生前の義続と対面している気がするほどよく似ていた。

「お忙しいのにご足労いただき、かたじけのうございます」

夕姫が丁重に礼を言い、仙洞御所のふすま絵のことでは迷惑をかけたと頭を下げた。

「そのことについては、納得のいく話をうかがいたいと思っておりました」

「わたくしは武之丞に三百両が必要だと申しました。そのうち百両を国母さまに献金し、残りを勧修寺晴豊卿や准后《じゆごう》さまへの進物《しんもつ》代にするためです。ところが武之丞は、あなたに六百両も出すように求めたそうですね」

「ええ。初め三百両、しばらくして陣 定《じんのさだめ》を乗り切るためにあと三百両出せと言われました。夕姫さまはご存知なかったのですか」

「昨年末に近江に逃れている父から、三百両もの援助をいただきかたじけないという礼状がとど

きました。身に覚えがないことなので、武之丞にどういうことかと問い質したのです」

するとと武之丞は、等伯から献金があったので、夕姫からという名目で余呉浦にいる畠山義綱にとどけたと言った。

「三百両でも大金です。その上さらに三百両も出していただくなど、普通では考えられないことです。そこで武之丞に本当のことを話すように迫りました」

「兄は、何と答えましたか」

「仙洞御所の仕事を取るのに、六百両の献金が必要だと言って出してもらったと白状しました。それもわたくしの兄を助け、畠山家を再興したい一心からなのです」

ご不快だろうが許してやってほしいと、夕姫がもう一度頭を下げた。

「兄に会わせて下さい。そういうことなら、兄から直にわびてもらわなければなりません」

「ここにはもうおりません。わたくしの名を騙《かた》って長谷川さまから大金をだまし取ったのですから、たいそうきつく叱りました」

すると武之丞は血相を変え、「我らは殿のために命をなげうって働いている。弟から三百両を引き出したのも畠山家のことを思えばこそで、姫さまからお叱りを受けるいわれはない」と反論したという。

「それなら長谷川さまに本当のことを告げ、自分の独断でやったことだとわびるように申しました。しかし武之丞は、殿のためなら親兄弟の命さえさし出すのが忠義というもので、たかが三百両のことでとやかく言われる筋合いはないと、ひどく怒って飛び出してしまったのです」

それ以来音信がないのでどうしているか案じていると、夕姫は仕方なげなため息をついた。

「それはご無礼をいたしました」

等伯は武之丞になりかわって頭を下げた。

憎い兄とはいえ身内である。知らないふりはできなかった。

「いいのです。畠山家のためにしたことですし、一番嫌な思いをなされたのは長谷川さまなのですから」

「いえ、私のことなら」

気にかけていただかなくて結構だと、等伯は鷹揚《おうよう》なことを言った。

「そう言っていただくと救われます。このことを知って以来、さぞ恨んでおられようと生きた心地もしませんでした」

夕姫が弱々しげに言って胸を押さえた。

「ところで、そのお姿はどうなされたのです。参籠でもしておられるのですか」

「お恥ずかしい限りですが、家を出てこの塔頭に住まわせていただいております」

「それは、今度のことが原因ですか」

「十日ほど前、石田治部さまが当家に参られました。茶の湯の道具を利休さまと売り買いしたかどうかたずねるためですが、その中にわたくしと長谷川さまについての話もございました」

「もしや、私と姫さまが……」

「そんな噂もあると、これ見よがしにおおせられました。心根のやさしい主人は、あまりのこと

に動転して寝込んでしまいました」

　これ以上三条西家にいては迷惑がかかる。そこで騒ぎがおさまるまで興臨院に身を寄せているのだった。

「治部さまは恐ろしいお方でございます。わたくしと長谷川さまがこの寺で会ったことばかりか、教如さまの肖像画のことで近衛太閤さまにお引き合わせしたことまでご存知でした」

　十九年前、等伯は夕姫につれられて石山本願寺をたずね、近衛前久に紹介された。教如と朝倉義景の娘との縁組みのために、肖像画を描いてくれと頼まれたのである。

　三成はその事情を克明に調べ上げ、こうしたことが公《おおやけ》になってはお家のためにもなりますまいと言った。

「しかもわたくしの手首をつかみ、物陰に引き込んで脅《おど》し付けるようにささやかれたのです。血《ち》筋《すじ》の浮いた鋭い目といい、冷たくて固い指といい、人とは思えぬ不気味さでした」

　まるで暗がりで蛇にからみつかれたようだったと、夕姫が眉をひそめて身震いした。

「しかし、どうして夕姫さまにそのようなことを」

「淀の方のために決っています。当家の側室の伊吹の方は、淀の方の従姉《いとこ》にあたられるのです」

　だから夕姫を三条西家から追い出し、伊吹の方を正室にしようとしている。夕姫はこのままでは家を出されるばかりか、正室だった事実まで抹消されかねない立場に立たされていた。

「治部というお方は、淀の方につくすことが亡き浅井家への忠義になると思っておられるのです。武之丞と同じように、そのためなら何をしても許されると思っておられるのでしょう」

「初音どのから、窮地を脱する手立てがあるとうかがいましたが」

「ございます。ひとつだけ」

「教えていただけますか」

等伯は我知らず身を乗り出した。

「近衛太閤さまにご意見していただくことです。秀吉公は太閤さまのおかげで関白になられたのですから、太閤さまのおおせには逆らうことができますまい」

「確かに。そうかもしれませぬ」

「されど太閤さまに動いていただくためには、利休さまは無実だという証拠が必要です。長谷川さまは何かお持ちではありませんか」

「証拠といいますと」

「三門について記された書状があれば、一番いいと存じますが」

「ああ、それなら」

心当たりがひとつだけあった。

三門が完成した時、利休から労を謝して井戸茶碗を贈られた。茶碗は前田玄以に進呈したが、添え状は残っている。それには三門の完成に対する利休の心情がつづられていた。

「それです。それさえあれば太閤さまにお願いすることができます。すぐにこちらに持ってきて下さい」

夕姫は膝を送ってにじり寄り、等伯の手をしっかりとつかんだ。その手が小刻みに震えている。

窮地に追い込まれ、藁にもすがる思いで救いを求めているのだった。

等伯は家にもどり、書状を仕舞った箱を確かめた。

利休の添え状はひときわ大事に油紙に包んで仕舞ってある。壁画を描いた等伯の労をねぎらい、世上の評判も高いので鼻が高いと満足の意を表したものだ。

そして最後に「これで亡き信長公へ恩返しができた。自分の茶は信長公に仕えたからこそ仕上がったもので、公を失ってからは世を渡る技になってしまった。そのことをかねがね悔んでいたが、三門が完成したので思い残すことなく身を引くことができる」と記してあった。

これを読めば、利休に僭上《せんじよう》の気持などなかったことは明らかである。だが、言われるままに夕姫に渡すのはためらわれた。

「今は世渡る技と成り果て候」

という一文が、秀吉に仕えるのは不本意だと取られるおそれがあった。

これはそんな意味ではなく、茶の湯は求道の技であるのに、世の雑事にかかずらう機会が多いと嘆いたものだ。利休が時折口ずさんでいた、

汚さじと思う御法《みのり》のともすれば
　世渡る橋となるぞ哀しき

という歌に通じる心境である。

しかし取り次ぎの者がわざと悪意ある解釈をしたなら、かえって秀吉を怒らせることになりかねなかった。

等伯がどうしようかと迷っている間にも、事態は悪化の一途をたどった。

二月十三日には利休は堺に下って謹慎《きんしん》するように命じられた。これは罪人としての処罰で、都大路を淀に向かう時も奉行所の兵に前後をきびしく囲まれていた。

出発は夜になってからで、身内や弟子が見送ることも許されない。だが利休の愛弟子だった細川忠興と古田織部だけは、ひそかに利休の後を慕《した》い、淀の船着場まで見送った。

それに気付いた時の心境を、利休は松井康之にあてた書状に次のように記している。

「俄《にわか》に昨夜まかり下り候。仍《なお》淀まで羽与（羽柴与一郎忠興）様、古織（古田織部）様御送り候て、舟本（船着場）にて見つけ申し、驚き存じ候。かたじけなし由、頼みに存じ候」

二人が見送りに来てくれていることを船着場で気付き、非常に驚いた。有難くもあったし、この二人なら茶の湯の道を正しく伝えてくれるだろうと頼みにも思った、というのである。

この書状が十四日付。翌十五日には見舞いの文を送ってくれた芝山監物《けんもつ》に、返歌を記した書状を送っている。その末尾に真情を吐露《とろ》した次の一節がある。

「宮古（都）出《いで》ての淀の川舟とよミ候を、おもひいだすにも、猶々《なおなお》、なミだに候。やがて〳〵待申候〳〵。ことさら天《てん》きも能成《よくなり》候。かなしく候〳〵」

利休はあの世で監物を待っていると書き、「かなしく候〳〵」とこの世での別れを嘆いている。道を守るために死を決意したものの、やはり断ち切り難い思いはあったのだろう。

状況はそこまで逼迫《ひっぱく》していた。都でも利休の死罪が決ったという噂が飛び交い、大方の興味は堺で切腹させられるか都で磔にされるかに移っていった。

それにつれて利休の有罪は自明のことだという空気がかもし出されていったのは、石田三成らの巧妙な世論操作による。

そうした噂を耳にするたびに、等伯はじっとしていられない焦燥《しょうそう》にかられた。

このまま宗匠を死なせてはならぬ。ここで口を閉ざしているのは、三成に加担するのと同じことだ。そう思うものの、利休の添え状を夕姫に渡す決心はつかなかった。

ある夜、等伯は夢を見た。

利休と二人で三条河原の土壇場《どたんば》に引きすえられ、首を打たれようとしている。等伯は恐怖のあまり、自分は利休とは無縁だと口走っていた。

「さようか。ならばこの利休めが、お前をそそのかしたのだな」

検屍《けんし》役の石田三成が、利休は有罪だと証言すれば助けてやると誘いをかけた。白目に血筋の浮いた冷酷な目付きをして、生きていたければ言うことを聞けと迫ってくる。

しかし、大恩ある宗匠を裏切るのはさすがにはばかられる。進退きわまって黙り込んでいると、

「おおせの通りでございます」

利休が進んで罪を認め、この男は何の関係もないと言った。

「縁もゆかりもない者ゆえ、どうぞお放し下されませ。門外の者に供をされては迷惑でございま

す」

その声を聞くなり、等伯ははっと目をさました。

冬だというのにびっしょりと寝汗をかいている。胸には助かったという安堵と利休を裏切った後悔が、重くまとわりついていた。

すでに夜が明けている。戸板の隙間《すきま》からさし込む朝の光が、部屋を薄ぼんやりと照らしている。隣の夜具には清子と又四郎が身をよせ合って眠っていた。

二人の安らかな寝顔を見れば、この幸せを壊すわけにはいかないという思いがつのってくる。だがここで何もしなかったなら、夢の中で利休が言ったように門外の者になってしまう。それは絵師の魂を売りわたすのと同じことだ。

等伯はぞっと寒気をおぼえ、文箱《ふばこ》を開けて利休の添え状をさがした。もう一度読み返し、夕姫に渡していいものかどうか考えようと思ったからだが、油紙に包んだ書状はなかった。

そんな馬鹿なと文箱を引っくり返してみたが、他の書状の間にもまぎれていなかった。

「どうかなされたのですか」

清子が目をさまし、横になったまま声をかけた。

「ちょっと気になることがあってな」

何でもないと言いつくろって、等伯は再び夜具にもぐり込んだ。

鶏鳴《けいめい》が時を告げ、皆が動き出してから、等伯はもう一度文箱をあたってみた。利休の添え状はどこにもない。油紙に包んで大事にしまっていたのに、いつの間にか消え去せていた。

「おい、ちょっといいか」

等伯は食事の仕度をしている清子を呼び、どうしたか知らないかとたずねた。

「あれはわたくしが預かっております」

「預けたか？　お前に」

「いいえ。わたくしが勝手にしたことです」

清子は土間から上がり、胆《はら》をすえて居ずまいを正した。

「それは、どういうことだ」

「あの書状を夕姫さまに渡してはなりません。しかしお前さまは迷っておられるようなので、わたくしが預からせていただいたのです」

「そんなことを、何でお前が知っている」

「何度かうなされて、うわ言《ごと》を言っておられました」

だから万一のことがないように添え状を預かったのである。

「渡せ」

「夕姫さまに渡すつもりですか」

「いいから渡せ」

「嫌です。あれを渡してはなりません」

「お前に何が分る。何も知らずに勝手なことをするな」

等伯は冷静を保とうとしたが、せり上がってくる苛立ちに声が震えていた。

「何も知らないのはお前さまです。あの添え状が悪用されたなら、どんな災いがふりかかるか分らないのですよ」

「悪用だと。誰がどんな風に悪用するというのだ」

「それは……、いろいろあるでしょうよ」

清子は夕姫が石田三成に添え状を渡し、利休追い落としに加担するのではないかと危惧している。だがそれを口にすることは、さすがにためらったのだった。

「お前が私を心配してくれていることは分っている。だがこのまま黙っていては、私は宗匠を裏切ることになる。何も言わずに添え状を渡してくれ」

「夕姫さまが信用できるお方なら、わたくしもこんなことはいたしません。ですが」

「信用できぬと申すか」

「前に六百両もだまし取られているではありませんか。それなのにどうして同じ過ちをくり返すのです」

「あれは兄者がやったことだ。夕姫さまのせいではない」

「夕姫さまがそう言っておられるだけでしょう。兄上さまにお確かめになったのですか」

「ではお前は確かめたのか。夕姫さまが嘘をついておられると」

「ええ。確かめました」

陣定を乗り切るために三百両が必要だと要求された時、清子は実家の油屋に頼んでそうした習慣が今もあるかどうか調べてもらった。そのついでに夕姫の身辺調査も頼んだのである。

堺有数の豪商である油屋は、独自の探索方《たんさくがた》をかかえている。取り引き先の大名や商家、公家、寺社に、どれだけの資産があり内情はどうなっているかを正確に把握しておく必要があるからだ。

その調査の結果、夕姫は数年前に三条西家を出され、離別同然の扱いを受けていることが分った。化野《あだしの》の別邸に初音とともに隠れるように暮らしていて、三条西家からは生活費の支給も打ち切られているという。

「な、なぜだ。実家の畠山家が没落したからか」

「それもあるかもしれません。しかし一番大きな理由は……」

「何だ。遠慮なく言ってくれ」

「ご実家の再興をはかろうと、ご主人の立場も考えずに公武の有力者に取り入ろうとなされたことです。その時にどんな手管《てくだ》をお使いになったか、わたくしの口からは申せません」

「そんな、そんな馬鹿なことがあるか」

等伯は打ち消そうとしたが、思い当たるふしがある。この間もにじり寄られ、手を握られたばかりだった。

「六百両のこともそうです。お前さまがお金を渡してから、夕姫さまは衣装や化粧道具など、百両ちかい買物をしておられます」

「もういい。分ったから宗匠の添え状を渡せ」

「どうなさるのです。まさか」

「どうするかは私が決める。それから手元に金はいくらある」

「五十両ばかりですが」

「それも一緒に持って来い」

等伯は夕姫に渡すつもりだった。そこまで零落《れいらく》しているのなら、何を犠牲にしてでもお助け申し上げねばならぬ。奥村家の血がそう告げていた。

「おやめ下さい。あの書状が悪用されたなら、お前さまばかりか久蔵さんや又四郎にまで累《るい》がおよぶのですよ」

「やかましい。命を惜しんで忠義がなるか」

等伯は目をむいて怒鳴りつけた。

寝入っていた又四郎が火がついたように泣き出した。

清子は又四郎を抱き起こし、

「よしよし。こわい父《とと》さまだねえ」

体をゆすりながらあやした。

等伯は帳場に行き、片っ端から引き出しを開けた。五十両はすぐに見つかったが、添え状はどこにもなかった。あるいはと思って帳簿をめくると、油紙に包んだ添え状がはさんであった。

「お前さまがそれを持っていかれるなら、又四郎をつれて実家に帰らせていただきます」

清子は最後の切り札を用いて引き止めようとした。

「好きにしろ。お前たちまで道連れにするつもりはない」

「わたくしたちより、夕姫さまのほうが大事だとおおせられるのですか」

「どちらも大事だ。くだらぬことを聞くな」

「なぜです。お前さまは畠山家に仕えていたわけではないでしょう。もしや」

夕姫の色仕掛けで虜《とりこ》にされているのではないか。そう言いたい気持を清子はかろうじて抑えた。

「もしや、何だ。お前もくだらない噂を真に受けているのか」

「真に受けてなどおりません。ただ、お前さまが分らなくなっただけです」

等伯は清子が本気だということも、腹を立てるのは当たり前だということも分っている。だが門外の者になりたくない一心から、興臨院に向かって駆け出したのだった。


夕姫は添え状を受け取り、近衛前久に利休の助命を頼むと言ったが、状況は好転しなかった。

二月二十五日には、三門にかかげていた利休の木像が戻り橋で磔にかけられた。木像の脇には利休の罪状を面白おかしく記した高札が立てられ、見物の群衆が取りまいていた。

これを目撃した伊達政宗の家臣は、国許《くにもと》に送った書状の中に次のように記している。

「木像の八付《はりつけ》、誠《まこと》々前代未聞の由、京中において申す事に候。見物の貴賤際限《きせんさいげん》なく候。右八付の脇に、色々の科《とが》ども遊ばされ御札を相立《あいた》てられ候。おもしろき御文言、あげて計《かぞ》うべからず候」

木像を磔にして見せ物にするなど、正視に堪えない愚劣なやり方である。

石田三成らが利休断罪への世論作りをねらって扇情的な手段を用いたことは言うまでもないが、実はもうひとつ別の目論見があった。

三成ら官僚派は、秀吉のもとにすべての権力を集中しようと躍起になっている。それに反対する分権派の諸大名を、利休を生け贄《にえ》にすることで黙らせようとしたのだった。

翌二十六日、利休は上洛を命じられて聚楽第の屋敷にもどった。切腹を命じられたのは二十八日。この二日間、秀吉が処分を迷ったのは、各方面から助命嘆願があったからだ。

大政所や北政所。徳川家康や前田利家など、利休と懇意にしていた大名たち。蒲生氏郷や高山右近、細川忠興ら利休七哲に数えられる弟子たち。天王寺屋や油屋など堺の豪商たち……。

豊臣政権を支えるいくつもの勢力が、利休の罪を減じて命を助けてほしいと願っている。それを無視して死罪にしたならどんな事態を招くか分らないので、決断をためらったのだった。

しかし二十八日になって、ついに秀吉は利休に切腹を命じた。これに反対する大名が利休を救出することを怖れ、上杉景勝の軍勢三千に屋敷のまわりを警固させたほどである。

この日は朝から大雨がふり、雷鳴がとどろき、霰《あられ》が降るという大荒れの天気だった。まさに白日晴天怒雷光の空模様で、天も利休の処罰を嘆いているかのようだった。

利休の辞世の歌は、次の通りである。

提《ひつさぐ》る　我得具足《わがえぐそく》の一太刀《ひとつだち》
今此時《いまこのとき》ぞ　天に抛《なげうつ》

得具足、得意な武器の一太刀とは何だろう。

生涯をかけてきわめた茶の湯の奥義だと見ることもできようが、今この時に天に抛つというのだから、そうした奥義や悟りを身につけた命そのものだと解釈したい。

利休は秀吉の懐柔《かいじゅう》にも屈せず、命がけで茶の湯の門を守り抜いた。この歌は生死を離れた自在の境地を示すとともに、後につづく者たちへの戒《いまし》めと励ましになるように願って詠《えい》じたものにちがいない。

ところが秀吉に信任されて絶大な権力を持つ三成には、こうした生き様は理解できない。勝ちに傲《おご》り己れを誇って、死後の利休にまで恥辱《ちじょく》を加えた。

利休の首を戻り橋にさらしたことが、そのひとつである。しかも磔にした木像に首を踏ませるという無残なやり方だった。

さらに三成は、利休の妻子や弟子たちを徹底的に調べ上げ、悪事に加担していなかったかどうか突き止めようとした。その調査が熾烈《しれつ》をきわめたことは、吉田兼見《かねみ》の三月八日の日記（『兼見卿記』）からもうかがえる。

「今日宗易《そうえき》母、同息女、石田治部少輔において強問（拷問）、蛇責め仕《つかまつ》るの由その沙汰なり。母当座に絶死し、次に息女同前云々《うんぬん》。但《たし》し慥かならず」

吉田兼見は慥かならずと記しているが、公家の間でそうした噂が取り沙汰されていたことは事実である。これは三成が利休の関係者を厳しく取り調べていたことと、蛇責めのような凄惨《せいさん》な拷問をやりかねない男だと見られていたことを示している。

利休の息子道安が飛騨に逃れていることや、娘婿の少庵が会津の蒲生氏郷のもとに身を寄せて

いることも、弾圧の激しさをうかがわせる。

三成がこれほど執拗に利休とその一門を攻撃したのには訳がある。

利休は分権派大名ばかりか、キリシタン大名にも大きな影響力を持っていた。蒲生氏郷、高山右近、織田有楽斎など、利休七哲の多くはキリシタンだったからである。

ところが三成も、朝鮮出兵を強行するためにキリシタン大名を身方に取り込む必要に迫られていた。バテレン追放令を見直してヴァリニャーノの入国を許したのはそのためである。

これに応じるべきかどうか、キリシタン大名の間でも意見が分れている。もし利休が氏郷や右近らに出兵反対の意志を伝えれば、反対派の方が優勢になる。それを恐れた三成は、利休を処刑して一門を徹底的に解体し、キリシタン大名を自派に取り込もうとしたのだった。

利休の首がさらされているという噂は、その日のうちに等伯のもとにとどいた。表を行き交う者たちの話題にも上がっていたし、わざわざ店に知らせに来る者もいた。

等伯は見に行こうと表に飛び出したが、足が急に動かなくなった。行かねばと思う。利休の生き様を最後まで見届けろと絵師の声は迫るが、体が拒んでいた。

そんな無残にはとても耐えられない。首だけになった利休の姿を見たなら、衝撃のあまりどうにかなってしまいそうだった。

等伯は十字路の真ん中に立ち、空を見上げた。朝からつづいていた雷も霰もおさまっているが、鉛色の雲が低くたれこめ陰うつに暗い。その空をながめるだけで哀しみがこみ上げ、等伯は大粒の涙を流した。

道を往来する者たちが、でくの坊のように突っ立っている等伯を迷惑そうにながめていく。まるで利休の処刑など無縁のことだというように、いつもと変わらぬ暮らしをつづけている。

等伯ははっと我に返り、聚楽第に向かって歩き始めた。

残った者にできることは、死んだ者を背負って生きることだけだ。利休はそう教えた。ここで足を止めては、教えに背くことになる。

(負けてたまるか。負けてたまるか)

心の中で呪文のようにくり返しながら、戻り橋の前まできた。

聚楽第の門前の橋には多くの群衆が集まっている。物見高い都の者たちが、利休の首を一目見ようと人垣をなして群がっていた。

等伯は怒りに駆られ、無遠慮に彼らを押しのけて前に進んだ。橋の入り口は竹矢来で封じられ、鎧を着込んだ上杉家の兵が警固に当たっていた。

竹矢来の向こうに土壇《どだん》がきずかれ、磔にされた利休の木像が立ててある。その足に踏みつけられ、利休の生首が横にしてさらされていた。

人の首をはねる時は、うなじから頤《おとがい》にそって刀をふるう。そのために首の断面は斜めになるので、立てて置くと首が空を見上げる形になる。それを木像に踏ませては、見物人に顔がよく見えないので、横に寝かせた形でさらしているのだった。

等伯の体が総毛立った。怒りと哀しみと絶望とがないまぜになった激しい感情が突き上げ、泳ぐように人をかき分けて前に出た。

頭が白熱して何も聞こえない。時間が止ったように、すべてのものが静止している。

等伯には、胴丸に毘の文字を大書した上杉家の兵しか見えなかった。鶴翼《かくよく》の陣形をとった五十人ばかりが、いっせいにこちらに向かってくる。

等伯はその真ん中を打ち破ろうと、右手を大きくふり上げて突進しようとした。

と、その手をしっかりとつかむ者がいた。はっと現実にもどると、袖なし羽織を着た茶人風の男がぐっと体を寄せてきた。

「やめときなはれ。こんなことをするようでは、治部も豊臣も運の末や。殺されるだけ損でっせ」

言葉は諧謔《かいぎゃく》に満ちているが、目が泣いている。利休の死を深く悲しむ者だということは一目で分った。

等伯は見知らぬ男に群衆の中から引き出され、いつの間にか一人で都大路を歩いていた。何も思わず何も感じず、茫然としたままよろめきながら歩いている。

五感のすべてを利休の側に置き忘れてきたようで、ここがどこかも分らないまま大徳寺の三門をくぐった。足が無意識のうちに、等伯を三玄院につれていった。

やがて田舎くさい顔をした老僧が応待に出た。利休の死を悼《いた》み、白装束に身をつつんだ春屋宗園だった。

等伯は宗園をじっと見つめた。心がからっぽになった空洞《ほらあな》のような目である。そうしてよろよろと歩み寄り、宗園の顔をさわろうとした。

「喝《か》ーっ」

宗園が天地を切り裂く声をあげた。

等伯は目が覚めたように自分を取りもどした。その瞬間、首筋に激痛が走った。

「ああ、ああ……」

等伯は両手で首を押さえて庭に転げ落ち、美しく掃《は》き目を入れた砂を掻《か》いてもがき苦しんだ。

人には感応力がある。愛する人が痛み苦しむのを見れば、我身にも同じ痛みを感じるものだ。

多忙をきわめ雑事に追われていると忘れがちだが、自然に近い生き方をしている人ほど、この感覚を豊かにそなえている。そしてすべての芸術も、この感応力を基礎としているのである。

等伯はこうした才能に人一倍恵まれていた。その力で腹を切り首を打ち落とされた利休の苦しみを、我事として受け止めていた。

「ああ、ああっ」

腹をえぐって刃がくい込む苦しみに、うめきながらのたうち回った。そして首に刀が打ち下ろされたと感じた瞬間、意識がぷつりととぎれた。

気がついた時は夜具に寝かされていた。枕元では宗園が結跏趺坐《けっかふざ》して無我の境地に入っていた。

等伯はあわてて首を押さえた。ちゃんとつながっているし、痛みも消えていた。

「気がついたか」

宗園が禅の構えをといてあぐらをかいた。

「ご迷惑をおかけしました」

等伯は泥酔から覚めたような気分だった。

「お前はいくつになった」

「五十三です」

「相変わらずの未熟さよ。どうやら禅には縁がなかったようじゃな」

修行ができていれば、生首を見たくらいであんなに取り乱しはしない。師に会っては師を殺し、仏にあっては仏を殺す。何物にもとらわれず、その奥にある普遍《ふへん》に通じるのが悟りというものだと、落胆したようにつぶやいた。

「しかしそれが、生まれ持った定めであろう。宗匠が教えられたように、亡き者たちを背負って己れの画境に向かっていくことだな」

「どうしたら、それができるでしょうか」

「絵師であろう。お前は」

「はい」

「ならば宗匠の肖像を描け。生首を想い、切腹や打首の苦しみを想い、これまでの教えを想って、あのお方と向き合うのじゃ」

利休がすべての責めを負って自決したおかげで、大徳寺に関わりのある多くの者が救われた。絵が出来上がったなら賛《さん》をするので持ってこいと、宗園は淋しげな遠い目をした。

利休を処刑して反対派を押さえ込んだ石田三成らは、中央集権体制をととのえて朝鮮出兵への

動きを加速させたが、すでに庶民の心は豊臣家から離れていた。

利休の処刑の二日前、洛中には秀吉を痛烈に批判する次のような落首がはり出された。

十分《じゅうぶん》になればこぼるる世の中を
　御存知なきは運の末かな

おしつけてゆ（結）えばゆわるる十楽《じゅうらく》（聚楽）の
　都《みやこ》の内は一楽もなし

末世とは別《べち》にはあらじ木の下の
　さる関白を見るにつけても

他七首。いずれも現政権への怨念がこもったものばかりである。

二年前に同じような落首がはり出された時、秀吉は犯人をさがし出して磔にしたばかりか、警備の番衆の不届きを責めて処刑している。それにもかかわらずこうした落首が現れたのは、秀吉や三成の政策によって耐えがたい苦しみを負わされていたからだった。

等伯は仕事場にこもって利休の肖像画に取りかかった。幸い他の注文はない。大名家や寺社から入っていた大きな仕事は、潮が引いていくように取り消された。

利休と親しかった等伯は、犯罪者の一味と見なされている。そんな男に仕事を頼んだら、三成や秀吉にどんな仕打ちをされるか分らないと、皆が戦々恐々としているのだった。

能登屋は元の絵屋にもどり、扇や屏風の製作で細々と食いつないでいる。四十人ちかくいた弟子たちの多くが他所に流れ、今では前々からいた八人になっていた。

清子と又四郎がいないので、家の中は火が消えたようである。事件によって途絶えた客足もそのままで、回復するにはかなりの時間がかかりそうだった。

等伯は終日、白紙の画帳と向き合っていた。利休を描くには下描きの素描から始めなければならなかったが、筆をとろうとすると頭痛と吐き気がして、先へ進めないのだった。

生首となって木像に踏まれていた印象があまりに強烈で、生前の健やかな姿を思い出せない。その残像をふり切って絵を描くことを、体が頑強に拒否していた。

それでも等伯は画帳の前から離れようとしなかった。逃げることなく利休の生首と対峙しなければならぬ。それを真っ正面から乗りこえて肖像画を描かなければ、非業の死をとげた利休を背負って生きることにはならない。そう覚悟を定めていた。

釈迦《しやか》は六年、達磨《だるま》は九年。直面した問題を乗りこえようとする愚直なばかりの正直さは、等伯の持ち味である。その間にさまざまの思いが去来していった。

七尾の家が七人衆の手の者に襲われ、養父母が自決に追い込まれた。上洛する途中に比叡山の焼討ちに巻き込まれた。

信長が上京を焼討ちした時には、妻子をつれて炎の中を逃げまどった。

堺の妙国寺に身を寄せてささやかな平安の日々を過ごした。安土宗論のあおりを受けて寺を脱出しなければならなくなった。

病気の静子を七尾につれて帰ろうとして、途中で死なせてしまった。

大徳寺の三門の仕事をなしとげて、ようやく世に出ることができた。その喜びもつかの間、利休事件に連座してどん底に突き落とされた……。

七尾を出て二十年の間に多くのことに遭遇し、苦難の道を歩みつづけてきた。

自分でも驚くほどの有為転変《ういてんぺん》だが、これも絵に向かおうとして自ら招き寄せたものだ。苦しみも哀しみも、荊《いばら》の藪《やぶ》を裸で歩くようにひるむことなく引き受けなければならない。

「当時（今）の責めは耐うべくもなけれども、未来の悪道を脱すらんと思えば悦《よろこ》びなり」

日蓮上人はそう説いておられる。

「伝教大師は二千里をすぎて止観《しかん》を習い、玄奘三蔵《げんじょうさんぞう》は二十万里をゆきて般若経を得たまえり。道の遠きに心ざし（志）のあらわるるにや」

志が高い者ほど、遠い苦難の道を歩きつづけることができる。その先に何が待っているかは分らないが、歩きつづけることこそ人にできる唯一のことなのだ。

等伯の心は次第にそちらに傾いていき、ある日すとんと腑に落ちた。

絵のために苦しむことができる我が身を悦べばよい。死んだ者も何もかも引き受けて、捨身《しゃしん》の筆をふるえばいいのである。

（それが死んだ者を背負って生きるということだ）

そう思えた瞬間、体の奥底から歓喜が突き上げてきた。

「清子、分ったぞ」

等伯は喜び勇んで隣の帳場に声をかけた。返事はない。又四郎をつれて三ヵ月前に実家に帰ったことさえ、等伯は忘れはてていたのだった。

清子も便りひとつ寄こさぬ強情ぶりを貫いていたが、六月のある日、又四郎を背負い、両手に蘇鉄《そてつ》の葉を山ほど抱えてもどってきた。

「どうしたんだ。急に」

「明日は静子さんの十三回忌です。お忘れですか」

「いや、忘れていたわけではないが」

蘇鉄の葉はどうしたのか聞いていると、等伯は下手に言いつくろった。

「静子さんがお好きだったと聞きましたので、妙国寺さんに分けてもらいました」

清子は仏壇の前に花入れをおき、色鮮やかな蘇鉄の葉を生けた。

先のとがった線状の小葉をびっしりとつけた葉は、生命力と強い意志にあふれている。束にして花入れに生けると、日向《ひなた》の庭に根付いているようだった。

「ありがとう。きっと静子も喜んでいるだろう」

「本法寺の日通上人にはお願いしていますが、他はどうしますか。お招きするのは内々の人たちだけでよろしいですか」

「このようなご時世だ。派手なことはできないだろう」

「分りました。明日にはお房ももどってきますから」

二人して法事の仕度にかかると、清子は頭の中で段取りをととのえていた。

「すまなかったな。きついことを言って」

「わたくしは納得しているわけではありません。でもこの子もいますし、途中で投げ出しては静子さんに合わす顔がありませんから」

又四郎にお乳をやるから席をはずしてくれと、清子は手厳しい。心はまだ蘇鉄の葉のように刺《とげ》立っていた。

清子がもどったと聞いて、久蔵が顔を出した。

仏壇にそなえられた蘇鉄の葉に気付くと、

「母上、ありがとうございます」

姿勢を改めて礼を言った。

「嫌ですよ。他人行儀な」

清子は手を振って打ち消しながらも、嬉しそうに顔をほころばせた。

「実は私も、明日のために絵を描きました。ちょっと待って下さい」

久蔵は仕事場から二枚のふすまを持ち出し、仏壇の両側に立てた。

なだらかな築山《つきやま》に蘇鉄が密生し、遠くに白壁の塀がつづいている。静子と最後にすごした妙国寺の庭の情景である。それが花入れに生けた蘇鉄の葉と絶妙の調和をたもっていた。

「まあ、まるで心を合わせたようですね」

清子が感激のあまり目頭を押さえた。

「いつの間に、こんなものを」

久蔵が描いていたことに、等伯はまったく気付かなかった。

「仕事を終えてから描いていました。蘇鉄の間《ま》を描く稽古にもなりますから」

「遠慮することはありませんよ。この人が命日も忘れているので、静子さんのために描いたのだと言ってやりなさいな」

どうも等伯は分が悪い。だが二人の気遣いの深さに比べれば、薄情だと言われても申し開きができなかった。

六月十二日の十三回忌の法要は身内だけでおこなった。日通上人に読経《どきょう》をお願いし、故人をしのびながらねぎらいの酒宴を開いた。

「早いものですな。もう十二年ですか」

日通は恰幅《かっぷく》良く太って、紫色の僧衣をまとっている。堀川寺の内に本法寺を再建し、僧正《そうじょう》の位を与えられていた。

「生前にはお世話になりました。妙国寺で暮らしていた日々が、昨日のことのように思い出されます」

「静子さんは本当に心根の優しい方でした。あのようなことがなければお若くして亡くなられることもなかったと、悔やまれてなりません」

等伯ら三人は信長の目を逃れるために、妙国寺にかくまってもらった。ところが安土宗論が起

こり、弾圧の手が迫ったために、病気の静子をつれて寺を出なければならなくなった。等伯に背負われて寺を出る時、静子はもう一度蘇鉄が見たいと言った。あれは生命力にあやかりたいと願ってのことかもしれなかった。

「それにしても久蔵さんは見事な絵師になられましたね。これだけの蘇鉄を描ける者は、狩野派にもおりますまい」

「ありがとうございます。母上がたむけて下さった葉が、私の絵を引き立ててくれたのですよ」

久蔵は端正な手つきで酒を飲み干し、清子の労をそれとなくねぎらった。

「あれも困ったものです。又四郎ばかりかお房までつれて実家に帰ったそうですね」

日通が台所に立つ清子を見やって苦笑した。

二人は従兄妹《いとこ》である。清子を嫁にしてくれと等伯に頼んだのも日通なので、仲人のように夫婦仲を気遣っていた。

「私が悪かったのです。清子の気持を分ろうとしませんでした」

「子供の頃から強情で、曲がったことが大嫌いでしたからね。口が過ぎることもあるでしょうが、長谷川さま、それもあなたさまを想う一心からでございます。大目に見てやって下さい」

「許しを乞いたいのは私の方です。今日も清子のおかげで、こうして立派な法要をしていただくことができました」

「お忙しいことと存じますが、本法寺にもお出かけ下さい。いつでもお泊りいただけるように、離れに画材もそろえておりますので」

「お上人も絵を描かれますか」

「真似事《まねごと》ですよ。これまで見た和漢の名画を思い出しながら、自分なりに楽しんでおります」

そうした話をしているうちに、等伯が見てきた名画についても教えてほしいということになった。これが後に『等伯画説』としてまとめられ、等伯の画業を伝える貴重な資料となったのだった。


日通が帰った後も、等伯と久蔵はしばらく酒を酌み交わした。互いに口には出さないが、静子の存在を身近に感じている。それゆえ立ち去りがたい気がするのだった。

「お上人さまの目は確かだ。これだけの蘇鉄を描ける者は誰もおらぬ」

全体の構図の均整の良さや、細かく分れた小葉や鱗《うろこ》状の幹の肌合いまで描き込んだ精密さは、等伯でさえ瞠目《どうもく》するほどの出来映えだった。

「妙国寺にいた頃に何十枚も蘇鉄を描きました。その画帳をもとに、総師に教えていただいた技法で描いてみたのです」

「確かに永徳どのの絵に似ている。上品で端正だ」

「それから天竺《てんじく》の繊密画《せんみつが》も参考にしました。日比屋でモニカ春子さんに見せていただきましたので」

堺の日比屋了珪はインドやヨーロッパの名画を集めている。等伯もそこでレオナルド・ダ・ヴィンチやミケランジェロの絵を見せてもらったことがあった。

「なあ、いつか七尾に帰ろうか」

酔いが進むにつれて郷愁がつのってくる。故郷を知らない久蔵に、あの豊かな海や山の景色を見せてやりたい。敦賀に預けたままの静子の遺骨も、長谷川家の菩提寺に納めてやりたかった。

「いいですね。ぜひ連れていって下さい」

久蔵も長年それを願ってきたが、清子に遠慮して言い出せずにいたのだった。


一方、秀吉と三成は海外出兵に向けて着々と準備を進めていた。

秀吉の狙いはスペインと協力して明国を征服することである。かたくなに海禁策（鎖国政策）をとる明国の扉を、武力によってこじ開けようという意図もある。

そのためには朝鮮国の協力が必要なので、対馬の宗義智《そうよしとし》に命じてこの年一月から朝鮮との交渉に当たらせていた。

最初の要求は「征明嚮導《せいみんきょうどう》」。明国征服の先兵をつとめよという高飛車なものだった。ところが明の冊封国《さくほうこく》（同盟的従属国）である朝鮮は、頑として応じなかった。

朝鮮には古くから、明国、朝鮮、日本という序列意識がある。文明の中心は明国であり、辺境の日本は朝鮮より劣った国だという世界観を持っている。それゆえ朝鮮国王は、秀吉の要求を僭《せん》上《じょう》のきわみと受け取ったのだった。

そこで宗氏の使者は、要求を「仮途入明《かとにゅうみん》」に切りかえて翻意をうながした。明国に侵攻するために道を貸してくれというのである。しかしこれも拒否され、明国を征服するには朝鮮と戦わざるを得ない状況に追い込まれていた。

それでも秀吉は計画を改めようとせず、側近の浅野長政を惣《そう》奉行に任じ、肥前の名護屋《なごや》に城をきずくように命じた。対馬海峡をにらむこの地に巨大な城を構え、朝鮮出兵、明国征服の前線基地にしようとしたのである。

ところが八月五日になって、この計画を根底から揺るがす事件が起こった。秀吉の嫡男鶴松が、数え年三歳でみまかったのである。

秀吉は我子の早すぎる死を深く悼んだが、豊臣政権にとって痛手はそれ以上に大きかった。三成らが中央集権化を押し進めたのは、鶴松を後継者にする前提があったからである。

鶴松の後ろには生母の淀殿がいる。三成ら近江出身の官僚たちは、旧主の姫君である淀殿のもとに結束し、その力を背景として秀吉子飼いの大名たちをしのぐ権力を手にしてきた。

利休を見せしめのように処刑したのも、朝鮮出兵を強行しようとしているのも、戦時体制の構築を理由に豊臣家の独裁をより強固にするためである。

鶴松の死によって、この目論見は無残に崩れた。政権を主導してきた三成らは、足元の氷が割れたように存立基盤を失ったのだった。

しかも追い打ちをかけるように、鶴松の死は利休の祟《たた》りだという噂が流れ始めた。秀吉と三成が利休に非道な仕打ちをしたのは、わずか半年前のことである。その記憶を鮮明に持つ庶民たちは、利休の怨念《おんねん》が鶴松を殺したという話に飛びついた。

京都は古くから御霊信仰《ごりょうしんこう》の盛んなところである。早良《さわら》親王や井上《いがみ》内親王、菅原道真や崇徳《すとく》上皇など、政争に敗れて非業の死をとげた者たちが災いをなすと深く信じられている。

それゆえ鶴松が死んだと聞くと、

「そりゃあ利休さんの祟りでっせ。あないに無体なことをして、罰《ばち》が当たらんはずがない」

声をひそめてそんな噂をする。

それにつれて利休の評価は高まり、秀吉や三成への反感がつのっていくのだから、豊臣政権にとって由々しき事態だった。

これを打開するために秀吉が取ったのは、甥の秀次を養子にして関白職をゆずる策だった。秀次は秀吉の姉の子で、亡き秀長とも親しかったし分権派大名との関係も良好だった。

歳は二十四。織田信雄の旧領尾張百万石を与えられ、合戦の経験も統治の実績も充分にある。

そこで秀吉は八月二十三日に秀次に関白職をゆずる予定だと公表し、分権派大名との関係修復をはかった。

その数日後、等伯は前田玄以に呼ばれて奉行所をたずねた。

いつもは私邸で会っているのに、どうした風の吹き回しだろう。いぶかりながら奉行所の門をくぐると、すぐに御用部屋に案内された。

文机にもまわりにも、書類が山のように積み上げてある。玄以はその中に座り、南蛮渡来の眼鏡をかけて目を通していた。

「何しろ洛中の公家や寺社は、由緒を証す膨大な文書《もんじょ》を持っております。それを理解しなければ、権利に関係する問題の裁定はできないのです」

玄以は苦笑しながら眼鏡をはずした。

「それが眼鏡というものですか」

ヨーロッパの宣教師や医師がしているのは堺で見たことがあるが、日本人が使っているのを目にするのは初めてだった。

「当ててみますか。手元が見えて便利なものです」

玄以にすすめられて鼻にかけると、なるほど、びっくりするほど手元がよく見える。老眼になっている身には、魔法のように便利な道具だった。

「絵をお描きになる時も、手元が見えないと不便でしょう」

「描く時はそれほど感じませんが、弟子たちの絵を見る時は往生《おうじょう》します。近くてはぼやけるし、遠くからでは細部が見えませんから」

「ほう、描かれる時は見えるわけですね」

「見えていないのかもしれませんが、不便を感じたことはありません」

「おそらく心眼が働くのでしょう。頭の中に描くべき絵が入っているから、見えていると感じるのでしょうね」

玄以は読みかけの書類を片付け、急に来てもらったのは大事な仕事を頼みたいからだと言った。

「いったい何だと思われますか」

「さあ、見当もつきませんが」

利休の事件に関わったために、大名家や寺社からの注文はすべて取り消されている。その状況は今もつづいていた。

「お聞きになれば、きっと驚かれますよ」

玄以は含み笑いをして焦《じ》らしにかかった。

「よほどいい知らせのようですね」

「ええ。こんなに胸のすくことはありません」

玄以は外の気配をうかがってから、鶴松君《ぎみ》の菩提寺の絵をお願いすることになったとささやいた。

「ま、まことですか」

「本当ですとも。関白殿下は鶴松君の供養のために、東山七条に祥雲寺《しょううんじ》を建立されることになりました。その障壁《しょうへき》画《が》を長谷川さまに任せたいとおおせなのです」

「しかし、私は大徳寺の……」

「三門に絵をお描きになった。だからこそ、このような仕事が回ってきたのです」

利休の祟りによって鶴松が死んだという噂を打ち消そうと、秀吉は躍起になっている。利休に目をかけられていた等伯を起用するのは、その方策のひとつである。

しかも造営奉行をつとめるのは、分権派の筆頭である徳川家康だというから驚きだった。

「淀殿のお子ですからね。普通なら石田治部どのを奉行に任じるところです。今度のことで、情勢はがらりと変ったのですよ」

「どういうことでしょうか。それは」

「関白殿下は御一門や子飼いの大名衆を重視なされるようになります。石田治部どのを中心とし

た近江の者たちは、力を失うことになるでしょう」

官僚派を近江の者たちと呼ぶところに、玄以の反感が現れていた。

「それではもう少し早く鶴松さまが亡くなられていたなら、宗匠はあのような目にあわずにすんだ、ということでしょうか」

「残念ながら、その通りです」

「そんな馬鹿な。それでは正義や真実はどこにあるのですか」

「そんなものはどこにもありません。この世は穢土《えど》で、人の行ないは愚劣です」

玄以は深い諦念《ていねん》のこもった目で現実を見切っている。そのことを信長の比叡山焼討ちで思い知らされたからこそ、僧籍をはなれて武士の世界に飛び込んだのだった。

「しかし、穢土にいても浄土に近付く努力はできます。これを如来使《にょらいし》というのではありませんか」

「それなら三成の、石田治部の責任を明らかにするべきでしょう。宗匠にあのような仕打ちをして、何の罰も受けないのはおかしいではありませんか」

「それはできません。治部どのを追及すれば、関白殿下の非を鳴らすことになります」

玄以は仕方なげな笑みをうかべ、一枚の図面を取り出した。

鶴松の菩提寺である祥雲寺の方丈の図だった。

「間取りは他の禅寺の方丈とさして変わりません。ただ、関白殿下はこれまでにない大きなものを造れとおおせです。しかも来年の三月までに完成させなければなりませんが、お引き受けいた

だけますか」

「すべての絵を任せていただけるのでしょうか」

方丈には中之間や礼之間、檀那の間などいくつもの部屋があり、部屋ごとにちがった絵を描かなければならない。しかも大きな方丈となれば、それに合わせた工夫が必要だった。

「そうです。長谷川派の力を天下に示す、またとない機会だと思いますが」

「ですが、今は職人もいないし貯えもありません」

「そのことなら心配はご無用です」

経費は秀吉が出すし、職人は他派に協力を求めて集めればよいと、玄以は決断を迫った。

等伯は迷った。利休を処刑した秀吉に協力することに抵抗があるし、そんなに大きな仕事を短期間でやり遂げる自信はない。しかしこれをやりおおせたなら、狩野派と肩を並べることができる。そんな思いが、等伯の心を突き動かした。

「分りました。引き受けさせていただきます」

「貴殿ならそう言って下さると思っていました。それでは、さっそく出かけましょう」

玄以が着替えを持てと近習に命じた。

「どちらに」

「聚楽第です。殿下にお目にかかって、このことをご報告申し上げなければなりません」

思いがけないなり行きに戸惑いながら、等伯は玄以に案内されて聚楽第をたずねた。

狩野松栄に頼まれて内装の手伝いをしたので、御殿内の勝手は分っている。二の丸の長廊下や

本丸の廻り縁を歩いていても、その頃手がけた絵があって、当時の気持がまざまざとよみがえった。

あの頃は手伝い職人の一人にすぎなかったが、祥雲寺の仕事では自分が棟梁《とうりよう》となってすべての指揮をとるのである。その時の仕事ぶりまで想像されて、自然と気持が高ぶっていた。

秀吉は書院にいた。薄絹の小袖を着て脇息にもたれ、胸元を扇子でしきりにあおいでいる。京都は連日うだるような暑さがつづき、さすがの秀吉も音を上げていた。

「前田玄以さまがお成りでございます」

取り次ぎの小姓が敷居の外から告げた。

「おう、入れ入れ」

秀吉は五十六歳になる。鶴松を亡くしてしばらく悲嘆にくれていたが、近頃では快活さを取りもどしつつあった。

「乱暴者の絵描きも来たか。相変わらずの偉丈夫じゃな」

「ありがたきお言葉、かたじけのうございます」

等伯は玄以の後ろで床板に額をすりつけた。

「殿下の御意《ぎょい》をこの者に伝えましたところ、ぜひともお引き受けしたいと申しておりまする」

玄以が手短かに報告した。

「さようか。おい絵描き。後ろのふすまを開けてみよ」

命じられるままふすまを開けると、下段の間に老梅に小禽図《しょうきんず》が立ててあった。等伯が狩野永

徳と勝負するために描いた渾身の作だった。

中央に節くれ立った老梅がどっしりと立ち、幹からのびた小枝に番《つが》いの雀がとまっている。寒さに耐えながら体を寄せ合い、丸くふくれて春が来るのを待っていた。

「この絵を見ていると心が和《なご》む。それゆえこうして身近に置いているのじゃ」

「かたじけのうございます。これほど嬉しいことはございません」

「利休のことでは、そちにも迷惑をかけたそうじゃな」

「まことに残念なことでございました」

たとえ不興を買おうとも、そう言わずにはいられなかった。

「利休は去り、鶴松まで儚《はか》のうなってしもうた。あの雀のように身近にいたが、飛び立っていきおったわ」

秀吉は小禽図をながめながら淋しげに肩を落とした。

「しかし穢土をはなれ浄土へ旅立ったのじゃ。のう玄以、喜んでやらねばなるまいの」

「御仏はそのように教えておられます」

「それゆえ絵描き。鶴松がいる浄土の景色を描いてくれ。一緒にいると思えるようにな」

秀吉は当面の仕度金として天正大判百枚（約一億円）を渡したが、これはとてつもなく難しい画題である。等伯はずしりと重い巾着《きんちゃく》を背負い、途方にくれたまま能登屋にもどった。

店の上がり框《かまち》に座ったものの、草鞋のひもをとくことさえ忘れていた。

「お奉行さまは何のご用だったのですか」

清子が帳場から声をかけた。

「うむ。浄土の絵を頼まれた」

「浄土宗のお寺ですか」

「いや、来世の寺だ」

ちぐはぐな話をしているうちに背中の巾着を思い出し、清子の前にどさりと置いた。妙に肩がこっているのは、大判百枚のせいだった。

「まあ、これは」

清子は口ひもを解くなり絶句したが、手だけは素早く動かして枚数を当たった。

「こんな大金、いったいどうなされたのです」

「関白殿下から仕度金をいただいた。ちょっと横にならせてくれ」

意識する余裕さえなかったが、骨の髄まで緊張していたらしい。清子の顔を見るなりほっと気が抜け、疲れがどっと出たのだった。

数日の間、等伯はぼんやりとしていた。仕事にかからなければと思うものの、運命のあまりの急変に心と体がついていかなかった。

体がだるく微熱がつづいている。頭がぼうっとして集中することができなかった。

「お前さま、ちょっといいですか」

清子が声をひそめ、あんな大金をいったいどうするのだとたずねた。

「大金？　何のことだ」

「嫌ですよ。大判百枚を仕度金としていただいたと言ったじゃありませんか」

「ああ、そうだったな」

「このまま家に置いていては、物騒で夜も眠れません。何とかして下さいな」

「それなら三十枚はお前が取っておけ。この間の返済だ」

「冗談じゃありませんよ。それとこれとは話が別です」

祥雲寺の仕度金としてもらったのだからそんなことはできないと、清子は商家の出らしい律儀なことを言った。

「今どこにある」

「床下の火除《ひよ》け蔵に入れております。万一のことがあれば大変ですから」

「それならここに持ってきてくれ」

「どうなさるのですか」

「いいから持って来い」

清子は誰にも見られないように居間の床板をはずし、素焼きの瓶《かめ》に入れた大判百枚を持ってきた。

等伯はそれを床にぶちまけ、畳の上に並べはじめた。長さ五寸、幅二寸ほどの大判を縦横十枚ずつ並べると、畳よりひと回り小さな黄金の敷物ができた。

「金が仇《かたき》の世の中というが」

こんなものはただの方便だと、等伯は大判を尻にひいてあぐらをかいた。

「お前も来い。なかなか出来ぬことだぞ」

「とんでもない。罰が当たります」

「いいから座ってみろ」

等伯は長い腕を伸ばして清子を引き寄せた。大金も秀吉もねじ伏せたい気分だった。

「あら、ひんやりとして案外気持がいいですね」

清子は黄金の茶室のようだと言い、大判を踏みつけにして足裏の感触を楽しんでいた。


翌日、前田玄以から再び呼び出しがあった。

(もしや、祥雲寺の仕事を)

仙洞御所の時のように取り消されるのではないかと案じながら、足早に奉行所をたずねた。

玄以は御用部屋で相変わらず書類の山と格闘していた。

「ご足労いただきかたじけない。障壁画の仕度は進んでいますか」

「急なことで、頭の整理がついておりません」

「そんな時に申し訳ないのですが、お知らせしておいた方がいいと思いまして」

「どのようなことでしょうか」

「以前に奥村武之丞は身内だと言っておられましたね」

「ええ、実家の兄です」

「その者が今、奉行所の人屋《ひとや》に押し込められております」

人屋とは牢獄のことである。しかも厳しい取り調べを受けた末に、三日後に三条河原で斬首されるという。

「兄が、どうして」

「これですよ。覚えはありませんか」

玄以が差し出したのは、等伯にあてた利休の添え状だった。夕姫に頼まれて、等伯が渡したものである。

「武之丞はこれをあなたの家から盗み出し、利休どのを讒訴《ざんそ》するために石田治部どのの所に持ち込んだと申しております」

「ちがいます。これは私が興臨院におられる夕姫さまに渡したものです。近衛大閤に宗匠の助命をお願いするには、無実を証《あか》す証拠の品が必要だと言われて持参しました」

「そうですか。それなのに武之丞は、どうしてそんな嘘をつくのでしょうか」

「ゆ、夕姫さまを、お守りするためだと思います」

武之丞が死を賭してまで嘘をつき通す理由は、それ以外に考えられなかった。

「つまり、この書状を治部どのに渡したのは、夕姫だということですね」

玄以はそう察していながら、等伯が自らそこに思い至るように誘導しているのだった。

「おそらくそうだと思います。しかしどうして、今頃になってこういう物が出てくるのでしょうか」

「石田治部どのの策略ですよ」

「あの男が、また何かたくらんでいるのですか」

「そうではありません。今度は自分の立場を守ろうと、必死に策を弄《ろう》しておられるのです」

玄以は皮肉な笑みを浮かべていきさつを語った。

三成は秀吉に権力を集中し、鶴松に跡を継がせようと、なりふり構わぬ手段を用いて利休を処刑した。ところがそれから半年もしないうちに鶴松が急死し、利休の祟りだという噂が広がった。このために豊臣政権内部にも、三成の責任を追及すべきだという声が上がり始めた。

窮地に追い込まれた三成は、利休を讒訴した者たちを処罰することで身をかわそうとした。飴《あめ》と鞭《むち》をちらつかせてありもしない証言をさせておきながら、情勢が変わるとその者たちに責任をなすりつけようとしたのである。

「治部どのは家臣を奉行所に送り込み、二十人ばかりを引っ捕えて人屋に押し込めておられます。奉行所を利用して、処分は正当だと見せかけようとしておられるのです」

「では、前田さまは」

「何もしておりません。治部どのから渡された名簿に武之丞の名があったので、どういうことかと問い合わせたばかりです」

すると三成は即座に、罪状を記した書状と等伯にあてた利休の添え状を送ってきたという。

「利休どのの文には、茶頭《さどう》として関白殿下に仕えることが世渡る業《わざ》になり果てたと記してありました。これこそ日ごろから殿下を低く見ていた証拠だと、武之丞が讒訴したというのです」

「兄がそんなことをするはずがありません」

すべては夕姫が仕組んだことだという言葉を、等伯は無念とともに飲み込んだ。

「旧主というものは厄介《やっかい》なものでござるな。長谷川さまも治部どのも」

「兄に、武之丞に、会わせていただけますか」

「構いませんが、関わり合いにならないほうがいいと思いますよ」

せっかく祥雲寺の仕事を任されたのだから、揚げ足を取られかねないことをしないほうが良いというのである。

「それにひどい拷問を受け、見るに耐えない姿になっているかもしれません」

「会わせて下さい。会って確かめたいことがあるのです」

奉行所の牢は米蔵のように細長い建物だった。土壁の数ヵ所に小さな格子窓を開けている。中は薄暗く、うだるように蒸し暑い。血と膿《うみ》と腐った食べ物の匂いが充満していた。

真ん中が通路になっていて、両側に格子で封じた土間の部屋が並んでいる。目が暗さになれるにつれて、捕われた者たちが部屋の隅や壁際にうずくまっているのが見えた。

ひどい拷問を受けている。血に汚れたぼろのような服を着て、見せしめに処刑されるためだけに生かされていた。

長い通路の突き当たりには観音開きの扉がある。向こうは拷問部屋になっていて、鞭打つ音やうめき声が引っきりなしに聞こえてきた。

「こちらでござる」

奉行所の役人は武之丞の所まで案内し、逃げるように立ち去った。

格子の向こうの土間に武之丞が横たわっていた。顔は見る影もないほどはれ上がり、両目を血のりのついた布でぐるぐる巻きにしていた。

「兄者……、兄者でございますか」

そうとは信じられなくて、等伯は小声で呼びかけた。

「おう、又四郎か」

武之丞の声は意外にしっかりしていた。

だが体は打ちのめされ、何ヵ所も骨折をしていて起き上がることができないのだった。

「いかがなされました。その目は」

「治部どのの手下どもにくれてやったわ」

「拷問でつぶされたのでございますか」

「白状せねば残った目を焼け火箸《ひばし》でえぐり出すと言うので、やってみるがよいと言ったのだ」

武之丞は気力をふりしぼって強がりを言った。

「私と夕姫さまのために、兄者は……」

「そうではない。あの文はわしがお前の家から盗み出し、石田治部どのに渡した。利休どのをおとしいれる証拠を持ってくれば、殿をお伽衆《とぎしゅう》に取り立てると誘われたのでな」

「それで、何とかなったのでしょうか」

「ああ、約束は守ると、治部どのが書き付けまで下された」

「そうおおせられたのですか。夕姫さまが」

「わしがやったことだと申しておる。他のことなど知らぬ」

武之丞は強情に言い張ったが、夕姫から聞いたことは明らかである。あの添え状を渡したばかりに、等伯は利休を追い詰める片棒をかついだことになったのだった。

「どうして……、どうしてそうまでして」

夕姫も武之丞も畠山家の再興をはたそうとするのか。無念とも無残とも言いようがなかった。

「わしはそのために、お前の養父母を死なせてしもうた。金ケ崎城でも刀根《とね》坂でも多くの家臣を討死させた。だから命ある限り、主家の再興のために力を尽くす。それがわしの務めなのだ」

「しかし兄者は裏切られたのですよ。それはご自分でも承知しておられるはずです」

扉の向こうで断末魔の絶叫が上がり、ずっとつづいていたうめき声がやんだ。

拷問にかけられていた者がこと切れたのである。その後には死の静寂が不気味な重さで牢獄をつつんだ。

「又四郎、絵はお前を裏切るか」

「いいえ。裏切りません」

「だが、思った通りの絵が描けないことがあろう」

「それは私が未熟だからです。絵のせいではありません」

「わしもそうじゃ。力が及ばなかったからこういう結果になった」

しかし主家をお伽衆として残す道筋だけはつけられたのだから、死なせた者たちに顔向けができる。武之丞はそう言って血染めの布を巻いた目を向けた。

「兄者……」

奥村家で武芸を叩き込まれていた頃のことが頭をよぎり、等伯は格子の間から手を差し伸べた。この兄と自分は同じ血を受けている。進む道はちがったが、命を賭けて事をなそうとする情念は同じだった。

突然、扉の向こうから若い女の泣き叫ぶ声が聞こえた。新たな生贄《いけにえ》が拷問の場に引き出されたのである。女は手足をばたつかせて抵抗したが、獄卒たちは下卑《げび》た声を上げながら押さえ込みにかかった。

「もう行け。ここはお前のような者が来る所ではない」

武之丞が兄らしい気遣いをした。それが等伯にかけた最後の言葉だった。

三日後、武之丞らは四、五人ずつ荷車に押し込められ、洛中を引き回されたあげくに三条河原で斬首された。刑場にかかげた高札には、この者たちは千利休を讒訴し、関白殿下の政《まつりごと》をあやまらせたと記してある。

それを信じる者は誰もいなかったが、この処刑を機に秀吉への批判はぴたりとやんだ。激しい拷問を受けた二十数人のむごたらしい姿は、洛中の者たちの目に焼きついている。うかつなことを言えばあんな目にあうという恐れが、京童《きょうわらわべ》たちの口を封じたのだった。

秀吉は着々と朝鮮出兵と明国征服の準備を進めている。八月二十一日には武家奉公人と百姓・町人の身分異動を禁じる三ヵ条の掟を発した。

武家に仕える侍《さむらい》・中間《ちゅうげん》・小者《こもの》・荒子《あらしこ》が、百姓・町人になることや、百姓が耕作を放棄して他

の仕事につくことを禁じたのである。

朝鮮出兵のための兵員確保と、食糧生産の安定化をねらったものだった。

十月十日には九州の諸大名に命じて名護屋城の築城を開始した。惣奉行は浅野長政、縄張り（設計）奉行は黒田孝高《よしたか》（如水）である。

また養子にした秀次に年内に関白職をゆずり、秀吉自身は来年春に名護屋に着陣して陣頭指揮をとることも明らかにした。

秀吉が祥雲寺を来年三月までに完成させるように命じたのも、鶴松の供養をしてから出陣したいからである。ところがいかに秀吉の力をもってしても、半年ばかりで寺のすべてを完成させるのは無理なので、方丈だけを先に作ることにした。

その正確な図面が等伯のもとにとどいたのは、十月になってからだった。

場所は東山七条、現在智積院《ちしやくいん》がある一帯である。

宗派は臨済《りんざい》宗で、正式な名称は天童山祥雲禅寺という。鶴松の戒名である祥雲院殿にちなんだものだ。

方丈の規模は正面の桁行《けたゆき》が九十九尺（二十九・七メートル）、側面の梁行《はりゆき》が五十七尺（十七・一メートル）と、普通の方丈の二倍ほどの大きさである。

間取りは仏壇の間と中之間（室中《しつちゆう》）を中心として、西に大書院と礼之間、東に衣鉢《いはつ》の間と檀那の間をそなえている。

方丈をどんな絵で荘厳《しようごん》するかは、古くから一定の形式がある。それを踏まえながら秀吉が求

める浄土の風景を表現しなければならないところに、この仕事の難しさがあった。

「お前はどう思う」

等伯は図面を間において久蔵に問いかけた。すでに二十四歳になる。今度の仕事では一方の棟梁に任じ、存分に腕をふるわせるつもりだった。

「どんな先例に従って絵を配するか、まずそれを決めるべきだと思います」

「私は大徳寺真珠庵の絵にならいたいと思う」

真珠庵は一休宗純の菩提寺で、方丈の絵は一休と親しかった曾我蛇足《そがじゃそく》が描いている。

若い頃に曾我派を学んだ等伯にはなじみ深い作風で、絵も四季山水図や四季花鳥図など描きなれたものばかりだった。

「そうですね。それもいいと思いますが」

「遠慮するな。これからは仕事の上では対等だ」

「私は天瑞寺《てんずいじ》のほうがいいと思います」

同じく大徳寺の山内に、秀吉が母親である大政所の菩提寺として建てたものだ。筆をふるったのは狩野永徳で、松、竹、桜、菊などの花木草花が、華麗な金碧画の手法で描かれていた。

「なんだ。また永徳どのか」

「ちがいます。鶴松君《ぎみ》の住んでおられる浄土の風景としては、こちらの方がふさわしいと思ったのです。それに大政所さまの孫にあたられるのですから、対にした方が関白殿下もお喜びになられるのではないでしょうか」

「分った分った。ちょっと皮肉を言ってみただけだ」

やり込められながらも、等伯は久蔵といっしょに大仕事ができる歓びをかみしめていた。

手本は天瑞寺の方丈と決った。

永徳は中之間に松、檀那の間に桜、衣鉢の間に菊を配し、部屋ごとに四季を描き分けている。

等伯と久蔵もこのやり方に従うことにした。

「中之間はやはり松だろうな」

松は四季を通じて色を変えない。永遠の生命力の象徴である。しかも鶴松の名にもちなんでいた。

「しかし、華やかな変化をつけたいですね」

「それなら礼之間に松と立葵《たちあおい》、そのふすまを開けて中之間に入ると、正面に松と黄蜀葵《とろろ》があるというのはどうだ」

立葵も黄蜀葵も夏の草花で、白い可憐《かれん》な花をつける。これを松の根元に配して、色取りを添えようと思った。

「それなら仏壇の間の前に、松に秋草図の金屏風を立てましょうか」

「そうだな。そこから左に向かって松と萩。さらに進めば秋野の草になるのがいい」

「檀那の間の桜は、私に描かせていただけますか」

「七尾の家にあった八重桜か」

「はい。あの桜だけははっきりと覚えています」

「幼い頃に養父上《ちちうえ》に描き方を教わっていた。そのせいだろう」

それなら自分は衣鉢の間を受け持つと言ったが、菊ではなんだか物足りない。久蔵の桜に対抗できるものが描きたかった。

「楓《かえで》はどうだ。秋野の草の中に立つ楓」

「いいですね。負けませんよ」

「望むところだ。こう見えても、お前の父は手強いぞ」

仏壇の間には釈迦如来像を金碧をふんだんに使って描き、大書院には水墨画の山水図を配して静寂の世界をあらわすことにした。

絵柄が決まると、秀吉の了解を得るための伺《うかが》い下絵を描かなければならなかった。

普通は木筆で素描しただけのものを差し出すが、今回は時間が迫っていて描き直しが許されない。色を乗せた下絵を作り、万全を期すことにした。

中之間と礼之間の松は久蔵が、釈迦如来像と山水図は等伯が受け持ち、文机を並べて素描にかかった。六室の絵は独立していながらも、互いに連携を保っていなければならない。客は礼之間から入り、中之間で仏と対面し、檀那の間や衣鉢の間で接待を受ける。

絵はその動線にそって一連の変化をみせ、客を浄土の景色にいざなわなければならなかった。

等伯が受け持った下絵は楽だった。釈迦如来像は絵仏師をしていた頃に何枚も描いている。その頃の構図をもとにして、大きく華やかなものに仕上げればいいだけのことである。

水墨画の山水図も、三玄院のふすまに描いて以来何度も取り組んでいる。今度はそれに瀟湘《しょうしょう》

とにした。

八景図《はっけいず》のように人々の暮らしぶりを描き込み、山や湖にただよう霧や霞《かすみ》に力を入れて表現するこ

難しいのは久蔵の方である。

礼之間と中之間に描く松は、方丈の勘所《かんどころ》である。入ってきた客の目を引きつけ、圧倒的な力で日常とはちがった世界に引き込まなければ、成功はおぼつかない。

だが久蔵の下絵にはそれほどの力はなかった。狩野派の端正で上品な画風を受けついでいるせいか、永徳にならって太い幹と荒々しい枝を描いても、据え物の絵にしかならないのである。

「そうじゃないんだ。本物の松が目の前にあるように描いてくれ」

等伯は久蔵の手元をのぞき込み、どうしても口をはさんでしまう。すべてを任せて存分に腕をふるわせようと決めたのに、黙ってはいられなかった。

「しかし、松はこんな風に描くものだと思いますが」

「それは狩野派のやり方だ。見た目は美しいが、松の持つ我慢強さや命の輝きが感じられない」

「それなら、どうすればいいのですか」

何度描いても駄目だと言われ、久蔵が苛立った声を上げた。

「お前が描いているのは、狩野派の様式を通して見た松だ。裸の目で見た真の姿を写し取ってくれ」

人の目とは不思議なもので、自分が学んだ知識や技法の通りに世界を観てしまう。それは真にあるがままの姿ではなく、知識や技法に頼った解釈にすぎない。

等伯はそのことを言っているのだが、久蔵にはそこまで理解が及ばなかった。ましてや狩野派が蓄積した技法をほぼ完璧に身につけているので、それを捨てろと言われても途方にくれるばかりだった。

「それなら父上が手本を示して下さい。私にはもう分りません」

澄み切った目に悔し涙を浮かべて言い放ち、画帳をつかんで席を立った。そのままどこへ行くとも告げずに家を飛び出したのだった。

三日たち四日が過ぎると、清子が次第に気を揉みはじめた。

「お前さま、久蔵さんを捜しに行かなくていいのですか」

「どこへ捜しに行くのだ」

「どこって、親しい人の所とか心当たりの場所とか」

「そんなものはない」

等伯は突き放した。表現者は孤独である。誰ともちがう、誰にも真似のできない境地をめざして、たった一人で求道《ぐどう》の道を歩きつづけなければならない。

久蔵はその境地をめざして、自分と向き合う旅に出たのだ。絵師にとって一番大事な切所《せつしょ》にさしかかっている。黙って見守ってやるしかないのだった。

「そんな……、万一のことがあったらどうするんですか」

「その時は、それだけの力しかなかったと諦めるしかあるまい。戦《いくさ》で討死するようなものだ」

「何が討死ですか。お前さまは冷たいお方です。人の情というものがありません」

「それならお前が捜しに行け。しかし、それで久蔵が喜ぶと思うなよ」

等伯は思わず声を荒くした。

本当は心配で心配で、居ても立ってもいられない。この切所がどれほど辛いか、身をもって分っているだけに、どこへなりとも駆けつけて手をさし伸べてやりたかった。

しかしそれをすれば久蔵の成長の芽をつむだけなのだから、冷たいと言われようが薄情と言われようが、じっと耐えて待つしかなかった。

その間、等伯は松に秋草の下絵を描くことにした。久蔵が帰ってきたなら、これが手本だと突き付けてやるつもりだった。

この絵は中之間の西側に位置している。礼之間から入った客は、まず正面の松と黄蜀葵の図に向き合い、ふり返ると秋の景色を目にすることになる。

春が命の萌え立つ季節なら、秋は命の充実の時である。それを表現するために、右手に巨大な松を描き、左に向かって長い枝を伸ばした。

枝は長押の上にかくれて時々姿を現すばかりで、下には広々とした空間が広がっている。そこには咲きほこる秋の草花や、不動の象徴である岩を描くことにした。

秋草は大きく描きたい。背後には金箔を配し、花の色を鮮やかに引き立てたい。

だがそれでは松の大きさと均整がとれなくなるので、松の根方を金雲《きんうん》でかくし、地面を坂で三角に区切って、幹の大きさを分らないようにした。こうすれば秋草の大きさが不自然でなくなるばかりか、松の巨大さをいっそう引き立てることができる。

松の枝に守られるように、木槿《むくげ》や菊、芙蓉《ふよう》などが赤や白の花をつけ、薄《すすき》が秋の始めの細く鋭い葉を伸ばしている。絵の主役は松ではなく、この草花たちである。ひとつひとつが命の尊さと美しさを表し、鶴松のいる浄土を荘厳している。

花のひとひら葉の一枚まで、精巧に描き分けなければならなかった。

等伯は日頃から画帳に草花や木々を描き留めている。数百枚もの絵の中から芙容や菊を選んで描いているうちに、不思議なことに気付いた。

真にそれぞれの様を写し取ろうとすればするほど、花も葉も図案化していくのである。目に見えるものを精密に写し取るよりも、花や葉の持つ本性を象徴的に描いた方がより本物らしく見える。それは人が物を認識する時に、無意識に記号として識別しているからである。

むろん等伯にはそんな知識はないが、経験によってそのことを理解していた。

(これは禅画ではないか)

忽然《こつぜん》とそう気付き、大徳寺で描き写した禅画をめくってみた。

それは究極の図案だった。物事の本質を普遍的なところまで突き詰めると、点のひとつ線の一本で見たままを表現できる。

それに倣うなら、松と草花の大きさの均整を気にかける必要などまったくないのだった。

十一月の初め、道に霜柱が立つ頃になって久蔵が帰ってきた。頬がこけ目が落ちくぼみ、月代《さかやき》もひげも伸び放題である。裸足《はだし》の足は傷だらけで、服は汚れて異臭を放っていた。

「久蔵、描けたな」

等伯は顔を合わせるなりそれが分った。

「これです。見ていただけますか」

久蔵が袋に入れた画帳を取り出した。

これだけ無残な姿をしているのに、画帳だけは真っ白で手垢ひとつついていない。等伯は拝むような気持で画帳をめくった。

松に立葵の絵は巨大な松を画面の対角線にそって描き、その下に白い花をつけた立葵を配している。雄大な松の生き生きとした姿もさることながら、驚くべきは均整を無視して大きく描いた立葵だった。

「お前、これは……」

ついこの間、等伯が思い至った描き方である。久蔵はまるでそれを感じ取ったかのように、写実をこえた見事な絵に仕上げていた。

松に黄蜀葵はさらに激しかった。のたうって天に伸びる何本もの松の間に、黄蜀葵が勢いを競うように垂直に立って花をつけている。

傾《なな》めにどっしりと横たわっている礼之間の松。そのふすまを開けて目に飛び込んでくる縦へ伸びる松は、見る者に何倍もの驚きと感動を与えるはずだった。

「今までどこにいた。どこでこれだけの絵を身につけたのだ」

「敦賀です。母《かか》さまにつれて行ってもらった気比の松原で、じっと松を見ていました」

松林には秋草が生えていた。目の前の草花と向こうの松を見ているうちに、遠近の感覚にとら

われず、見えているように描けばいいと思いついたという。

「そうか。気比の神さまと母さまが、お前を助けてくれたのだ」

自分も同じだと松に秋草の絵を見せようとしていると、

「ちょっと、ちょっとどいて下さいな」

清子が等伯を押しのけ、久蔵を上がり框に座らせてお湯で足をすすぎ始めた。

「こんなに冷たくなって、こんなに傷だらけになって……、どれだけ心配したと思っているんですか」

遠慮なく叱りつけ、すすり泣きに泣きながら足をすすいでいるのだった。

均整を無視して木と草花を対置する方法は、楓と桜の図にも生かされた。

等伯は画面の中央に配した巨木の下に、大きな萩や白菊、木犀《もくせい》を配して秋の野山の豊かさを表現した。久蔵は咲き誇る八重桜を柿の実ほどの大きさに描き、画面一杯にちりばめて春の華やかさを強調した。

いずれも現実にはありえない光景だが、卓抜した図案が本物よりいっそう鮮やかに楓や桜の美しさをとらえていた。

着色した伺い下絵を前田玄以に差し出すと、二人で聚楽第に伺候《しこう》せよと知らせてきた。会って話がしたいと、秀吉が望んでいるというのである。

等伯と久蔵は裃姿に身をととのえて聚楽第をたずねた。玄以が待ち構えていて、秀吉の御前に案内した。

秀吉は一人で朝鮮の絵図をにらんでいた。来年春の出兵時には、どれほどの軍勢を集め、誰に先陣を任せるべきか考えていた。

秀吉は戦《いくさ》の申し子である。大戦を前に血を高ぶらせていたが、表情はいたって険しかった。この戦がどれほど難しいものになるか、内心分っていたからである。

「お召しにより、参上いたしました」

等伯は敷居の外から声をかけた。

「絵描きか。入るがよい」

秀吉は絵図をたたんで文机に仕舞った。

机の上には眼鏡がおいてある。等伯より三つ歳上なので、老眼に悩まされているのだった。

「下絵は見た。そなたが息子の久蔵か」

「さようでございます」

「桜の絵には感服した。松に葵の絵も見事じゃ」

ただしひとつ手を加えてもらいたいと、秀吉は松に黄蜀葵の下絵を取り出した。

「この絵は長押《なげし》で止めるのは惜しい。天井まで突き抜けてはどうじゃ」

「ご無礼をいたします」

久蔵は怖《お》じることなく秀吉から下絵を受け取り、木筆で松の木を天井まで描き加えた。

確かにこの方が、松の迫力も生命力も格段に増す。それを見抜いた秀吉の眼力もあなどりがたいものだった。

「そちには肥前の城でも腕をふるってもらう。そのつもりで人手を集めておけ」

築城中の名護屋城の障壁画を任せるというのである。

それほど久蔵の絵を気に入ったのだった。


祥雲寺の方丈は翌年の春までに完成し、鶴松の月命日である三月五日に秀吉と淀殿、諸大名や公家衆が参列して盛大な法要がいとなまれた。

等伯と久蔵が描いた襖絵や屏風は、金箔や岩絵具をふんだんに使い、目もくらむほど絢爛豪華に仕上げている。参列者の誰もが絶賛する見事な出来で、狩野派を押さえて長谷川派の時代が来たことを、天下に知らしめたのだった。

第十章 「松林図」

秀吉が久蔵を名護屋城に伺候《しこう》させよと催促してきたのは、文禄元年（一五九二）九月のことだった。

祥雲寺の方丈が完成した後も、寺には仏殿や法堂、大庫裏などが次々と建てられ、内装はすべて長谷川派に任された。何百枚ものふすまや戸板に絵を描く大仕事で、配下の職人は二百人をこえる。

久蔵は等伯とともに陣頭指揮をとっているので手をはずせる状態ではなかったが、秀吉の再三の命令を無視するわけにはいかなかった。

「行って来い。後のことは何とかなる」

久蔵が内心行きたがっていることを、等伯は前々から気付いていた。

「しかし、父上一人で大丈夫ですか」

「大事な所は粗方《あらかた》終っている。それにいつまでもお前に頼っていては、千之助や茂造が一人立ち

できまい」

「分りました。それでは三日後に発つことにします」

久蔵は三日の間寝る間も惜しんで仕事に取り組み、主な所を仕上げようとした。

「向こうでも大仕事が待っている。無理をするな」

釘をささずにはいられない生真面目な仕事ぶりだった。

出発前夜、家族で食事をした。

数え年三つになった又四郎は久蔵になついていて、膝の上から離れようとしない。清子は二人目を身籠っていて、来年春に出産の予定だった。

「重いでしょう。横に座らせて下さいな」

清子が膝から下りるように又四郎をひと睨みした。

「だって、兄ちゃんがいいって言ったもん」

「兄ちゃんじゃありません。兄上と呼びなさい」

「まあまあ、いいではないか」

等伯は孫のような年回りの又四郎が可愛いくて仕方がない。つい甘やかしてしまうが、清子はそれが気に入らないのだった。

「良くありません。久蔵さんは大事なお仕事をひかえたお体なのですよ。お前さまがそんな風だから、又四郎が調子に乗って言うことを聞かないのです」

「私は構いませんよ。大事な大事な弟ですから」

久蔵は塩焼きにした鯛の身をほぐし、箸でつまんで又四郎に食べさせようとした。

「お気持は有難いのですが」

清子は久蔵から引きはがすように又四郎を抱き取り、自分の横に正座させた。

「小さい頃から厳しくしつけなければ、将来この子が泣くことになります」

「すみません。そんなつもりではなかったのですが」

「久蔵さんを責めているのではありません。うちの人がだらしないものだから」

「おいおい。私のせいか」

「そうですよ。この子にも久蔵さんのように立派になってもらわなければ」

静子に負けることになると、清子はひそかな競争心を抱いているのだった。

やがて又四郎を寝かしつける時間になり、等伯は久蔵と二人だけになった。語ることは取り立ててない。黙って酒を酌み交わしているだけで、分り合える間柄になっていた。

「名護屋城はどんな所だろうな」

「海に突き出た高台の上に建っている城だそうでございます」

「これから冬だ。北風にさらされるだろうな」

「肥前ですから、北陸のように厳しくはないでしょう」

「弟子は十人だけでいいのか。千之助か茂造のどちらかを、連れていってもいいんだぞ」

「私が受け持つのは、太閤殿下の御座《ござ》の間と大広間だけです。後は狩野の仕事ですから」

名護屋城の障壁画は狩野永徳の長男光信が請け負い、すでに現地で仕事にかかっている。だが

秀吉は迫力に欠ける光信の画風を好まず、本丸御殿の絵だけは久蔵に任せることにしたのだった。

「御座の間と大広間は御殿の華《はな》だ。狩野派としては無念だろうな」

「総帥の弟子だった頃の知り合いが何人かいます。角突き合わせないようにやっていくつもりです」

「お前のおかげで私も鼻が高い。この仕事を無事にやり遂げれば、長谷川派の地位は盤石のものになろう」

今度は等伯と永徳の子供同士の腕競べとなる。久蔵はすでに祥雲寺の仕事で等伯をしのぐほどの高い評価を得ているが、光信は右京進の通称にちなんで「下手右京」と酷評される程度の腕である。誰が見ても勝負の行方は知れていると、等伯は内心にんまりしているのだった。

翌朝、久蔵は十人の弟子をつれて名護屋に向かった。

そのうちの半分は、かつて永徳のもとで修行していたが、久蔵を慕って了頓図子の店に来た者たちである。彼らをつれて行くのは、狩野派に対する久蔵なりの気遣いだった。

等伯と清子は鴨川の船着場まで見送りに行った。久蔵にとっては初めての長旅である。病気はせぬか淋しかないかと、心配の種は尽きなかった。

「無理をするな。必要なものがあれば遠慮なく知らせてくれ」

職人でも画材でも何でも送るからと、等伯は出発間際まで気を揉んでいた。

「久蔵さん。お願いがあります」

清子が思い詰めた顔をして申し出た。

「何ですか。母上」

「これが男の子だったら、久の一字をつけさせて下さい」

おなかをさすって頼むほど、久蔵にあやかりたいのだった。

「いいですよ。生まれたと聞いたなら、お祝いに駆けつけます」

「それから早くお嫁さんをもらいなさい。ご迷惑でなければ、仲人を頼んでいい人を見つけておきます」

「おい、こんな時に無理を言うな」

迷惑に決っていると等伯は思ったが、久蔵は意外にもにこりと笑って承知した。

「お願いします。母上のお見立てなら、間違いはないでしょうから」

久蔵が涼やかに笑って十石船に乗り込んだ。

「水が変わると、腹をこわす。気をつけるんだぞ」

「分ってますよ。子供じゃないんだから」

「何か問題がおこったら、遠慮なく知らせろ。すぐに駆けつけるから」

やがて出発を告げる太鼓が打ち鳴らされた。十石船は船着場をはなれ、鴨川の流れに乗って淀川に向かっていく。等伯と清子は久蔵の姿を目に焼きつけておこうと、船が見えなくなるまで見送っていた。

一方、秀吉の朝鮮出兵は、出陣半年にして早くも暗礁に乗り上げていた。

この年三月二十六日、秀吉は後陽成天皇の見送りを受け、意気揚々と京都を発った。

四月十三日に小西行長、宗義智の第一軍一万八千七百人が釜山に上陸。四月十七日には加藤清正、鍋島直茂らの第二軍二万二千八百人もこれにつづいた。

第三軍は黒田長政、大友義統の一万一千人。第四軍は島津義弘らの一万四千人。以下第九軍まで、あわせて十五万八千七百人という陣容である。

第一軍が上陸早々に釜山城を攻め落とした時の様子を、松浦《まつら》鎮信《しげのぶ》の家臣だった吉野甚五左衛門は次のように記している。

〈鉄砲数をそろへつゝ二時《ふたとき》計《ばかり》は世の中も、くらや（暗夜）にこそなりにけれ。天地もひゞけと射かくれば、楯も槍も射くづされ、かしらを出《いだ》す敵もなし〉（『吉野甚五左衛門覚書』）

火力に勝る秀吉軍は四時間ばかりにわたって銃撃を加えた。射撃の時に出る黒煙のために、あたりが暗夜になるほど激しい攻撃だったというのである。

そうして高さ三尋《さんひろ》（約五・四メートル）の城壁を打ち破って市内に乱入した軍勢は、乱暴狼藉のかぎりをつくした。

〈家のはざまや床の下、かくれかたなき者どもは、東の間にせきたゝみ、皆手を合はせてひざまづき、聞くもならはぬから（唐）言《ことば》。まのら〳〵といふことは、助けよとこそ聞へけれ。それをも味方きゝつけず、きりつうち捨て踏みころし、これを軍神の血祭り、女男も犬猫もみなきり捨てゝ、きりくびは三萬ほどゝぞ見えにける〉

こうした惨状に直面した甚五左衛門は、自軍の残虐さに戦慄し、〈今現在に見ることは、我こそ鬼よおそろしや〉と書き留めている。

長年文治主義をとり、火力の備えも充分でなかった朝鮮王国の将兵は、なす術もなく撤退をつづけるばかりである。秀吉軍はこれを追い、五月三日には漢城《ハンソン》を、六月十五日に平壌《ピョンヤン》を占領した。秀吉は、二年後には後陽成天皇と公家衆を北京に移し、秀次を大唐の関白にすると豪語したが、快進撃もここまでだった。平壌まで侵攻した秀吉軍は、兵糧や弾薬の補給がつづかなくなり、これ以上の進撃を断念せざるを得なくなった。

しかも季節は刻々と冬に向かい、大河が凍りつくほどの寒さが迫っている。そこで朝鮮在陣奉行となった石田三成は、諸大名と協議し、征明を中止して平壌で越冬することにした。

この意を受けた小西行長は、明国が朝鮮救援のために派遣した遊撃将軍沈惟敬《しんいけい》と和平交渉にのぞみ、九月一日から五十日間の休戦協定をむすんだ。

秀吉軍はこれ以後、明国軍の侵攻と朝鮮義勇軍の蜂起に悩まされ、後退を余儀なくされていく。利休を処刑し、反対派を黙り込ませて強行した海外派兵は、わずか半年で頓挫したのである。

しかもそうした現実は、秀吉の耳には届かなかった。出兵を推進した三成ら官僚派やキリシタン大名たちは、責任を追及されることを怖れて都合のいい報告しかしなかったからである。

十月になって等伯は大庫裏の客間の山水図に取りかかった。

方丈の書院とちがって、こちらは自由に意匠をこらすことが許される。そこで長年試してみたいと思っていた牧谿の画風に挑戦することにした。

山水図は四方四季の原則がある。部屋の西側に夏から秋、正面の北側に冬から春、東側に春から夏の情景を描き、左から右へ季節が移っていく様を表現する。

中心となるのは正面で、左半分に雪をかぶった冬山と松林を、右半分にはつぼみが開きかけた梅の木に囲まれた茅屋《ぼうおく》を描く。

茅屋にたたずむ高士《こうし》は遠く冬山をながめているが、その間には湖が広がり、霧におおわれている。この霧の空気感を牧谿のように表現できるかどうかが、この挑戦の要点だった。

もうひとつの挑戦は、西側の夏から秋に移る場面に猿猴図《えんこうず》を描くことである。

牧谿が残した猿猴図は、冬の到来におびえる母子猿の緊張した姿をとらえている。

だが等伯は果実がたわわに実った木の上で肩車をして遊ぶ母子と、枝にぶら下がって二人のもとに戻ってくる父親を描くことにした。

七尾では肩車のことをタカタカボンボとかサルボンボと言う。等伯にはなじみ深い親子の姿である。左から右へ枝をゆらして移動する父猿は、家族への愛情と同時に季節の流れる方向も示すものだった。

それにこの親子猿は、秀吉と鶴松と淀殿を表している。この世でかなえられなかった家族の団欒を、浄土の景色の中ではたしてほしい。そんな願いを込めたものである。

猿とは秀吉の仇名だから、場合によっては逆鱗にふれるおそれがある。並の絵師ならそう考えるところだが、等伯は秀吉に絵を見る目があることを知っている。完成度さえ高ければ、機知を愛《め》でて大喜びすると確信していた。

下絵を描きはじめると、面白いほど筆が進んだ。母の姿に静子や清子が、肩車された子猿に幼い頃の久蔵や又四郎が重なって見える。

食事さえ忘れて仕事に没頭していると、清子が来客を告げた。画材を扱う生野屋だった。

「先生、結構な評判でおめでとうございます」

顔なじみの番頭もすでに還暦をすぎ、髪が真っ白になっていた。

「今日は奈良の墨と安芸の筆を届けさしてもらいました」

「そこに置いといてくれ」

等伯は文机から離れる暇も惜しかった。

「実はお耳に入れておいた方が、ええんやないかと思いまして」

四つん這いになってにじり寄り、狩野松栄が重い病をわずらっているとささやいた。

「師匠が、いつから」

「この夏からおかげんが悪く、寝たきりになっておられると聞きました」

「そんなに長く」

病に伏しておられるのかと、等伯は筆をおいて番頭に向き直った。

「松栄さまは先生に会いたがっておられるそうです。ところが弟子たちが会わせないと言い張って、自由にさせてもらえんようでございます」

「そうか。よく知らせてくれた」

「先生のおかげでうちも繁盛させてもろてますさかい、お役に立てることがあったら何でも言うとくれやす」

番頭はもみ手をしながら新しい注文を取り、手柄顔で帰っていった。

仙洞御所の一件以来、等伯は狩野派と険悪な間柄になっている。永徳が急死したのは、等伯が屋敷に怒鳴り込んだからだと言う者もいるほどだ。

ましてや祥雲寺の仕事を等伯が請け負い、天下一の評判を取ってからは、いっそう激しく敵意を燃やしている。それゆえ松栄が等伯に会いたがっても、いろいろと理由をつけて拒んでいるにちがいなかった。

等伯は一計を案じ、京都奉行の前田玄以に同行してもらうことにした。

「承知いたしました。明日にも見舞いに参じましょう」

玄以は快諾した。松栄とは聚楽第や天瑞寺の仕事を通じて深く関わり、私欲のない公正な人柄に敬服していたのだった。

狩野図子の屋敷をたずねると、高弟たちがそろって出迎えた。その中には狩野宗光や久蔵の兄弟子だった者もいる。だが等伯とは目を合わせようともしなかった。

松栄は奥の離れで横になっていた。陽当たりのいい静かな部屋で、庭の紅葉が赤く色付いている。庭に敷きつめた砂の掃き目も清らかだった。

「このような所にお越しいただくとは」

松栄は玄以に気付き、あわてて上体を起こそうとした。

だが呼吸を乱して激しく咳込み、体を横にして発作に耐えた。どうやら肺の病らしい。体は骨と皮ばかりにやせ細り、療養の長さと死期の近さをうかがわせた。

「今日は等伯どのの友人として参りました。お気遣いは無用でございます」

玄以は松栄の手を取ってそっとさすった。

「かたじけない。よう来て下された」

松栄は目をうるませて礼を言い、祥雲寺の方丈の絵は手柄であったと等伯を誉めた。

「見ていただいたのでございますか」

「弟子たちから話を聞いただけだが、そなたがやった仕事だ。おおよそのことは分る」

「ありがとうございます。これも師匠のおかげでございます」

石山本願寺で教如の肖像画を描いていた頃、松栄は御殿のふすま絵の仕事をしていた。その時等伯に狩野派の下絵帳を見せ、御殿の絵の描き方を基本から教えてくれたのである。

「そなたにそれだけ見込みがあったということだ。近衛公も仕込んでやれとおおせであった」

しかし、これほど大きな絵師になるとは思わなかったと、松栄はまぶしげな目を等伯に向けた。

「申し訳ございません。こちらにはいろいろとご迷惑をおかけいたしました」

「わしがそなたを仕込んだのは思惑あってのことだ。謝らずとも良い」

「永徳どのと競わせるためでしょうか」

「悴《せがれ》は子供の頃から、天才の名をほしいままにしてきた。だが、それゆえに伸ばしきれなかったところもある。だからそなたのように野性の血を持つ絵師をぶつければ、目がさめると思ったのだ」

松栄はしばらく目をつぶって息をととのえ、悴の唐獅子図屏風を見てくれたかとたずねた。

「写しを拝見いたしました」

「あの絵はそなたと出会い、己れの殻を破ろうともがきつづけたからこそ描けたものだ。だがそのために命をすり減らし、五十前に逝《い》ってしもうた」

「私が永徳どのの仇だと言う者もいるようですが」

決して害意があったわけではないと、等伯は釈明せずにはいられなかった。

「あの時は仙洞御所の仕事に横槍を入れられたことが無念で、存念をうかがいたいと思っただけです。ところがお弟子衆が狼藉をなされたゆえ」

「そなたのせいではないことは分っている。悴は狩野の屋台骨を支えることに疲れたのだ。もっと自由にさせてやれば良かったが、わしの力が足りずに助けてやることができなかった」

松栄は天井の一点を見つめたまま黙り込んだ。永徳との出来事を一度に思い出し、言葉に詰ったのである。

絵師にとって自分の力不足を認めることほど辛いことはない。ところが松栄は永徳という傑出した息子を持ったばかりに、その責苦に耐えつづけなければならなかったのである。

「そなたの息子も腕を上げたと聞いた。今は肥前にいるそうだな」

「こちらの光信どのと共に、名護屋城の仕事をさせていただいております」

「そうか。光信では力不足かもしれぬが、弟の孝信《たかのぶ》は見所がある。久蔵にひけを取らぬ仕事をしてくれよう」

松栄は孫たちの力量も確かな目で見切っている。この孝信の子が、後に狩野派全盛の礎《いしずえ》をきずいた探幽《たんゆう》なのである。

「狩野と長谷川が並び立ち、腕を競い画境をきわめるのは望ましいことじゃ。だが怨恨《えんこん》があってはならぬ。それは分ってくれような」

「むろん承知しております」

「それなら早く狩野と和解してくれ。今のままでは長谷川のためにもなるまい」

それを頼みたくて生野屋をわずらわせたと、疲れはてたように口を閉ざした。

これが等伯と松栄の最後の対面となった。

十月二十一日、松栄は七十四歳を一期として黄泉の国に旅立ったのである。

絵師としての手腕は父元信や永徳におよばなかったが、室町幕府の滅亡から信長、秀吉の天下となる激動の時代に、狩野派を守り抜いた功績は高く評価されるべきだろう。

中でも最大の手柄は、等伯の力量にいち早く注目し、狩野派の門戸を開いたことかもしれない。この師がいなければ、等伯が世に出ることはなかったと言っても過言ではないのである。

年が明けて文禄二年（一五九三）、等伯は五十五歳になった。故郷の能登をはなれて二十二年目である。

人間五十年といわれた時代のことゆえ、すでに老齢の域に入っている。現代に換算するなら七十ちかいはずだが、体は頑強、気力も旺盛で、この春には清子が二人目を出産する予定である。

その日を心待ちにしながら、祥雲寺大庫裏の山水画に没頭していた。

すでに大方は完成している。西側の猿猴図も東側の春から夏にかけての清流の図も上出来で、

僧俗男女が見物に押しかける。

中でも親子の団欒を描いた猿猴図は、猿がふすまから飛び出してくるようだと評判になり、噂を聞いた秀吉が下絵を送れと催促してきたほどだった。

これで完成だと言っても異論をさしはさむ者はいないはずだが、等伯は正面の左方、雪山に松の絵がどうも気に入らなかった。

霧がたちこめる湖のほとりに、雪におおわれた松林がある。松は手前を色濃く描き、遠ざかるにつれて薄くして遠近感をもたせながら、はるか遠くにそびえる雪山へつづいている。

能登で育った等伯にはなじみ深い景色で、得意としてきた画題だが、今度ばかりは納得できなかった。

よく知っているだけに、どこかちがうという違和感がある。雪の冷たさや松林を吹き抜ける風の音、霧に煙る雪景色をながめた時の異界に誘い込まれるような不安を、とらえきれていないのである。

それをどう表現したらいいのか。等伯は答えを見出せないまま何度も手を加え、加えるごとに悪くなっていく気がして、出口の見えない苦しみの中で悶々としていた。

眼高手低という。表現者は古今東西の名作を学んでいるので眼は肥えているが、自分の表現力はなかなかそれに及ばない。それゆえ何度も絶望の淵にたたき落とされ、そこを乗り越えようと懸命に研鑽をつむ。

ところが大半の者は、ある程度の水準にたっしたところで妥協してしまう。研鑽をつづける辛

さに、身も心も耐えきれなくなるからだ。

しかし等伯は、こうした妥協を己れに一切許さなかった。

愚直なまでの正直さで、ひたすら足らざるところに向かっていく。たとえ何年かかろうとやり遂げてみせるという闘志だけは、片時たりとも失わなかった。

大庫裏にこもり、足場の下の襖絵と格闘しているうちに、等伯は描こうとしているうちは描けないことに思い至った。

「悟ろうとする欲が、悟りの邪魔をしとんのや。そこに思い至らんかい」

利休はそう言って叱りつけたものだ。

描こうとしないで描くとは、自分の中にそなわっているものが、絵という形をとって自然に外に現れてくることである。頭では分っているものの、どうすればそんな絵が描けるのか見当もつかなかった。

出口のない戦いをつづけているうちに花の季節となり、待ちわびていた知らせがあった。

「師匠、おめでとうございます。男のお子さんです」

若い弟子が了頓図子から知らせに走ってきた。母子ともに元気だという。

「そうか。ご苦労」

等伯は後の始末を頼んで家に駆けつけた。

清子は無事に出産を終えた安堵にみたされて横になっている。顔がほんのりと赤いのは、産みの苦しみと戦った余韻だった。

側には赤児《あかご》が御包《おくる》みにつつまれて眠っている。生まれたばかりなのに、一人前に大きな寝息をたてていた。

「体が丈夫な証拠だ。よく頑張ってくれた」

等伯は赤児の顔をのぞき込んだ。猿猴図に描いた子猿のようだった。

「名前はどうしますか。久蔵さんから一字をいただきましたので、久太郎はどうでしょうか」

清子はすこぶる元気で、早くもこの子の絵師としての将来に思いを馳せていた。

「上は又四郎だ。弟が太郎では妙だろう」

「あら、名前ですもの。順番なんて気にすることありませんよ」

「名前だから大事なのだ。鎮西《ちんぜい》八郎為朝と聞けば、すぐに八男坊だと分るだろう」

「そうですかね。それなら又四郎を変えればいいじゃないですか」

清子はよほど久太郎という名をつけたいようで、強引なことを言いだした。

「又四郎は私の名前だ。そんなに簡単に変えてもらいたくないな」

「お前さまは、お気付きではありませんか」

「何を」

「久蔵さんはお前さまより大きな絵師になられますよ。画風の大きさと細やかさを兼ねそなえておられますもの」

「それは、まあ、その通りかもしれぬな」

実は等伯もそう感じる時がある。不躾《ぶしつけ》なことを言われてもそれほど腹が立たなかった。

「だから御名の一字をいただくのは、この子のためでもあるのです。どうせいただくなら太郎とつけたいじゃありませんか」

「それなら又四郎はどうする」

「奥村の父上さまは文之丞とおおせですから、新之丞といたしましょう。溌剌《はつらつ》として、あの子に似合ってますよ」

結局話はそこに落ち着いた。この久太郎が後に左近と改名し、等伯の後をついで「自雪舟六代」(雪舟より六代)を名乗るのである。

翌日から等伯は祥雲寺の仕事にもどったが、大庫裏の山水図はしばらくほっておくことにした。気持の整理ができないまま手をつけては、迷いの深みにはまるばかりである。しばらく弟子たちの仕事の指導をしながら頭を切り替えようと思った。

時には大方丈に行って、久蔵と仕上げた仕事に向き合った。改めて見ても惚《ほ》れ惚《ぼ》れする出来である。中でも久蔵が仕上げた桜図は、胸が切なくなるほどの美しさだった。

(七尾の桜はどうしただろう)

等伯は長谷川家の庭にあった八重桜を思った。

祖父の無分が仙洞御所の桜の苗を分けてもらい、家宝として育てたものだ。その計らいがこうして大輪の花を咲かせたのだった。

そうした思いが通じたのだろう。四月中頃に久蔵がひょいと祥雲寺をたずねて来た。

ふり分け荷物を肩にかけた旅姿である。伏見の船着場から真っ直ぐここに来たのだった。

「どうした久蔵。祝いに戻ってくれたのか」

「ええ。母上と約束しましたから」

急に仕事の手が空いたので、大坂行きの船に乗せてもらったという。

「その前に猿猴図を見せていただきたくてこちらに寄りました。太閤殿下も大変お喜びで、褒美の品を預かってまいりました」

久蔵が荷を開けて茶碗の箱を取り出した。

中には利休が好んでいた熊川《コモガイ》茶碗が入っている。朝鮮の熊川で作られたもので、枇杷色で胴が丸くふくらんだ素朴な品である。

茶碗には秀吉直筆の文がそえられていた。

「さるのえみごと。はやくかかにみせたくそろ。ほうびにとらす。たいこう」

等伯が送った下絵が気に入り、褒美に利休の茶碗を与えたのである。かかとは秀吉の正室である北政所か、鶴松の生母の淀殿か分らない。あるいは両方なのかもしれなかった。

久蔵は大庫裏の猿猴図の前に長々と座っていた。初めは絵を読み解こうと真剣な目で見入っていたが、やがて肩から気負いが抜けて、いかにも心地良げにあぐらをかいている。

猿の親子の団欒に加わっているようだった。

「どうだ。気に入ったか」

「ええ。何だか子供の頃に戻った気がします」

「これはうまく仕上がったが、一ヵ所だけ気に入らぬところがあってな」

「松に雪山ですか」

「分るか」

「何度も手を加えておられるので、そう思っただけです」

しかし他の所と少しも遜色のない出来だと太鼓判をおした。

「そう見えるか」

「ええ。父上の思いはもっと深いのでしょうが」

「分った。お前は先に家に帰ってくれ。ここに寄ったことは、清子には内緒だぞ」

出産のお祝いに帰ってきたのだから、真っ直ぐ家に来たと言ったほうが喜ぶに決っている。等伯はそんな気遣いをしているのだった。

夕方家に帰ると、久蔵は久太郎を腕に抱き、新之丞を膝に乗せていた。子供に好かれる質で、二人とも機嫌良く身を寄せていた。

清子は台所に立って、いそいそと馳走を作っている。かまどにかけた鍋から、魚を煮るうまそうな匂いがただよっていた。

「おう、戻ったか」

等伯は打ち合わせ通りの演技をしたが、声がぎこちなく裏返っていた。

「昼過ぎにこちらに着きました」

「向こうはどうだ。忙しくしているか」

「御座《ござ》の間が終って大広間にかかっております。床の間に描く下絵を持ってきましたから、後で

見て下さい」

「どんな絵だ。見せてみろ」

等伯はせっかちに迫ったが、横から清子が割って入った。

「久蔵さんはお疲れなのですよ。仕事の話は明日でいいではありませんか」

酒と突き出しを持ってきた。柳屋の澄み酒と、小鮎と蕗《ふき》の炊き合わせだった。

「朝鮮での戦はどうだ。うまくいっているのか」

「予定通りには進んでいないようです。名護屋の陣所から逃亡する者が多いので、人留《ひとどめ》番所をもうけて取り締っておられます」

「向こうの寒さはことのほか厳しく、凍死する者も多いと聞いた。足軽や戦場人足の苦労は並大抵ではあるまい」

「これは噂にすぎませんが」

どうやら明国と和睦《わぼく》するようだと、久蔵が声をひそめて打ち明けた。

平壌にいる小西行長は明の沈惟敬と共謀し、秀吉と明皇帝をあざむいて和平を実現しようとしている。この計略にそって沈がさし出した降伏文書を、宇喜多秀家と石田三成が秀吉に取り次いだのである。

むろん一部の者しか知らない機密事項だが、どこからか漏れ、和平は近いという噂となって広がったのだった。

「戦の話も大事でしょうが」

清子が頃合いを見はからって、縁談のことは覚えているかと久蔵にたずねた。

「ええ。いい方がいたら紹介していただくということでした」

「どなたかふさわしい方はいないかと、日比屋の春子さんに相談していたのですよ。あの方ならずっと昔から久蔵さんを知っているし、わたくしとも気心が知れた間柄ですから」

「見つかったのですか。そんな人が」

「そうですよ。それがね」

清子が身を乗り出し、モニカ春子の姪《めい》の絹子だと目を輝やかせた。

既婚の女性の中には、知人の縁談に異常なばかりの関心を示す者がいる。まして気に入っている相手だとなおさらである。今の清子がまさにそうだった。

「春子さんの兄の了荷《りょうか》さんの娘ですから、家柄に不足はありません。歳は十九歳で、今は春子さんの病院を手伝っておられるそうです」

「その病院には堺にいた頃に行ったことがあります。モニカさんからいただいた金平糖《コンフェイト》がおいしかったのを覚えています」

久蔵は案外乗り気なようで、その頃の思い出をひとしきり語った。

「お前さまはどう思われますか」

「そうだな。春子さんが勧めてくれるのなら、きっといい人だろうが」

十九歳まで独り身だったということが気にかかる。それに日比屋の娘で病院を手伝っているのなら、キリシタンにちがいなかった。

「たしかにセシリアという洗礼名をお持ちだそうですが、そのことなら問題はありませんよ。バテレン追放令は取り消され、洛中にも新しい教会が建つようになっているのですから」

「しかし、うちは法華宗だからな」

「宗旨がちがっても構わないじゃありませんか。大切なのはお人柄です。ねえ久蔵さん」

「私もそう思いますが、父上がご不満なら」

「不満じゃないが、安土宗論のようなこともある。バテレン追放令が取り消されたといっても、安心はできないと思っているだけだ」

「久蔵さんが得心しておられるなら、一度会わせていただくように春子さんに頼んでおきます。それから考えてもいいじゃありませんか」

清子は強引に話をまとめ、次の段取りに思いを巡らしていた。

翌朝、大広間の床の間の下絵を見せてもらった。画面の中央にゆるやかな弧をえがいて大きな橋がかかり、下にはうねりながら折り重なる波がつづいている。

右の岸には新芽をふいたばかりの柳が、左の岸にはしだれ柳が枝をたらし、春から夏への季節の移り替わりを示している。しだれ柳の下には水車が回り、護岸用の蛇籠《じゃかご》もあって、人々の生活の様子を伝えていた。

下絵は木筆で描いているが、色の指示がしてある。画面の半分を占める橋は金箔で、折り重なる波は銀箔に黒い縁取《ふちど》りをしている。柳の葉には石緑《せきりょく》の緑を用い、金銀の世界に彩りをそえていた。

「柳橋水車図《りゆうきようすいしやず》と名付けました。住吉神社の橋を描いて、航海の守り神になるようにという意味を込めたものです」

朝鮮出兵の拠点としてきずいた名護屋城では、航海の安全が何より重要である。そこで住吉蒔《まき》絵《え》の画題である神社の橋を大きく描いたのだった。

「朝鮮へ渡る掛け橋でもあるようだな」

「そうです。蛇籠は敵地を治めるように、水車は水車小屋にあやかって兵糧が潤沢《じゆんたく》であるようにと願ったものです」

「これなら太閤殿下もお喜びになろう。華やかな色あいも殿下の好みだ」

「床の間の壁画にするつもりですが、屏風にしても面白いと思います」

久蔵が下絵を折り、六曲一双の屏風の形にした。

「これを右と左からながめてみて下さい」

屏風は上座の後ろに立てるので、左右の席につく賓客《ひんかく》からもまとまった絵に見えるように、折り目と図柄に工夫しなければならない。久蔵はそこまで計算し、左右から見ると正面の絵とはちがった形の橋が現れるようにしていた。

いわば騙《だま》し絵である。長さは短いが、向こう岸に渡る橋がそびえるように現れるのだった。

「面白い。これなら酒の席の余興《よきよう》にもなろう」

こんなことを考えた絵師は和漢でも稀《まれ》である。等伯は鳥肌立つほど感心し、一番弟子の千之助に屏風の試作品を作らせることにした。

「出来上がるまでに十日ほどかかる。それまで待てるか」

「ええ。それを持って帰れば、殿下にも申し開きができますから」

「それなら七尾に行こう。ちょうど青柏祭《せいはくさい》の頃だ」

「いいですね。ぜひお供させて下さい」

久蔵は喜んで同意したが、清子が嫌な思いをするのではないかと気遣った。

「あれはそんな了見《りょうけん》の狭い女房ではない。かえって親戚へのみやげだの寺への供物《くもつ》だのと大騒ぎするだろう」

二十二年ぶりの帰郷である。等伯の心はすでに七尾に向かって飛び立っていた。


翌朝、等伯は久蔵と二人で旅に出た。

案の定、清子は親戚や世話になった寺へのみやげを山ほど持たせようとしたが、手軽な旅にしたいからと支払い用の手形だけ持っていくことにした。

二人とも真新しい画帳を懐に入れている。思い出深い所も多いので、記憶にとどめて今後の画業に生かしたいと考えていた。

大津から船に乗って琵琶湖をさかのぼり、その日は高島で一泊した。翌朝一番の船で塩津に渡り、塩津街道を北上して敦賀に向かうことにした。

「ああ、ここは……」

母《かか》さまが荷車に乗って行かれた道だと、久蔵が画帳を取り出した。手早く木筆を走らせ、あた

りの景色を描き止めた。

沓掛《くつかけ》から峠をこえて麻生口にたどりつくと、今度は等伯が足を止めた。ここから一里ほど東の刀根坂《とねざか》では、越前の朝倉勢が信長軍の追撃を受け、三千余人を討ち取られる大敗をきっした。

兄の武之丞も家臣の大半を討死させ、自身も左目を銃弾につぶされ、右ひざに槍を受けて歩行が不自由になった。

「もう行け。ここはお前のような者が来る所ではない」

暗い牢獄の中で武之丞がかけた最後の言葉が、ふと等伯の耳底によみがえった。

男二人の足は速い。その日の夕方には敦賀に着き、静子の遺骨を預かってもらっている妙蓮寺をたずねた。あれから十四年が過ぎ、日達《にったつ》和尚もすでに亡《な》い。だが跡を継いだ住職が、静子の遺骨を大切に守ってくれていた。

等伯は無沙汰をわび、長年の供養料を寄進して遺骨を受け取った。

白木の箱に入った静子は、頼りないほど軽かった。

「父上、私に持たせて下さい」

久蔵が用意の袋に箱を入れ、首からかけて胸に抱くようにした。

その夜は妙顕寺に宿を借りた。

静子は等伯が迎えに来るのを待つ間この寺で世話になり、僧坊で息を引き取った。その思い出に胸をゆすられ、二人とも遅くまで眠ることができなかった。

翌朝気比《けひ》神宮に参詣してから羽咋《はくい》行きの船に乗った。ふり向くと敦賀の町の西側に気比の松原

が広がっている。久蔵に祥雲寺方丈の松の絵を描かせてくれた神々の憑代《よりしろ》である。等伯はそのことを思い、ひとしきり手を合わせて感謝をささげた。

その夜は羽咋の的場屋に泊った。等伯が妻子をつれて上洛する途中に泊った船宿である。

心労がたたって静子が寝付いた上に、叔父の長谷川宗高《むねたか》に手形を奪われたために、薬代も宿代も払えなくなった。そこで等伯は宿のふすまに郭巨《かくきょ》の絵を描き、医師の道頓《どうとん》に買い上げてもらって糊口をしのいだのだった。

翌朝、夜明けとともに気多大社に参詣した。

能登の守護神である大己貴命《おおなむちのみこと》（大国主神《おおくにぬしのかみ》）に帰国の挨拶をして、正覚院におさめた十二天像を見せていただいた。

梵天《ぼんてん》や羅刹《らせつ》天、伊舎那《いしゃな》天、帝釈《たいしゃく》天など、仏の世界を守る十二天が、燃えさかる炎を背に憤怒《ふんぬ》の形相で人間界を見つめている。気迫と勢いに満ちた、等伯二十六歳の傑作だった。

「凄い。今の私の歳で、父上はこんな絵を描いておられるのですね」

久蔵が感動に蒼ざめて十二天像を見上げた。

「昔、二人で見に来たなあ。静子が櫛《くし》を納めてくれと言うものだから」

「母《かか》さまは神さまを見てきなさいと言われました。あれはこの絵のことではなく、父上のことだったのかもしれません」

「この絵が私を奮い立たせてくれた。静子はそうなると見越していたのだ」

参拝を終えて船着場に行き、十石船で邑知潟《おうちがた》を東に向かった。

能登半島に深く切れ込んだ湖である。東の岸で川舟に乗りかえ、長曽川をさかのぼって芹川につく。ここから二宮、武部、江曽《えそ》と陸路をたどり、日暮れ前に七尾についた。

都を出てわずか四日の旅である。だが等伯はさまざまな事情にさえぎられ、二十二年もの間生まれ故郷にもどることができなかったのだった。

「まずは長谷川家に挨拶だ。叔父さんもまだ元気だと聞いた」

等伯が七尾を去った後、叔父宗高が長谷川家を継ぎ、染物屋と絵仏師の家業をつづけている。風の噂でそう聞いていた。

逸《はや》る心をおさえて城下への道を急いだが、町は大きく変わっていた。

港からお城まで一里以上もつづき、繁栄をきわめていた町はどこにもない。道の両側につづいていた町屋は廃墟になったり更地《さらち》になったりして、残っている家は数えるほどしかなかった。

第一城がない。山の頂《いただき》に威容《いよう》を誇っていた七尾城は、石垣だけになって草木に埋もれていた。

「城が……、畠山家の城がない」

等伯は衝撃のあまり打ちのめされそうになった。

故郷を出た後何があったか、おおよそのことは聞いている。だが廃墟となった城を目の当たりにすると、腹に力が入らないような喪失感におそわれた。

「前田利家公が能登の大守になられてから、城を小丸山《こまるやま》に移されたそうでございます。それにつれて町も寺も移されたと聞きました」

昔を知らない久蔵は冷静だった。

長谷川家の店や蔵も跡形がなかった。草が生い茂る更地に、八重桜の大木だけが立っている。花を落とし若葉におおわれ、久蔵が描いた桜図のように大きく枝を広げていた。

「こんなに狭い所だったのか」

更地になると敷地は狭く感じられる。ここで暮らしていた頃はもっと堂々としているように思えて、圧迫されることが多かった。

それは養子という負目のせいかもしれなかった。

「養父上《ちちうえ》、養母上《ははうえ》……」

等伯は地面にひざまずき、養父母の御魂《みたま》に手を合わせた。

自分のせいで二人を死なせたという思いは、利休の教えを受けて以来薄らいでいる。今はただ、育ててくれたことへの感謝の気持で一杯だった。

「父上、ほら」

横でひざまずいていた久蔵が、桜の一枝を指さした。

若葉におおわれて花が一輪散り残っている。花弁の大きな瑞々《みずみず》しい花が、帰郷を寿《ことほ》ぐように咲きつづけていた。

二人はほとんど同時に画帳を取り出した。この花が何を伝えるために待っていてくれたのか。それを読み取ろうとするように、立ったまま一心不乱に描きつづけた。

長谷川家は新しい城下に立派な店をかまえていた。

城下を東西につらぬく内浦街道と、町の東を流れる毒見殿川が交わるところで、店には色染め

した反物《たんもの》を並べ、何枚かの仏画をかかげていた。

「ご免下さい。お邪魔します」

のれんをめくり、恐る恐る声をかけた。

「何かね。悴はおらんが」

小柄な老人が不機嫌そうに応対に出た。年老いてひと回り小さくなっているが、叔父の宗高にまちがいなかった。

「ご無沙汰しております。信春と悴の久蔵でございます」

「お前か。何しに来た」

宗高の冷ややかな態度は、七尾を出て行く時と変わらなかった。

「静子の遺骨を、長寿寺さんに納めさせていただきに参りました」

「今頃帰ってきて勝手を言うもんや。ええ身分やの」

「早く供養をと思っていましたが、事情があって果たせませんでした。申し訳ありません」

「店は宗冬が立派に守っとる。お前は都で名を上げたそうだが、七尾と先祖を守りぬいたんやさけ、宗冬の方がどれだけ偉いか知れん」

故郷を離れた者は他所《よそ》さんである。宗高は長寿寺への納骨は許したものの、家に上っていけとも言わなかった。

長寿寺も奥村家の菩提寺である本延寺も、前田家の命令で小丸山城の南西の山中に移されていた。敵の攻撃から城下を守る砦にするためで、現在の山の寺寺院群がこれに当たる。

長寿寺は山の入り口にあり、前田家の菩提寺である長齢寺と向き合うように建っていた。住職は他界したばかりで、本延寺の日便《にちべん》和尚が兼務しているという。等伯が長谷川家に養子に入る時に仲立ちをつとめた和尚が、いまだに健在なのだった。

寺の者が和尚を呼んでくる間、等伯と久蔵は本堂で待った。

季節は新緑の真っ盛りで、まわりの森ではうぐいすがのどかに鳴き交わしていた。

「あの宗高という人は相変わらずですね。羽咋まで追いかけて来た時のことを思い出しました」

「覚えているのか。お前はまだ四つだったが」

「どうしてでしょうね。七尾を出る時の道中のことははっきりと覚えています」

「子供ながらに心細かったのだろう。だから気を張り詰めていたのだ」

四半刻ばかりで日便和尚がやってきた。もう八十を過ぎているが矍鑠《かくしやく》としていて、石段を小走りに登ってきた。

「信春、よう戻った。よう精進ができたな」

そなたのことは七尾からずっと見守っていたと、等伯の手をしっかりと握った。

「和尚さまもご息災で……」

何よりだと言おうとしたが、思い出が胸に迫って言葉にならなかった。

日便和尚に導師をつとめてもらい、静子の納骨と追善供養をおこなった。他界して十四年、異郷にあった静子の魂が七尾にもどり、先祖の列につらなることができたのである。

「ありがとうございました。これで静子も喜んでくれると思います」

等伯は謹んで永代供養料をさし出した。

今のうちに出来ることをしておかなければ、今度はいつ戻れるか分らなかった。

「江曽の本光寺で会ったのが昨日のことのようじゃ。あの日はひどい雨が降っておった」

久蔵に添い寝していた静子の姿が目に浮かぶと、和尚が静かに茶をすすった。

「一眼の亀に浮木を渡していただきましたが、都の戦に巻き込まれ、織田家に追われることになりました。静子には苦労のかけ通しで、わびる言葉もありません」

「本光寺を発つ時、静子さんはこれから修行の旅に出ると挨拶された。何があってもそなたを支えると、覚悟を決めておられたのだ」

「本当にそうでした。それに報いてやれないまま……」

「信心に報いなどいらぬ。日蓮上人は、法華経を信じる女人は世間の罪に引かれて悪道に堕《お》ちることはないと説いておられる。静子さんは泥田に咲いた蓮《はす》の花のような人じゃったよ」

その夜は旧城下にある旅籠に泊った。静子の幼なじみが女将《おかみ》をやっている。その縁を頼って、七尾を出る前夜に泊めてもらった旅籠だった。

女将はまだ健在で、あの日と同じ床の間つきの部屋に案内してくれた。

「今はみんな向こうに行って、こちらは淋しくなりました」

かつては城下でも指折りの格式を誇っていたが、七尾城と運命を共にするように老朽化が進んでいる。それでも昔と変わらぬ心のこもったもてなしが、等伯と久蔵を和ませてくれた。

ひと風呂あびて二人で酒を飲もうとしていると、思いがけない来客があった。等伯が戻ったと

聞いた長谷川宗冬が、一族を引きつれて訪ねて来たのである。

「親父が素っ気なくてすみません。帰ったら信春さんが来ておられると聞いたもんで」

ぜひとも挨拶したいと、酒を持って駆けつけたのだった。

絵仏師の家業を継いだ宗冬にとって、等伯は雲の上の存在である。この機会に面識を得させておこうと、三人の息子を連れていた。

渋い顔の宗高に寄り添う老婆は、静子に銀三貫目の手形を持たせてくれた叔母のお通だった。

「おやまあ、久蔵ちゃんもこんなに立派になって。目のあたりが静子にそっくりだわ」

お通が久蔵に歩み寄り、皆には内緒だと言って砂糖菓子の包みを押し付けた。

急に大人数の酒宴になったが、七尾は山海の幸に恵まれた土地である。女将の尽力もあって、鯛の切り身やはちめ（メバル）の塩焼き、竹の子の煮物などが所狭しと並べられた。

「まだ塩が熟《な》れていないけど」

申し訳なさそうにことわりながら、お盆すぎに食べる巻鰤《まきぶり》まで出す馳走ぶりだった。

「都の生野屋さんとはまだ取り引きしていますから、お二人の噂は聞いています。狩野派をしのぐ評価を受けておられるそうじゃないですか」

ぜひ我々にも力を貸していただきたいと、宗冬が等伯に付きっきりで酌をした。

「もちろんです。一門ですから出来ることは何でもさせていただきます」

長谷川家に恩返しができるならと、等伯は身を乗り出して応じた。

「それなら諱《いみな》をいただいていいですか。これから私も等誉《とうよ》と名乗らせてもらいたいのですが」

等伯の誉《ほまれ》をいただいてのことだと、宗冬は用意が良かった。

「それに息子の宗宅を弟子入りさせて下さい。まだ十四歳ですが、三人の中では一番見所がありますから」

「久蔵、お前はどう思う」

「いいですよ。お役に立てるなら」

何でもすると、久蔵も気前が良かった。

それを聞いて心がほぐれたのか、

「信春、いつ帰るんけ」

宗高が初めて等伯に盃を差し出した。

「明後日の祭りを見てから帰るつもりです」

「そりゃあええわ。昔とちごうて今は盛大やぞ。大船のような山車《だし》が三台も出るさけの」

「小丸山城の城主になられた前田安勝《やすかつ》さまが、七尾の心をひとつにするために始められたものです」

宗冬が宗高にかわっていきさつを語った。

前田利家が能登一国を与えられたのは、天正九年（一五八一）八月のことである。利家は七尾城から小丸山に城を移す計画を進めたが、天正十一年に加賀の大半を与えられ、尾山（金沢）に本城をきずくことにした。

代わって能登の統治にあたったのは、利家の兄五郎兵衛安勝《やすかつ》だった。安勝は天正十七年までに

小丸山城への移転を終え、城下町と港の整備を着々と進めた。そして翌年には、毎年四月の申《さる》の日に行なわれている青柏祭に、巨大な山車を巡行させて領民の心をひとつにしようとした。

七尾は畠山家から重臣七人衆、上杉謙信、前田利家へとめまぐるしく領主が変った。それぞれの家来筋や出入りの業者も残っていて、心の底にはわだかまりを持ちつづけている。

それを一掃するために日本一の巨大な山車を作り、皆で手を取り合って綱を引き、新しい七尾にふさわしい人間関係を作り上げようとした。

山車は三台。費用は魚の売買の独占権を得ている魚町と、四十物《あいもの》（水産物の加工品）の売買の独占権を得ている府中町、鍛冶の独占権を得ている鍛冶町に負担させることにした。

このうち古くからの住人が多い魚町の山車には、畠山家の二引両の家紋を用いることを許している。これこそ安勝の住民一致の方針を明確に示したものだった。

「そやさけお前も綱を引け。七尾に戻ってきた証《しるし》や」

宗高が涙をうかべて鼻水をすすり、いろいろあったが生きとるだけましやと気勢を上げた。

翌朝早く、等伯は誰かに招かれた気がして目をさました。

夜はまだ明け初《そ》めていない。古い大きな旅籠はしんと寝静まっている。風もなく海もおだやかで、さざ波が打ち寄せる音が間近に聞こえた。

等伯ははっと胸を衝《つ》かれて表に出た。

霧だろうか靄《もや》だろうか。あたりは白くかすんでいる。旅籠の前には松林がつづいていて、その

向こうに七尾湾が広がっているが、遠近の見境いがつかないほどだった。

霧のように見えるのは海面から立ちのぼる水蒸気だった。四月にしては朝の冷え込みがきついので、温かい海面から湯気のように水蒸気が立ち、あたりをおおっている。

その中に立ちつくす松は手前が色濃く、遠ざかるにつれて次第に薄くなり、白濁《はくだく》の中に消えていく。はるか向こうに見える山は、能登島の四村塚山《よむらづかやま》だった。

（ああ、これだ）

等伯が山水図に描き込もうとしたのは、なじみ深いこの景色だった。ところが包み込み誘《いざ》なうような感じを、どうしても表現しきれなかったのである。

「これだったのですね。父上が追い求めておられたのは」

いつの間にか久蔵が後ろに立っていた。

「そうだ。牧谿とはちがうだろう」

「ちがいますね。もう少し重く、肌にしみ込む感じがします」

「幼い頃から見てきた景色だ。それを描けないようでは、まだまだ修行が足りないということだ」

「でも、父上ならいつか描けますよ」

その声にふり返ると、久蔵の姿が靄にかすんでいる。

等伯はこのまま久蔵がどこかへ行ってしまいそうな不吉な予感にかられた。

「おい、久蔵」

「はい」

「名護屋での仕事は、問題なく進んでいるのか」

「ええ。急にどうしたのですか」

「何でもない。それならいいんだ」

狩野派とはうまくやっているかと聞きたかったが、なぜか口にすることがためらわれた。

青柏祭はその日の夜（現在は五月三日）から始まった。

戌《いぬ》の中刻（午後九時）に鍛冶町から山車（曳山）を引き出し、日吉《ひえ》山王を祭る山王神社に向かう。通称でか山と呼ばれるだけあって、車の上に櫓《やぐら》を組み、舞台を乗せた巨大なものだった。

高さは五間三尺（約十メートル）、幅は二間一尺（約四メートル）。船の舳先《へさき》と艫《とも》を象《かたど》った櫓を扇形に開き、紋を染めた色鮮やかな幕を折り重なるように張っている。

舞台には松を立てて神々の憑代《よりしろ》とし、まわりを華やかな人形で飾り立てていた。

これは宵山《よいやま》と呼ばれ、その日のうちに山王神社に引き入れられる。つづいて府中町の印鑰《いんにゃく》神社から二台目の山車が引き出されるのだった。

これを朝山と呼ぶのは、翌朝卯の下刻（午前七時）に山王神社に到着するからだ。その知らせを受けてから三台目の本山が魚町見付を出発し、正午頃に神社に着くのである。

こうした時間差があるのは、狭い道での混雑をさけるためである。山車は大きく車輪の直径だけでも人の背丈をこえる。辻回しにも時間がかかるので、神社に近い町の山車から引き入れなければどうにもならなかった。

等伯と久蔵は長谷川の店で夜を待ち、宗冬の家族とともに鍛冶町の山車を引いた。
夜もふけた頃、舞台の祭壇に神饌《しんせん》（食料）をそなえ清祓《きよはら》いを終え、三本の引き綱が出される。

〽今日は日も良し吉日もよし。明日は申《さる》の日山王の祭り

木遣《きや》りが声をそろえて唄い始めると、三列に並んだ引き手たちがいっせいに力を込める。見上げるほどの山車はゆらっと身じろぎして動き始め、両側に提灯をかかげた通りを道一杯になって進んでいく。

綱は片手では持ちきれない太さで、血気にはやった引き手たちはついつい急ぎ足になる。するとでか山の進みも早くなり、後ろから追いかけられるような不安に取りつかれる。そのためにいっそう急ぎ足になるが、梃子《てこ》役たちがぬかりなく速さや方向を調整して安全をはかる。

圧巻は山王神社の入り口で曲がる辻回しだった。長さ四間もの樫棒を車軸の下にさし込んで木馬《まくら》をかませ、若い衆が棒に乗って山車を持ち上げる。

〽そうーりゃーえー
　よおーいとぉーなー
　　やっさかせー　よぉーいやな

木遣りの声に合わせて持ち上げた車軸の下に車元《くるまもと》がもぐり込み、辻回し用の地車《じぐるま》に心棒をさし込む。万一梃子がはずれたなら押しつぶされるので、皆が心をひとつにしなければ出来ない作業だった。

「敦賀で祭りを見に行ったな」

等伯は辻回しをながめながら昔のことを思い出した。

「母《かか》さまがみんなを連れて行かれたのです。戦《いくさ》で親や兄弟を亡くした子もいたのに、あの日だけは本当に楽しそうでした」

「あれは祭り好きだった。この山車を見たら、どんなに喜んだだろうな」

翌日山王神社に三台の山車が勢ぞろいすると、神前に幣帛《へいはく》（衣料）と神饌をそなえる。神社の宮司が冠に柏《かしわ》の若葉をつけ、神饌を青柏の葉に盛って神前にささげる。青柏祭の名はこの儀式にちなんだものだった。

等伯と久蔵も境内で儀式をながめた。船形の巨大な山車が境内に並ぶ姿は圧巻で、七尾が日本海の交易で栄えた町だと雄弁に物語っている。秀吉が天下統一をなし遂げてからは、諸国の往来も自由になり交易はますます盛んで、町も発展をつづけていた。

「ご無礼申し上げます。長谷川等伯先生とお見受けいたしましたが」

剣梅鉢《けんうめばち》の裃《かみしも》を着た若侍が声をかけた。

「そうですが、何か」

「前田安勝さまがご拝顔《はいがん》の栄に浴したいとおおせでございます。どうぞ、こちらにお渡り下され

ませ」

若侍が二人を神社の社殿に案内した。

多くの者たちが思い思いに車座になり、重箱に盛った肴を食べながら酒宴を開いている。

祭りごっつおと呼ばれるもので、竹の子、蕗《ふき》、かまぼこ、焼豆腐、こんにゃくの煮物と、刺身、押し鮨、はちめ（メバル）の尾刺《おざ》しが所狭しと並んでいた。

前田安勝も車座の中にいた。住民一致をめざしているので、祭りの日は身分に構わぬ無礼講にしているのだった。

「先生、どうぞこちらに」

安勝があぐらをかいた尻をずらして場所を空けた。

前田利家の三番目の兄で、丸くふっくらとしたおだやかな顔立ちをしている。誠実で思いやりの深い性格が、表情にそのまま表れていた。

「七尾にもどっておられると、日便和尚からうかがいました。ご足労をいただき、かたじけのうございます」

「お招きをいただき恐縮です。たいそう立派な山車で驚きました」

「ここにいる職人衆のお陰で、あれだけのものを作ることができました。新しい時代をきずくためには、皆が心をひとつにしなければなりません」

安勝は有能な為政者らしいことを言い、まずは一献と盃を回した。

「都でのご活躍ぶりは、いろいろな所で聞いております。我らもこの土地に住む者として誇りに

思っております」

「ご過分のお言葉、かたじけのうございます。そう言っていただき、故郷《ふるさと》と新たな絆を結べたような心地がいたします」

「これからはたびたび七尾に来て下さい。小丸山城や金沢城でも腕をふるっていただければ有難く存じます」

安勝は苦労人だけあって人のもてなし方を知っている。等伯は古い親友に会ったように胸襟《きょうきん》を開き、七尾の酒と祭りごっつおを堪能した。

「ところで奥村武之丞どのは、実の兄上だそうですね」

「ええ。実家の長兄です」

「日便和尚から、都で亡くなられたと聞きました。実は私は兄上と戦場で見《まみ》えたことがあります」

「もしや、刀根坂で」

「そうです。こなたは織田家の先陣、かたや朝倉家の殿軍《しんがり》をつとめておられました」

黒ずくめの鎧をまとい、満月の前立ての兜をかぶり、十文字槍を手に立ちはだかっておられた姿は、語り草になるほど見事だった。今でも手強い戦ぶりが目に浮かぶと、安勝は遠い目をして彼方を見やった。

「それゆえ非業の死をとげられたことが、残念でなりません」

「兄は畠山家に忠義をつくして生涯を終えました。悔いのない生き方だったと思います」

「畠山家といえば、夕姫さまのことはお聞きになりましたか」

「いいえ。長いこと音信がありません」

何かあったのだろうかと、等伯は胃が絞られるような不安を覚えた。

「三月ほど前に亡くなられたそうです。船の事故だと聞きました」

高島から塩津に向かって琵琶湖をわたっている時、伊吹山から吹き下ろした突風で船が転覆し、侍女の初音ともども溺れ死んだという。

「もしかしたら能登に向かっておられたのかもしれません。お痛わしいことです」

表の境内で人々のざわめきがした。神事が型通りに終り、社前や参道に張った注連縄《しめ》の切り落としが始まったのである。

御幣をいただいたでか車は、境内を出てそれぞれの町にもどっていく。この巡行が悪疫《あくえき》や災いを祓うと信じられている。

等伯と久蔵も家族の無事と画業の大成を祈りながら、肩を並べて山車を見送ったのだった。


二人が七尾から都にもどったのは五月一日のことだった。

清子は首を長くして待ちかねていて、明日にも大坂に下って春子に会いたいと言った。

「連絡をいただければいつでも八軒家まで出向くと、春子さんがおっしゃって下されました。お目にかかる旅籠の手配もしておきましたので」

さあ行こうと、手を引いて駆け出しかねない勢いだった。

一番弟子の千之助に頼んでいた柳橋水車図も見事な仕上がりだった。屏風仕立ての見本だが、金箔と銀箔をふんだんに使った絵は、工芸品のような輝きを放っている。久蔵がねらった通り、六曲にして左右からながめると、正面から見るのとはちがった形の橋が浮き上がった。

「これはいい。これなら太閤殿下のお目にかなうこと間違いなしだ」

その日のうちに荷作りを終え、翌朝清子と三人で大坂に向かった。伏見から三十石船で川を下り、夕方には八軒家の船着場に着いた。

清子が手配したのは、大名でも泊れないほど立派な旅籠だった。しかも主人と女将が平身低頭で挨拶に来るもてなしぶりである。

「ここには子供の頃からお世話になっていますから」

さすがに豪商油屋の娘だけあって、当たり前のような顔をしている。等伯が知らない清子の一面だった。

宿から堺に使いを送ると、翌日にはモニカ春子が姪の絹子をつれてきた。駕籠《かご》をつらね供を従えての道中で、旅籠の前には大勢の見物人が集まっていた。

五人はまず広間で顔合わせをし、小間の茶室に移った。

絹子は清楚で控え目な娘だった。面長のおだやかな顔立ちをして、伏し目がちに話を聞いているばかりだが、芯の強さと頭の良さが感じられる。こんな娘が久蔵の嫁になってくれるならと、等伯は妙に張り切って点前をつとめると言い出した。

「これでも利休宗匠の直弟子だ。正式にお濃茶から始めよう」

濃茶は客がひとつの茶碗を回し飲みする。神水《しんすい》の誓いにならったとも、カソリックの聖杯の影響を受けたともいわれる作法である。

それが久蔵と絹子を結びつけるきっかけになればと、等伯は心中ひそかに企《たくら》んでいた。

見合いは大成功だった。久蔵と絹子はすっかり打ち解け、縁組みに異存はないというところまで話が進んだ。

久蔵が幼い頃に堺で暮らしていたことや、絹子が日本ばかりかヨーロッパの絵まで学んでいることが、二人の間柄を親しいものにしたのだった。

「良かったですね。いいお方で」

その夜寝間《ねま》に入ると、清子がしみじみとつぶやいた。

「男は女房をもって一人前だ。久蔵の絵もこれから変わるだろう」

「どことなく静子さんに似ていますね」

「そうか。そうは思わなかったが」

等伯は下手な気遣いをした。実はひと目見た時からそう感じたが、清子に言うのを遠慮していたのである。

「春子さんはちゃんと見ていてくれたのですよ。お前さまはいろいろと難癖《なんくせ》をつけておられましたが」

「難癖なんかつけておるまい。春子さんなら大丈夫だと言ったではないか」

「つけましたよ。十九にもなって独身《ひとりみ》はおかしいとか、宗旨がちがうからどうとか、バテレン追

放令が解かれたとはいえ安心できないとか」

清子は容赦がない。それも久蔵の幸せを願う一念からだと分っているので、等伯は機嫌よく批判にさらされているのだった。

翌日は三人で大坂見物をした。秀吉がきずいた大坂城を遠目にながめたり、船場《せんば》の町をめぐったり、安井道頓《どうとん》が進めている堀の掘削を見学したりした。

大坂の町は活気にあふれていて、店棚には珍らしい商品が山のように並んでいる。それを物色したり冷やかしたりして歩くのは、京都とは一味ちがった楽しみである。

こうして親子三人で歩くのは初めてなので、気持はいっそう浮き立っていた。

翌日の五月五日。端午の節句に久蔵は肥前名護屋に向かう船に乗った。

「今度戻ったら祝言だ。楽しみにしているからな」

等伯と清子は、八軒家の船着場まで見送りに行った。

「よろしくお願いします。九月頃には戻れると思いますから」

久蔵は船縁から身を乗り出して手を振った。大型の船には、真新しい木綿《もめん》の帆が張ってある。その白さが五月の青空に映えて、目にしみるほど美しかった。

京都にもどった等伯は大徳寺の三玄院の門を叩き、もう一度春屋宗園のもとで禅の修行にはげむことにした。

これからは本格的に水墨画に取り組みたい。そのためには参禅して新たな境地を切りひらかなければ駄目だと思った。

「はっきり言うが、お前には無理だ」

宗園は手厳しかった。

「どうしてでしょうか」

「胸の奥底に熱い火が燃えさかっておる。それを消すことはできぬし、消せばいいというものでもない」

それでも昔の好《よし》みだからと、参禅を許してくれた。等伯はその日から禅堂に入り、一日二刻《ふたとき》座禅を組んで心を空にしようとつとめた。

ゆがみのない鏡が物事を正しく写すように、真に見たままを写し取るには心が空でなければならない。描きたいという欲を捨てて描く。目ざしたのはその境地だった。

五月の中頃になって梅雨も本降りになった頃、等伯は大徳寺の三門の側で四十がらみの僧と行き合った。

どこかで会った覚えがある。そう思って足を止めると、相手も笠の庇を上げてじっとこちらを見つめている。頬のそげ落ちた枯れたような顔立ちだった。

「もしや、畠山修理大夫《しゅりのだいぶ》さまではございませんか」

「そうです。そちらは長谷川等伯さまですね」

能登の大守畠山義綱。夕姫の父である。七尾を出る前に越中の楡原《にれはら》村で対面して以来だった。

「そのお姿は、ご出家なされたのでしょうか」

「思うところあって、一月ほど前に興臨院《こうりんいん》で得度《とくど》を受けました。よろしければお茶でも」

かつての主君とは思えない丁重さで、興臨院の僧坊に案内した。今は前田家の菩提寺になっているが、昔の縁を頼って入山したという。

「娘の夕が死んだと聞き、畠山家の再興はきっぱりと諦めました。私が未練に引きずられて決断できなかったばかりに、娘ばかりか多くの家臣たちを死なせてしまいました」

「夕姫さまは琵琶湖で亡くなられたと聞きましたが」

「そうです。高島の沖でのことでした」

「七尾にもどろうとしておられたのでしょうか」

「余呉浦《よごのうら》に向かっていたのです。お伽《とぎ》衆に取り立てられたと私に伝えようとして、途中で命を落としました」

義綱が無念そうに顔をゆがめた。

「船の事故で亡くなられたとうかがいましたが」

「殺されたのです。船の事故に見せかけて」

「それは……、もしや」

「石田治部の仕業です。さんざん夕を利用しておきながら、都合が悪くなると手の者に命じて口を封じたのです」

夕姫は畠山家をお伽衆に取り立ててもらうために、数年前から石田三成に接近していた。

そんな時、三成と千利休の対立が起こった。三成から利休を追い落とす口実をさがせと求められた夕姫は、等伯をだまして利休の添え状を受け取り、三成に渡した。

その中にあった「今は世渡る技と成り果て候」という一文に秀吉が激怒し、切腹を命じる理由のひとつになった。

ところが鶴松が死んで状勢が一変したために、三成はこの工作をもみ消す必要に迫られた。

そのことを知った夕姫は、奥村武之丞を張本人としてさし出し、三成の窮地を救った。三成はそのお礼に、畠山家をお伽衆に取り立てるよう尽力するという一札《いっさつ》を夕姫に渡した。

武之丞が「書き付けまで下された」と言ったのはこのことだった。

「ところが治部には約束を守る気などありませんでした。のらりくらりと引き延ばしているうちに、夕から脅迫まがいのことを言われ、口を封じるために命を奪ったのです」

やり方は巧妙だった。畠山家をお伽衆に取り立てることが決ったので、義綱を上洛させておくようにと伝えた。そうして迎えの使者という名目で、夕姫に石田家の家臣四人を同行させ、余呉浦に向かった。

その途中に四人は夕姫と侍女の初音を乗せて高島から船を出し、琵琶湖に突き落として事故死に見せかけたのだった。

「夕が三百両を送ってきた時、無理に無理を重ねていることに気付くべきでした。しかし没落した家を再興したいという思いを断ち切れず、こんな結果を招いてしまったのです」

「しかし、修理大夫……、いえ、お坊さまは、どうしてそのことをご存知なのでしょうか」

「古渓宗陳さまにうかがいました。夕は宗陳さまにだけは、何もかも話していたのです」

宗陳も滅亡した朝倉家の出身である。しかも三成と対立して流罪にされたり、利休を庇って秀

吉の使者の前で腹を切ろうとした硬骨漢である。

夕姫はそうした生き様に敬服し、宗陳にだけは心を許していたのだった。

「長谷川さまから六百両もの大金をだまし取ったことや、武之丞に罪を負わせたことも聞きました。夕は泣きながら宗陳さまに懺悔《ざんげ》したそうです。お許し下さいとは申しませんが、そうした心を持っていたことだけは分ってやって下さい」

「分ります。分ってますとも」

等伯は哀れさに泣きたくなった。夕姫も時代の激流に翻弄され、泳ぎきろうと必死であがきつづけた一人だった。

「七尾に戻って下されたそうですね」

「青柏祭に行きました。見事な山車が出て、街は活気にあふれていました」

「七尾城は取り壊されたと聞きましたが」

「ええ。そのようでした」

石垣だけの廃墟になったとは言えなかった。

「いいのです。私も父も子供たちも、あの城で筆舌に尽くしがたい苦しみや悲しみを味わいました。きれいさっぱり無くなってくれた方が、どれほど気が楽か知れません」

義続、義綱父子が城から追放されたばかりではない。義綱の嫡男義慶《よしのり》が重臣七人衆に擁されて城主になったが、天正二年（一五七四）に弱冠二十歳で暗殺された。

その跡を継いだ次男義隆も二年後に同じく二十歳で暗殺された。代わりに擁立された義隆の子

春王丸も、わずか一年で殺される運命をたどった。

　夕姫が何としてでも畠山家を支えようとしたのは、実家の惨状を見かねたからかもしれなかった。

「こうした不幸にみまわれるのは、宿世《すくせ》の因縁があってのことかもしれません。それゆえ私は仏門に入り、この因縁を断ち切って子孫の息災をはかりたいと思ったのです」

「それでは、畠山家は」

「弟の義春に託します。以前は上杉謙信公に庇護《ひご》されていましたが、意見が合わずに出奔いたしました。今は秀吉公に三百石で召し抱えられ、肥前の名護屋城に出仕しております」

　義綱は軽く会釈し、これから禅堂に行くと席を立った。かつては大守とあがめられた身でありながら、一介の僧となって修行に打ち込んでいるのだった。


　京都の初夏は蒸し暑い。湿度の高い肌にまとわりつくような空気が夜になっても冷《さ》めない上に、陽に焼けた地面がいつまでも熱いので下から炙《あぶ》られるようである。

　寝苦しいせいか、長谷川等伯は悪夢にうなされていた。

　船に乗って琵琶湖を渡っている。朝なのか夕方なのか、湖面は深い霧におおわれている。白い闇に踏み迷い、行き先も分らなくなっていた。

　船の客は一人である。艪《ろ》をこぐ者もいないのに、船は音もなく進んでいる。どうしてこんな船に乗ったのかと悔やんでいると、前方にぼんやりと人影が立った。

頭を白布で包み白装束を着た女が、うつむいたままますすり泣きに泣いている。それが夕姫だと分り、等伯は声をかけずにはいられなかった。

「どうなされました。何を悲しんでおられるのです」

返事はなかった。あれは亡霊だと気付いたものの、見過ごすことができずにいっそう近付いていく。すると突然強い風が吹いて、女の頭を包んだ白布を吹き飛ばした。

長い黒髪がはらりと舞い、夕姫の顔があらわになった。蒼白の顔を哀しげに伏せているが、真っ赤な目で等伯をにらんでいる。

「お恨み申します。お恨み申しまする」

呪文《じゅもん》のようにくり返すたびに、湖の底に引きずり込まれそうになった。船縁にしがみついて必死にあらがうものの、妖しい力に体ごと鷲《わし》づかみにされて引きはがされそうになる。

「お許し下され。成仏なされて下されませ」

手足を突っ張って必死にもがいているうちに、等伯ははっと目をさました。

まだ真夜中であたりは寝静まっている。小雨が降っているらしく、かすかに庇を叩く音がする。首筋にびっしょりと汗をかき、夜着が肌にへばりつくほど濡れていた。

側には清子と新之丞と久太郎が、小の字になって眠っていた。清子を真ん中にして左右からしがみつくようにしている。

等伯は上体を起こして汗をふき、これはいったいどうしたことだと思った。近頃こんな夢ばかり見る。悪いことが起こる前兆ではないかと不安はつのるばかりだった。

六月十日、等伯は思いきって神泉苑をたずねた。ここの境内には善女竜王を祀る神社があり、巫女《みこ》の夢解《ゆめと》きがよく当たると評判になっている。そこで近頃の夢見について占ってもらうことにした。

年老いた巫女は何も聞かずに等伯を神棚の前に座らせ、しばらく祈りをささげてから、

「主家の姫君が夢枕に立っておられるようですね」

等伯の気がかりをぴたりと言い当てた。

「それはどんな意味があるのでしょうか」

「身内に災いが迫っています。姫君はそれを知らせようとしておられるのです」

等伯のために告げようとしているのだが、亡魂が執着に引きずられているためにそうした現れ方しかできないという。

「み、身内とは」

「遠くに行っている息子さんです。災いは間近に迫っています」

「どうすれば避けられるでしょうか」

「善女竜王さまの護符をとどけなさい。そうすればお守り下さるでしょう」

等伯は金襴《きんらん》の袋に入った護符を三つも買い、弟子の新左衛門に名護屋城にいる久蔵にとどけるように頼んだ。元は狩野家にいたが、久蔵を慕って了頓図子の店について来た若者だった。

「詳しいことはこの文に書いてある。今日にも発って肥前に向かってくれ」

「しかし、妙光寺の仕事が」

「あれは他の者にやらせる。これはお前にしか頼めないのだ」

費用はいくらかかっても構わないと手形を渡し、その日のうちに大坂行きの船に乗せた。

片道七日、往復十四日。向こうで三日を過ごしても十七日ではもどれるだろう。そう心積もりをして待ったが、六月末になっても新左衛門はもどらなかった。

(やはり何かあったのか)

不吉な予感にさいなまれ、店に人が入ってくるたびに腰を浮かした。

「どうしました。妙にそわそわして」

帳場に座った清子が、目ざとく気付いて問い詰めた。

「いや、何でもない」

迷信だと笑われそうな気がして、等伯は何も話さなかった。

六月末日は夏越《なごし》の祓《はらえ》である。身にふりつもった半年の穢《けが》れをはらい、一年の後半を健《すこ》やかに迎えるための年中行事だった。

翌朝、等伯は新左衛門の足音を聞いた気がした。身軽で大股の特徴のある歩き方なのでそれと分る。こんなに朝早く着くはずがないと思ったが、表に出ずにはいられなかった。

「師匠、どうかなされましたか」

打ち水をしていた弟子がたずねた。

「何でもない。天気はどうかと思ってな」

「心配ありません。今日も暑くなりそうです」

これから祇園祭までは猛暑がつづく。晴れるよりはひと雨来てもらいたい陽気だった。

正午過ぎに再び新左衛門の足音が聞こえた。表には大勢が行き交っている。話し声もかまびすしい。この喧噪《けんそう》の中で聞き分けられるはずがあるまいと気持をおさえていると、

「お前さん、新左衛門さんが」

清子が取り乱した声を上げた。

等伯はどきりとして店に出た。新左衛門は髪をふり乱し、着物まで汗だくになって土間に倒れ込んでいた。

「水だ。水を持って来い」

清子に言いつけ、新左衛門を抱き起こして長床几に座らせた。

「し、師匠……」

新左衛門は何か言おうとあえいだが、炎天下を走り通してきたために、息が上がって声を出すことができなかった。

「これを飲め。気を落ちつけて、ゆっくりと話せ」

等伯は茶碗の水を飲ませてやった。不吉な予感に手が震え、半分ばかりが口の外に流れ落ちた。

「わ、若師匠が」

「久蔵がどうした。何かあったか」

「若師匠が、仕事中に」

新左衛門は土間に突っ伏し、自分が間に合わなかったからだと泣き始めた。

店に入ってきた客や道行く者が、何事かと遠巻きにしている。等伯は新左衛門を荒々しく引き起こし、奥の居間に連れていった。

「落ち着け。久蔵が仕事中にどうしたのだ」

「足場が……、足場がくずれて、帰らぬ人になられたのでございます」

「そんなはずがあるか。久蔵の持ち場は」

御座の間と大広間である。足場から落ちたくらいで死ぬはずがなかった。

「ところが急に天守閣の外壁の絵を描くように命じられ、狩野派とともに仕事をしておられたそうでございます」

新左衛門がようやく落ち着きを取りもどし、涙ながらにいきさつを語った。

秀吉は名護屋城の天守閣の外壁には絵を描かせていなかった。朝鮮出兵にあわせて急いできずいたために、そこまで手が回らなかったのである。

ところが朝鮮で和議が進み、明皇帝の使者が名護屋城をおとずれることになった。

これは小西行長らが明の将軍沈惟敬とはかり、早く戦争を終らせるために仕組んだことだが、そうとは知らない秀吉は己れの威信を示そうと天守閣の外壁に龍の絵を描くように命じた。

古来中国では龍は皇帝の象徴とされている。そこで自分も日本の皇帝であることを示そうと、五層目の外壁を群青色にぬり、黄金の龍をぐるりと巡らせることにした。

「初めは狩野家だけで進めておりましたが、人手が足りないので若師匠たちも加勢することになったそうでございます」

外壁を群青色にぬるには大量の岩絵具が必要で、それを調達するだけでも時間がかかる。しかも天守五層に足場を組んでの作業は難かしく、仕事は遅れがちになった。

五月十五日に小西行長と石田三成が明使二人をつれて名護屋城に着いた。

その時には予定の半分も出来上がっていなかったが、秀吉は天守の絵に固執し、明使が帰国するまでに仕上げよと厳命した。

「地の群青をぬることは弟子たちにもできますが、金の龍を描く仕事は若師匠と狩野光信さまにしかできません。そこで二人で持場を決めてやっておられましたが、六月十五日に若師匠の足場が突然くずれたのでございます」

「足場が、どうして急にくずれたのだ」

等伯は衝撃のあまり意識が遠のきそうになった。

「分りません。高い所なので、念には念を入れて組み上げたそうですが」

「材木は何を使った。結びの綱は麻入りを用いただろうな」

「材木が調達できませんでしたので竹を用いましたが、強さに問題はなかったそうです。綱は棕《しゅ》櫚《ろ》をまぜてない上げたもので、何人が乗っても切れないように二重三重に巻いたそうです」

新左衛門が名護屋に着いたのは事故の二日後だった。久蔵が死んだと聞いて動転したが、一緒に行った弟子たちから懸命に様子を聞き取ったのである。

「それほど頑丈にしていたのに、なぜ足場がくずれたのだ」

「分りません。分りませんが、誰かが綱に切れ目を入れたのではないかと言う者もおります」

「久蔵が落ちるように仕組んだということか」

「そうでもしなければ、足場がくずれるはずがないと言うのです。若師匠が事故にあわれる前夜に、何者かが足場に上がっていたのを見たと言う者もおります」

「まさか、狩野が」

怖ろしい疑念が等伯の脳裡で渦を巻いた。

「証拠はありませんが、現場では狩野との行きちがいがたびたびあったそうでございます」

「それなら何ゆえ奉行衆に訴えぬ。綱に切れ目が入れてあるかどうか、調べればすぐに分るはずではないか」

「ところが狩野宗光さまが、明使に見苦しい所を見せるわけにはいかぬと、すぐに片付けるようにお命じになったのでございます」

「宗光が……、あの男が名護屋にいるのか」

「光信さまの補佐役として来ておられました。我らはきちんと調べるように求めましたが、石田治部さまのお申し付けだと押し切られたのでございます」

久蔵の遺体もすぐに城外に運び出し、茶毘《だび》にふしたという。

「形見としてこれを預かって参りました。このようなことになり、お詫びの言葉もございません」

新左衛門が紙の包みを差し出した。中には茶毘にふされる前に切り取った髻《もとどり》が入っていた。

等伯はじっとそれに見入った。手に取れば久蔵の死を認めるようで耐えがたい。だが目をそら

すこともできず、体を固くして向き合っていた。

「何かあったのでございますか」

新左衛門が出て行くのを待って、清子が様子をうかがいに来た。

等伯にはその声が聞こえなかった。頭を強打されたような衝撃に、耳がつんと詰っていた。

「お前さま、これはどういうことですか」

清子が髻を見て顔色を変えた。

「久蔵が……」

ふいに哀しみが突き上げて言葉にならなかった。

等伯は泣くまいと拳を握りしめ、耐えがたい思いに身をよじった。

「亡くなられたのですか。これは久蔵さんの形見なのですね」

「名護屋城の足場から落ちたそうだ。新左衛門はそれを知らせにもどったのだ」

「それなら後の始末もあるでしょう。すぐに肥前に行って、事情を確かめてきて下さい」

清子は気丈なことを言い、旅仕度にかかろうとした。

「もう荼毘にふしたそうだ。足場も片付けられて、原因を調べることもできないらしい」

「だからそれを、お前さまが確かめてくるべきだと申し上げているのです。だって父親じゃありませんか。百里でも千里でも駆けつけなければ、久蔵さんが可哀想です」

清子は目を吊り上げて喰ってかかり、その場に突っ伏して泣き始めた。

「そうだな。その通りだ」

等伯は気を取り直し、名護屋城に出かける仕度を始めた。

その直後に、旅装束の二人がたずねてきた。いずれも四十がらみの見知らぬ武士だった。

「それがしは浅野弾正どの家中の黒江兵部と申す。長谷川等伯どのでござろうか」

「そうですが」

「ご子息の件で使いを命じられ、肥前から参り申した」

浅野弾正長政は名護屋城の造営奉行をつとめている。兵部らはその使いで来たという。

「ご子息久蔵どのは、去る六月十五日に足場から転落してご他界なされました。遠方のことゆえ現地で茶毘にふし、こうして持参した次第でござる」

お納めいただきたいと、遺骨を入れた壺の包みをさし出した。大柄な久蔵には不似合いな小さな壺だった。

「たったこれだけですか」

「本人の過失による事故ゆえ、本来なら捨ておくところでござる。しかし太閤殿下が目をかけておられた方ゆえ、わが殿が特別の計らいをなされたのじゃ」

「足場から落ちたとおおせられたな」

「さよう」

「当家の者は足場がくずれたと知らせて参りましたが」

「それは……」

兵部は陽焼けした顔に動揺の色を浮かべ、足場がくずれたから落ちたのだと言いつくろった。

「それなら悴の過失ではありますまい。足場を組んだ者の責任でござる」

「組んだのは長谷川家の者でござる。棟梁《とうりょう》である久蔵どのの責任はまぬかれません」

それゆえ名護屋城の仕事から長谷川家をはずす。処罰を受けなかっただけ有難いと思えと、兵部らは威丈高に告げて立ち去った。

等伯は青い布に包んだ小さな壺を仏壇におさめ、しばらく茫然としていた。静子の命日は六月十二日である。その三日後に久蔵まで逝《い》ってしまうとは思ってもいなかった。

「お前さま。このまま済ますつもりですか」

清子がいつの間にか横に座っていた。

「聞いたのか」

「ええ。あの兵部という方は嘘をついておられます」

「しかし、それを確かめる術《すべ》がない」

「手立てならあります。油屋の叔父に頼めばいいのです」

豪商油屋は探索方をかかえている。いつぞや夕姫の行状をすみずみまで洗い出した凄腕の者たちだった。

「そうだな。悪いがそうしてくれ」

頼んでからわずか半月で、探索方の者たちは真相をつかんできた。

何人かは名護屋城に出向き、別の者は畿内に引き上げてきた絵師たちにさぐりを入れ、足場の綱を切った者がいるという証言を得た。

狩野の弟子たちは口をつぐんでいたが、周旋屋《しゅうせんや》を通じて現場に回された者の中には、狩野派のやり口に憤《いきどお》っている者も多かった。

「ただし、公《おおやけ》の場に出て証言をするわけにはいかないと申しております」

探索方の頭が告げた。狩野派ににらまれたなら、畿内で仕事をすることができなくなるからだった。

数日の間思い悩んだ末に、等伯は京都奉行の前田玄以をたずね、事の真相を明らかにするにはどうしたらいいか相談することにした。

玄以には秀以《ひでもち》、茂勝、正勝という三人の息子がいる。秀以はすでに元服しているが、下の二人はまだ幼いので、軒先に願い事を書いた五色の短冊を下げている。芸事が上達するように願う七夕の風習だった。

玄以はすぐに対面に応じ、久蔵のことは聞いていると言った。

「浅野どのから知らせをいただきました。さぞお力落としのことと、お察し申し上げます」

「浅野さまから、どのような知らせがあったのでございましょうか」

等伯はいきなりそう切り出した。すべてが仇のように思われて、玄以の胸中をおもんぱかる余裕を失っていた。

「名護屋城の天守で、足場がくずれて転落したと聞きました。明使をもてなすための急な仕事であったとか」

「当方にもそのような知らせがあり、事故は久蔵の過失によって起こったことゆえ、この仕事か

ら長谷川をはずすとお達しがありました。しかしこれは、久蔵をつぶすために何者かが仕組んだことなのです」

等伯は新左衛門から聞いたことをすべて伝え、真相を突きとめるにはどうすればいいか教えていただきたいと言った。

「つまり貴殿は、狩野がやったと考えておられるのですね」

玄以はあからさまに顔をしかめた。

「この数年、我らが狩野と争ってきたことは前田さまもご存知でございましょう。そして我らは狩野に勝ち、天下一と評されるようになりました。それを憎んだ狩野が久蔵を殺し、石田治部に頼んでもみ消しをはかったにちがいありません」

「ご無念はよく分りますが、証拠もないのに滅多《めった》なことを口にするものではありません。そうでなくても、今は難しい時期なのですから」

「証拠がなかったわけではありません。事故のあとにすべてを片付け、真相を分らなくしたのです。くずれた足場を調べたなら、綱を刃物で切ったことが分ったはずです」

「すぐに片付けたのは、見苦しい所を明使に見せないようにするためだそうです。たとえ何があろうと、受け持ちの現場で事故を起こしたなら責任はまぬかれません。それが武士の掟《おきて》だとは、よくご存知のはずです」

「狩野はそこまで読んで、こんなことを仕出かしたのです。太閤殿下のお膝元で不正が行なわれたのに、見て見ぬふりをしろとおおせですか」

「たとえ誰かが綱を切ったとしても、それが狩野の仕業《しわざ》だとどうやって証明するのですか」

「狩野は私を永徳どのの仇だと思っております。永徳どのの弔問におとずれた時、狩野宗光は仇呼ばわりして敷居もまたがせませんでした。その宗光が名護屋の現場で指揮をとっているのです」

この間狩野松栄を見舞った時、早く狩野と和解するように松栄がしきりに勧めた。あれはこうしたことが起こるのではないかと案じていたからにちがいない。等伯はせり上がる悔しさに胸を叩き、涙を流しながら訴えた。

「長谷川さま、私にも三人の息子がおります」

これも比叡山焼討ちの時に助けていただいたお陰だと、玄以はなだめるように語り出した。

「それゆえ久蔵どのを亡くされたご心痛はよく分ります。されど先程も申し上げたように、今はその問題に触れられる状況ではないのです」

「なぜです。明使が来ているからですか」

「朝鮮への出兵は大きく頓挫しております。十五万の軍勢は一年の間に半数近くになり、大名たちは出兵の負担に耐えかねております。太閤殿下の威信は大きく傷つき、政権の存続さえ危うくなりかねない状況なのです」

それゆえ殿下は威信の回復に躍起になっておられると、玄以はあたりに人がいないことを確かめてささやいた。

秀吉軍がかくも兵力を失ったのは、戦傷者や凍死者が続出したからばかりではない。異国での

戦いに堪えかねた将兵が集団で逃げ出したり、朝鮮側に投降したからである。

朝鮮ではこれを降倭《こうわ》と呼んで手厚く保護し、戦いの最前線に投入したのだった。

「もし狩野や治部どのが名護屋城でそうした陰謀をめぐらしていたことが明らかになれば、太閤殿下の体面にかかわります。事故の調査を願い出ただけでも、厳しい処罰を受けるでしょう」

「石田治部は利休宗匠を無実の罪におとしいれ、朝鮮出兵を強行した張本人です。出兵が失敗だと分ったのなら、治部に責任を取らせればいいではありませんか」

「殿下はすでに関白職を秀次公にゆずっておられます。出兵が失敗だったと公にしたなら、責任をとって隠居せざるを得ない立場に追い込まれるでしょう。それを避けるために、治部どのに命じて明国との講和を急がせておられるのです」

実は小西行長と沈惟敬の謀計《ぼうけい》は石田三成も承知していた。だがこれ以上傷を負わないうちに講和に持ち込めるならと、あえてこの工作に乗ったのである。

そして秀吉は、有利な条件で明と講和することができるという三成の言葉に、今や自分の命運を賭けているのだった。

「それに殿下が治部どのを処罰できない理由がもうひとつあるのです」

「何です。ご自分の跡継ぎにでもなさるつもりですか」

「そう。その跡継ぎですよ」

実は淀殿が懐妊し、八月に出産の予定である。玄以は皮肉な笑みを浮かべ、己れを戒めるように口を押さえた。

「淀殿は強運に恵まれたお方ですから、目出たくお世継ぎを上げられましょう。さすれば鶴松君ご存命の頃のように、治部どのや浅井家ゆかりの者たちが権力を握ることになります」

「それゆえ治部には逆らえぬと申されますか」

「さよう。権力とはそのようなものです」

玄以が冷ややかなのは、三成や近江官僚派に対する反感ばかりではなかった。この時期に淀殿が身ごもったことに大きな疑念を抱いていたのである。

疑いは鶴松の時でさえあった。秀吉には子種がないので、あれは実子ではない。そんな噂が流れたと、ルイス・フロイスは伝えている。

「彼には唯一人の息子がいるだけであったが、多くの者は、もとより彼には子種がなく、子供をつくる体質を欠いているから、その息子は彼の子供ではない、と密かに信じていた」（フロイス『日本史』中公文庫版）

この時には秀吉は「馬鹿を申すな」と一蹴したが、今度はもっと条件が悪かった。

八月が出産予定なら、子が宿ったのは昨年の十月前後のはずである。しかしその頃には秀吉は名護屋城にいて多忙をきわめ、同衾《どうきん》する機会はほとんどなかった。

しかし、淀殿が不義の子を身ごもったと見るのは早計である。大坂城の奥御殿は厳重な監視下におかれ、誰かと密通することなど不可能である。

だとすれば考えられるのは、秀吉も了解した上で誰かの種をいただいたということだ。そうして世継ぎをもうけることが、朝鮮出兵に失敗して窮地におちいった秀吉の唯一の挽回策だったの

である。

むろん大坂城の深窓《しんそう》ひそかに行なわれたことゆえ、何が真実かは分らない。だがフロイスが記したような噂が鶴松の時よりもっと広く世間に流布し、秀吉の権威が地に堕ちたのはまぎれもない事実である。

秀吉はこの醜聞《しゅうぶん》に追い詰められ、心の余裕を失い、依怙地《いこじ》で強権的になっている。それゆえ等伯のような訴えをしようものなら、即座に打ち首にされるだろう。それが老練な官吏になった玄以の判断だった。

しかし、ここで引き退がっては久蔵が浮かばれない。何とか真相を突き止める手立てはないかと思い巡らしていると、狩野宗光が名護屋から戻ったという知らせが入った。

等伯はさっそく新左衛門に宗光の様子をさぐらせた。狩野家には相弟子だった者たちが多く残っているので、宗光の動きを突き止めるのにさして日数《ひかず》はかからなかった。

「宗光さまは時々、亡き総帥の墓参に妙覚寺をたずねておられます。しかしこれは表向きの理由で、安楽《あんらく》小路の別宅に側女《そばめ》を囲っておられるそうでございます」

次にそこを訪ねるのは、永徳の月命日の十四日だということまで調べ上げていた。

「通いか、泊りか」

等伯の胸が怒りに赤々と燃え立った。

「昼過ぎに訪ねて、夕方にはもどられるようでございます」

その日を待ち、等伯は安楽小路をたずねた。移転した本法寺の近くで、小路の突き当たりに妙

覚寺の高い塀がそびえている。宗光の別邸は、昔細川家の屋敷があったあたりだった。数寄屋風のわびた住居《すまい》だが、門や塀の作りからも金と手間をかけていることがうかがえる。狩野家からの給金だけで維持できる屋敷ではなかった。

「半刻ほど前に入られました」

見張りに当たっていた新左衛門が告げた。

「供は」

「三人おりましたが、先に帰されました。今は側女と侍女だけだと思われます」

門扉は固く閉ざされていた。くぐり戸にも内側から止め金がしてある。等伯は竹筆をけずる時に使う細身の小刀《こがたな》を取り出し、戸の隙間にさし入れて止め金をはずした。

「一人で行く。お前は先に帰っていろ」

左右に椿の生け垣のある道を通って玄関先まで行くと、家の中から子供の笑い声が聞こえてきた。戸を細目にあけてのぞくと、宗光が馬になり三歳ばかりの息子を背中に乗せている。

息子は嬉しさに有頂天になり、もっともっとと体をゆらして宗光を責めていた。

「そんな手荒うしたら、父《たあ》さまがお困りやすやろ。いい加減にしときやす」

三十半ばの柳腰の女が、息子を宗光の背中から引きはがそうとした。

等伯はぐっと胸が詰まり、このまま引き返そうかと思った。この平穏な家庭に踏み込んで修羅を演じたくはない。そう思い直した時、偶然にも四つん這いになった宗光と目が合った。

宗光の目に怯《おび》えが走った。隙間からのぞく目を見ただけで等伯と分り、罪の意識に恐れおのの

いたのだった。

（やはり、こいつか）

等伯は槍を取った武士の面構えになり、ゆっくりと戸を引き開けた。

「宗光どの、ご無礼申し上げる」

許しもなく上がり込み、宗光の前にどかりと座り込んだ。

「な、何事だ。ここは私の……」

「人目を忍ぶ家だと聞き申した。それゆえ内々の話をするにはうって付けと存ずる」

不穏な気配におびえた側女が、息子を抱いて逃げるように立ち去った。

「元気なお子だ。三つになられるようですな」

久蔵にもあのような頃があったと、等伯はおだやかな態度を保とうとした。

「跡継ぎが無事に成長し、先の希望を託していた時に、無残に命を断たれ申した。その無念はお分りでござろう」

「あ、あれは事故だ。我らの責任ではない」

「そうではないと申す者がおるゆえ、こうして詮議《せんぎ》に参った。この手をお貸しいただこう」

等伯はいきなり左手を伸ばし、宗光の左手をつかんだ。そうして畳の上に押さえつけ、右手で懐の小刀を取り出して鞘を払った。

「な、何をする」

宗光は手を引っこめようとしたが、等伯の力にはかなわなかった。

「貴殿ばかりを傷付けるつもりはござらぬ。この手ごと刺し貫き、話を聞かせていただく所存。それでも否《いな》と言い張るなら、利《き》き手の指を一本ずつ切り落とし、話す決心をしてもらうまでじゃ」

「待て。そんなことをしてただで済むと思っているのか」

「思ってはおりませぬ。貴殿が最後まで白《しら》を切り通すなら、お命をいただいた上で庭先を拝借つかまつる」

武家の生まれらしい峻烈《しゅんれつ》な覚悟を見せつけた上で、等伯はゆっくりと細身の小刀をふり上げた。

「ま、待ってくれ。あ、あ、あれは裏狩野がやったことだ。わしは一切手を下しておらん」

宗光が恐怖によだれをたらし、許してくれと畳に額をすりつけた。

「裏狩野とは、聞かぬ名だな」

「内々にそう呼ばれているだけだ。表に出せない交渉や工作をする」

狩野家は初代正信以来、百五十年ちかく幕府や朝廷の御用絵師の地位を独占してきた。

四代にわたって優れた絵師を輩出し、技術や技法を伝えてきたことは事実だが、それだけでこの地位を守りきれるものではない。

朝廷や時の権力者に取り入るためには、表に出せない工作も必要である。台頭してくる競争相手をいち早くつぶしたり、一門の不祥事をもみ消したり、他派からの脅迫や攻撃にも対処しなければならない。

それは当主に直属した者たちが受け持っているが、誰がそうなのかは弟子たちでさえ知らなかった。そのために裏狩野とか忍び狩野と呼ばれていたのである。

「その者たちが足場の綱を切り、久蔵を転落させたのだな」

「わしは早く片付けて証拠を消せと命じられただけだ。そんな企てがあることさえ知らなかった」

「ならばそのいきさつを、念書にしてもらおう。矢立てと紙はここにある」

「そんなことをすれば狩野で生きていけなくなる。それだけは勘弁してくれ」

「人の息子を奪っておいて、自分だけぬくぬくと暮らすつもりか」

等伯はそう叫びざま、重ねた手の甲に小刀を突き立てた。

宗光は激痛のあまり絶叫したが、等伯はうめき声ひとつもらさなかった。

「さあ言え。念書を書くか、右手の指をさし出すか」

「待ってくれ。足場の竹は二の丸の物置きにまだ取ってある。それには綱を切る時につけた傷が残っている。調べればただの事故ではなかったことが分るはずだ」

だから自分の名前を出すことだけは勘弁してくれと、宗光が震えながら許しを乞うた。

等伯は小刀を引き抜き、宗光の右手を押さえつけて小指を切り落とそうとした。

その時、息子が走り寄って宗光にしがみつき、泣きながら等伯をにらみつけた。側女も脇にはいつくばって許してくれと手を合わせた。

等伯は子供の目に射抜かれ、石のように身を固くした。怨《うら》みの業を重ねようとしている自分に

気付き、慄然《りつぜん》としたのだった。

閏《うるう》九月二十日、秀吉は大徳寺の天瑞寺《てんずいじ》で大政所仲《なか》の一周忌の法要をおこなった。

本来なら七月二十二日におこなうべきだが、明使との交渉や朝鮮での戦の対応に追われて帰洛できず、大坂城にもどったのは八月二十五日のことである。

そうして八月三日に生まれたばかりの拾丸《ひろい》（後の秀頼）との対面をはたし、朝廷や諸大名との折衝を片付けて、ようやくこの日の法要にこぎつけたのだった。

等伯も法要への参列を許されていた。

八月五日に祥雲寺でおこなわれた鶴松の三回忌の法要で、寺院に描いた障壁画の説明役をつとめ、公武の要人から賞賛をあびた。それを聞いた秀吉が、生母の法要にも花を添えよと命じたのだった。

秀吉は本堂での盛大な法要を終え、公家や有力大名を方丈の檀那の間にまねいて酒肴をふるまっている。その間等伯は書院に控え、質問があったなら即座に答えられるように待機していた。

広々とした書院には、狩野永徳が気迫のこもった筆で二十四孝図を描いている。天正十六年の作だから、他界する二年前である。その中には等伯が七尾にいた頃から手本にしていた郭巨の図もあった。

さすがは円熟の筆である。手本にしていたものより気品と風格が増し、永徳が到達した美の境地を示していた。

等伯は懐《ふところ》に訴状を忍ばせていた。新左衛門から聞き、宗光に白状させたことを記して、久蔵の死因について調べるように求めたものである。

刃物の傷がついている竹が城内の物置きに保管されているので、それを調べれば単なる事故ではなかったことが分るとも書き添えていた。

狩野派を糾弾《きゅうだん》しようという思いはすでにうすれていた。松栄への恩義や永徳への感謝、それに怨みの業を重ねることへの自戒が、等伯を怒りや復讐心から遠ざけている。

だが久蔵の名誉だけは何としてでも回復してやらなければ、父親としても師匠としても申し訳がなかった。

（今頃清子は、書き置きに気付いているだろう）

秀吉の怒りを買った場合にそなえ、等伯は去り状を残してきた。

清子や子供たちに累《るい》が及ぶのを避けるためだが、事前に何の相談もしていない。去り状を読んだ清子の気持を思うと、申し訳なさに胸が痛んだ。

やがて檀那の間からざわめきが聞こえた。酒宴を終えた賓客たちが、廻り縁を歩いてこちらに向かってくる。

書院の一角には茶道具が用意してあり、秀吉が自ら点前をつとめることにしていた。

等伯は下座に控え、静かに呼吸をととのえてその時を待った。

（提《ひっさ》ぐる　我得具足《わがえぐそく》の　一太刀《ひとつだち》　今此時《いまこのとき》ぞ　天に抛《なげうつ》）

利休の辞世の歌を、呪文のようにくり返した。

やがてふすまが開き、徳川家康、前田利家を先頭に大名たちが入ってきた。五摂家や清華家《せいがけ》の当主たちも、色とりどりの水干を着て後につづいた。

最後に秀吉が石田三成を従えて入ってきた。秀吉は金の桐紋を散らした紺色の大紋をまとい、烏帽子をかぶっている。窮地に追い込まれていると聞いたが、前よりいっそう精気に満ち、これから戦いにのぞむような引き締った顔をしていた。

三成は三十四歳。額が広く眉が秀でた、いかにも有能そうな顔立ちである。だが小柄で骨の細い体付きで、武人としての資質には恵まれていない。その欠点をおぎなうために勉学にはげみ、冷酷非情な権謀術数《けんぼうじゅつすう》を駆使して、今や秀吉の右腕となって天下を動かしていた。

「おう、暴れ者の絵描きもおったか」

秀吉は等伯に気付いて懐しげに声をかけた。

「身まかられた母《かか》も、そちが描いた雀の絵を気に入っておられた。この寺にもあのような絵を描いて、母の無聊《ぶりょう》をなぐさめてくれ」

「有難きおおせ、かたじけのうございます」

「永徳の仕事ぶりはどうじゃ。何と見た」

秀吉が真顔でたずねた。おざなりの返答を許さぬ厳しい目だった。

「構図の確かさといい、孝心の深さをとらえた気品あふれる筆遣いといい、まことに見事な作と拝見いたしました」

「さようか。ならば苦しゅうない。他の絵もじっくりと見て、在りし日の姿を偲ぶがよい」

秀吉は袴の裾をけって向きを変え、点前の席へ急ごうとした。

茶会が始まったなら、二度と近付くことはできなくなる。訴える機会は今しかなかった。

「しばらく、しばらくお待ち下され」

等伯は膝を進め、深々と平伏して呼び止めた。

「名護屋城では倅が不調法をいたし、ご迷惑をおかけいたしました」

「あれは残念なことであった。そちもさぞ力を落としているであろうな」

「足場がくずれたと聞いた時は、修行が足りぬゆえこんな事故を起こすと、倅の未熟に腹が立ちました。ところが後に、倅の過失ではないと伝えてくれた者がいたのでございます」

「ほう。ならばどうして、あのようなことになったのだ」

「倅をおとしいれるために、何者かが仕組んだのでございます」

「誰かが仕組んだだと」

秀吉が顔を強張らせて仁王立ちになった。

「誰の仕業じゃ。申してみよ」

「それは確かならぬことゆえ、申し上げることはできません。ただ、倅の落度で事故が起こったわけではないことは、この書状にしたためてございます」

ご披見《ひけん》の上取り調べていただきたいと、等伯は用意の訴状を差し出した。

「殿下、皆様がお待ちかねでございます」

三成が茶席へいざなおうとしたが、秀吉は腕をふり払って突っぱねた。

「そちの口から申せ。余の城でそのような不埒《ふらち》な企てをしたのは何者じゃ」

「確かならぬことゆえ、ご容赦いただきとうございます」

「ならば何ゆえ、事故のことも胸にしまっておかぬ。余がそちを法要に招き、永徳の絵の案内をさせた理由が分らぬか」

秀吉も等伯と狩野派の確執は知っていて、おおよそのことは察している。だが今は事を荒立てずに時節を待てとそれとなく伝えるために、絵解《えと》きの役に任じたのだった。

「ご憐憫《れんびん》のほどはかたじけなく存じます。されどこの訴状だけは受け取り、ご詮議をいただきとうございます」

「もうよい。下がれ」

武士《もののふ》のたしなみが分る奴だと思っていたが見損なったと、秀吉は点前の席に向かおうとした。

等伯は丹田《たんでん》に力を込め、

「茶は真心で点てるものと、利休宗匠に教わりました」

秀吉が聞き捨てにできない言葉を言い放った。

書院は凍りついたように静まった。

秀吉は利休に濡れ衣をきせ、見せしめのように処刑して朝鮮出兵を強行した。ところが目論見は大きくはずれ、今や敗戦必至の状態になって政権の存続をおびやかしている。

それでも多くの重臣たちは、秀吉の威勢と報復を恐れて本当のことを口にできないでいる。そのさなかに利休の名を出すことは、秀吉に真っ向からたてつくのと同じだった。

「その方、今何と申した」

秀吉が怒りに顔を赤らめ、獰猛《どうもう》な目でにらみつけた。

「真心なければ姿勢正しからず、姿勢正しからずば円満を欠く。宗匠にそう教わりました。それは政《まつりごと》も同じではありませんか」

「絵描き。そこまで言えば後戻りはできぬ。それを分っておろうな」

「どのような処罰を受けても構いません。それゆえこの訴状をお受け取りいただき、事故の原因を明らかにしていただきとうございます」

「そのようなことをうぬに指図されるいわれはない。目ざわりじゃ。早々に引っ立て、牢に押し込めておけ」

三成が素早く動き、等伯の手を背中にねじり上げて書院から連れ出そうとした。

三成の骨張った指は、ぞっとするほど冷たい。暗がりで蛇にからみつかれたようだという夕姫の言葉を思い出し、等伯は反射的に腕を払った。

さして力を入れたつもりはなかったが、小柄な三成はふり払われた拍子に後ろにふっ飛び、郭巨を描いたふすまにしたたかに頭を打った。

「おのれ、狼藉者が。出会え出会え」

甲高い三成の叫び声に応じて、十人ばかりの警固番が飛び出してきた。武芸に秀でた屈強の者たちだった。

その時、漆黒《しっこく》の僧衣をまとった長身の僧が、二人の供を従えて入ってきた。

「場所柄をわきまえぬ騒々しさやが、いったい何事かな」

近衛前久である。本能寺の変の直後に出家し、龍山《りゅうざん》と名乗っていた。

「この者が太閤殿下の御前で狼藉におよびましたゆえ、かくのごとき次第にございます」

三成が手早くいきさつを語った。

「ほう、それは残念やな」

前久が不服そうに秀吉を見やった。

「龍山公、何かご存念でも」

秀吉はかつて前久の猶子《ゆうし》になり、関白にしてもらっている。今でも前久にだけは一目置いていた。

「明使を迎えるために、豊太閤《ほうたいこう》は伏見に城をきずいておられると聞きましたが」

「さよう。来年の夏には完成いたす」

「実は身共も明使にお立ち寄り願おうと、屋敷の造築にかかっております」

「それでは朝廷でも、ご尽力いただけるのでござるな」

「和議のためなら協力は惜しみません。しかし信春を使えぬとなると、ちと困ったことになります」

「それは何ゆえでござる」

「明使の目にかなうほどの絵を描ける者は、我国には他におりませぬ。新しい客間の絵は信春にと思っておりましたが、ご処罰を受けるとなると、さて、どうしたものやら」

「恐れながら龍山さま」

伏見城の絵は狩野に任せることになっていると、三成が横から進言した。

「それでは用が足りんから言うとんのや。子供は黙っときなはれ」

前久は三成など歯牙にもかけなかった。

「これはしたり。貴公はいたく絵描きの肩を持たれますな」

「豊太閤には見えませぬか。信春の底力が」

「確かにいい絵もあるが、それほどのことは」

「これまで描いた絵のことやない。これから生まれる絵のことを言うてます」

一時の怒りに任せてこの者を処刑するのは、金の卵を産むにわとりを殺すようなものだ。前久は恐れる気色もなく言ってのけた。

「面白い。そこまで言われるなら」

秀吉は青黒い顔をして怒りを呑み込み、この者に底力を出させてみようではないかと言った。

「その絵が余の目にかなったなら、処刑はいたさぬ。さにあらずば、龍山公にもそれなりの責任を取っていただく。それでよろしいか」

「信春、どうや。この勝負、受けてみるか」

「龍山さまさえよろしければ、私に否応はございませぬ」

「ええで。年のせいか近頃は面白いこともない。お前の研鑽ぶりに賭けてみるのも一興や」

そのかわりいつか俺が言ったことを忘れるな。これまで誰も見たことがない絵を描けと、前久

の注文は厳しかった。

期限は来年の夏。伏見城が完成し、秀吉が移徙《わたまし》をする日までと区切られた。

「酒宴の引出《ひきで》にいたす。絵か、絵描きの首をな。皆も楽しみにしておくがよい」

秀吉は客たちに公言し、肩をそびやかして点前の席に向かった。


等伯は翌日から命をかけた一枚に挑むことになった。

七尾にいた頃のように夜明けとともに水垢離《みずごり》をとり、広間にかかげた曼荼羅《まんだら》の前で座禅を組んだ。目を半眼にして呼吸をととのえ、大宇宙の高みで釈迦如来と多宝如来が諸仏に法を説く姿を瞑想《めいそう》し、心が充分に静まってから筆をとる。目ざすべきは描きたいという欲を捨てて描く絵。前久が求めた「これまで誰も見たことがない絵」だった。

かつて前久はこう言ったことがある。

「ええか信春、俺ら政《まつりごと》にたずさわる者《もん》は、信念のために嘘をつく。時には人をだまし、陥れ《おとしい》、裏切ることもある。だが、それでええと思とる訳やない。そやさかい常《とこ》しえの真・善・美を乞《こ》い求め、心の底から打ち震わしてくれるのを待っとんのや」

前久からは見限られたと思っていたが、お前の研鑽ぶりに賭けてみると言ってくれた。その期待に応えるためにも、名利をはなれ心を打ち震わせる一枚を描かなければならなかった。

画題は山水図と決めていた。祥雲寺の書院に描ききれなかった、七尾の海の霧に包まれた情景である。久蔵が「父上ならいつか描ける」と言ってくれた、牧谿とはちがった質感を持つ水墨画

だった。

しかし、どうしたら在りのままを写せるのか分らない。霧に煙りながら、微妙な透明感と奥行きのある空間をどう描いたらいいか、手がかりさえつかめなかった。

（この絵さえ思い通りに仕上がれば）

秀吉を唸《うな》らせるという確信はあるが、何度描いてもどんな工夫をしても、狙った効果は現れなかった。

等伯は次第に家族や弟子たちと一緒にいるのが嫌になった。

おむつが濡れたと言って泣く久太郎や、遊んでくれとまとわりつく新之丞を見ると、頭の中で何かが炸裂《さくれつ》するような苛立ちに駆られる。お茶や食事を運んでくる清子さえうとましい。未熟な弟子たちが一人前の顔をして筆を走らせているのを見ると、仕事場から叩き出したくなった。

清子はこうした変化に敏感だった。

「お前さま、家を出られたらどうですか」

ある夜、子供たちが寝静まってから切り出した。

「本法寺の日通上人に頼んであります。あそこの離れで気がすむまで打ち込んだら、道が開けるかもしれません」

「いいのか」

「お前さまがそんなに苦しんでおられるのに、わたくしたちには何の手助けもできません」

だからせめて重荷にならないようにしたいと、着替えや日用品を詰めた行李《こうり》を差し出した。

翌日、等伯は行李と画材一式を弟子に持たせ、堀川寺の内の本法寺に移った。年の瀬も迫った寒い日である。多宝塔のまわりに植えた楓も葉を落とし、比叡山から吹き下ろす風にさらされていた。

「お待ち申しておりました。さあ、どうぞ」

日通が人なつっこいおだやかな顔で迎えた。

案内した離れは四部屋もあり、居間と仕事場と作業場に分れている。作業場には襖絵を描く時に使う足場まで組んであった。

「いきさつは清子から聞きました。去り状を書いて、直訴なされたそうですね」

「あれにはいつも叱られてばかりです。後先を考えずに勝手なことをすると」

「自分が男なら、あなたと同じことをしたと言っておりました。いい絵を描いて久蔵さんの仇を取ってもらいたいと、私のところに頼みに来たのです」

「よろしくお願いします。めざす所に届かなければ、生きてここを出ない覚悟で参りました」

等伯はその日から作業場に入り、足場に乗って襖絵の制作にかかった。

下絵はすでにできている。祥雲寺の書院に描いた山水図と同じもので、中心は霧にかすんでいく松林とはるか向こうに見える雪山である。

ここさえ思い通りに仕上げれば、今まで誰も見たことがない水墨画になる。意気込んで仕事にかかったが、どうした訳か筆が思うように動かなかった。筋肉が強張り神経が引きつって、動かそうとしても小刻みに震えるばかりだった。

家で描けなかったのは、家族や弟子たちのせいではない。久蔵の死に打ちのめされた心が、絵に関わることを拒否していたのだ。等伯は初めてそのことに気付き、足場の上で愕然《がくぜん》とした。

絵に執着したばかりに、これまで何人もの身内を不幸にしてきた。養父母を自決させ、静子を困窮のはてに死なせ、そして久蔵までも失った。

七尾から都に出たいと望まなければ、今ごろ染物屋を切り盛りし、絵仏師としての信頼も得て、家族と平穏な暮らしをしていただろう。しかし等伯は絵の道での成功を追い求め、他をかえりみようとしなかった。みんなが非業の死をとげたのは、その報いなのである。

等伯の心はそうした思いに凍りつき、筆を動かすことを拒否していた。

（それにも気付かず、清子や子供たちのせいにしていたとは……）

等伯は足場から転がり落ち、畳の上を転々と身悶《みもだ》えした。神経が引きつり、手足が小刻みに痙《けい》攣《れん》したが、自分ではどうすることもできなかった。

その時から等伯は深い穴に落ちた。

気力の背骨が折れ、何をする気も起きなくなった。世の中が意味を失い、薄いもやがかかっている。そうして生きた者たちの横を、死んだ者たちが歩くようになった。

時には静子と養父母が連れ立って通りすぎてゆく。久蔵が柳橋水車図の見本を持って訪ねてきたり、武之丞が両目をつぶされたままさまよっている。

それを少しも不思議と思わないほど、等伯の心はこの世から遠ざかっていた。

どれほどの時間が過ぎたのだろう。一面の雪景色だった境内に梅がつぼみをつけ、桜が満開と

なり、柳がやわらかい緑の葉をつけている。その根方に久蔵が座り、一心に絵筆を動かしていた。

（おお、やってるな）

そう思った瞬間、お題目をとなえる声が聞こえた。

等伯はその声に誘われて寺の本堂に行った。日通が本尊曼荼羅の前で朝の勤行《ごんぎょう》をしていた。

「私も加えていただいていいですか」

等伯は養父母や静子とお勤めをしていた頃のことを思い出した。

「どうぞ。煩悩の薪《たきぎ》を焼いて菩提の慧火《えか》現前すと、日蓮上人も教えておられます」

日通は等伯の胸の中まで見通し、この日が来るのを待っていたのだった。

等伯は子供のような気持になり、ひたすらお題目をとなえた。これほど切実に御仏の手にすがりたいと思ったのは初めてだった。

本尊曼荼羅の前でお題目をとなえるのは如実知見《にょじつちけん》、ありのままの自分と世界を発見するためである。欲や執着によって曇った知見を、妙法蓮華経に帰依することによって磨き上げると、真の自己、真の世界の在り方に気付く。

その実相とは、人はどんな立場や境涯《きょうがい》にあっても本覚の如来と同じだということである。

この悟りに至れば、

「無明の雲晴れて法性の月明《あきら》かに妄想の夢醒《さめ》て本覚の月輪いさぎよく、父母所生《しょせい》の肉身、煩悩具縛《ぐばく》の身、即《そく》本有常住の如来となるべし」

と日蓮上人は説いておられる。

そして本覚の如来であることが分れば、大宇宙の高みで法を説かれる釈迦如来と多宝如来の虚《こ》空会《くうえ》に加わることができ、やがてはすべての仏が自分だということに気付く。

本尊曼荼羅はこの虚空会の様子を表したものであり、お題目はそこに至る乗り物である。

等伯は幼い頃から叩き込まれた教えを思い、日通とともに勤行にはげむようになった。そうするうちに自分の苦しみや絶望を相対的にとらえることができるようになり、新しい気力がわき上がるのを感じた。

等伯はもう一度絵筆をとり、山水図の中心をなす雪山と霧に煙った松林を新たな気持で描き始めた。

雪山こそ釈迦如来と多宝如来。そこに向き合う松は諸仏であり庶民であり、他界して魂となった者たちである。そしてこの絵が人を悟りにいざなう曼荼羅であり、自分そのものなのだ。

等伯はこれまでとはちがう意識で絵と向き合い、生涯を賭けて画業に打ち込んできた理由が分った気がした。

めざす絵は半月ばかりで仕上がった。

祥雲寺の書院に描いたものより格段に良くなっている。狙い通り牧谿より重く湿気のある霧がたちこめているが、それでも何かがちがっていた。

それが何か分らないまま迷路に入り込み、出口を求めてさまよっている間に、時は刻々と過ぎていく。伏見城が完成し、秀吉の移徙が八月一日と定められた。

残る日数はあと半月だと日通が告げたが、等伯はすでに時間の感覚と無縁の境地に入っていた。

虚空会に加わる如来の一人になり、虚空会そのものが自分だという悟りに向かって一心不乱に唱題《しょうだい》していると、ある時目の前に霧の情景が広がった。

山水図に描いた七尾の海である。だが空気が厳しく張りつめ、松林も風に吹きさらされて力なくうなだれていた。

（ああ、あの日の朝だ）

十一歳の時、等伯は実の父から長谷川家に養子に行けと告げられた。

商家に養子に出されるのは、武士として失格だと烙印を押されたからだ。等伯はそう思い込み、辛さと悲しみに打ちのめされて明け方に家を飛び出した。

冬の初めの冷え込みはきつく、七尾の海には一面に気嵐《けあらし》が立ちこめていた。

温かい水面から立ちのぼる蒸気が、冷やされて霧になっていく。後から後からわき立つ霧が、北風に吹き散らされて濃淡さまざまにただよっていた。

寒風に吹きさらされた浜辺の松は、遠ざかるにつれて気嵐の中に消えていく。それは死んだ者や失意の者たちが、黄泉《よみ》の国に向かう姿のようだった。

等伯は不思議な世界に迷い込み、気嵐の中に立ちつくした。いつの間にか悔しさや怒りは消え去っていた。ただ天地の間にたった一人で投げ出されたような、寒々とした孤独にとらわれた。

人は独《ひと》りで生まれて独りで死ぬ。その現実を突き付けられて足がすくんだが、風に吹かれて刻々と姿を変える気嵐を見ていると、心がしんと鎮まっていった。

何か温かいものに体を包まれ、信じたままに歩いてみよと背中を押された気がした。

あの日から今日まで、等伯は画業の道を歩きつづけた。どんなに辛い時も決して絵筆を捨てなかったのは、心の奥底にあの気嵐があったからだ。

（あの景色こそが、初めて触れた虚空会だった）

等伯は忽然《こつぜん》とそのことに気付き、勤行を中座して作業場に向かった。

山水図の襖絵の前に立ってみると、何が足りなかったか一目で分った。これは久蔵と見た春先の霧である。だが心の底にあるのは、幼い頃に見た気嵐の光景だった。

空気の冷たさがちがう。松に吹きつける風の厳しさがちがう。霧の流れ方がちがう。そして何より、これが虚空会だと受け取った直感が表現しきれていなかった。

在りのままの実相を描き、悟りの世界にいざない、見る者すべてに己れに通じるものがあると感じさせる。それができて初めて、あの日の朝の思いが成就する。

等伯は山水図の前に下絵用の紙をおき、どんな風に描けばそれが表現できるか試してみた。

まず中心にある雪山を描いてみた。薄い墨をぬって霧がかかった様子を現し、左右に開いた稜線を引いてみる。そうして竹筆の先で点々と突いて霧の濃淡を加えてみると、はるか向こうに見える雪山が鮮やかに姿を現した。

次に右下に向かって山を下り、遠くに見える松を描いてみた。一枚の紙では足りないので、次々と紙をつぎ足し、手前に近づくにつれて色を濃くしながら描き進めていく。これも上々の出来で、途中でやめるのが惜しくなった。

等伯は四枚の紙を縦にならべ、一番前に立つ二本の松を描いた。冬なお豊かに葉を茂らせてた

たずむ松は、養父宗清のようである。その横に静かに寄り添う松は養母のお相《そう》である。

そうしたことを思いながら描いていると、筆が勝手に走り出した。

猛烈な速さで竹筆をふるって松の葉を描き、筆の先を突いて霧の濃淡をつけていく。雪山の右下の松林ができ上がると、つづけて左下にかかった。

まるで幼い頃に砂浜に絵を描いていた頃のようである。感興《かんきょう》にさそわれるままどこまでも紙をつぎ足し、描き終えたものは部屋の隅に押しやる。そうして新たな紙を引き出して描くのだが、頭の中では一枚の絵としてつながっているので何の不便も感じなかった。

描こうという欲はない。ただあの日の光景に驚嘆しながら、歓喜に突き動かされて写し取ろうとしているばかりだった。

「明りをお持ちいたしました」

寺の小僧が燭台《しょくだい》を持ってきた。日が暮れて不自由だろうと、日通が気を利かせたのだった。

「ありがたい。そこに置いてくれ」

床の間の前に置かせ、近くに寄ってわき目もふらず描きつづけた。

時間も疲れも忘れはてている。眠気も空腹も感じない。忘我の境地でひたすら筆を走らせていると、涼を取るために開け放った窓から風が吹き込み、ろうそくの火を吹き消した。

部屋が真っ暗になった。月や星の明かりもない漆黒《しっこく》の闇だが、等伯は何の不便も感じなかった。

もはや目で見ようとはしていない。脳裡に像をむすんだ光景を心眼でとらえながら、闇の中でひたすら筆を走らせた。

静まり返った寺の中で、竹筆が紙をこする音だけが大きく聞こえている。それが筆の音とも気付かないまま一心不乱に描きつづけ、完成と同時に気を失った。

どれほど時がたったのだろう。気が付いた時には枕許に日通と清子が座り、心配そうに顔をのぞき込んでいた。

「お目覚めになりましたか」

日通が語りかけた。福耳のおだやかな顔が菩薩に見えた。

「私は、いったい」

どうしていたのか、まったく思い出せなかった。

「三日三晩も絵を描きつづけ、そのまま気を失われたのです」

「本当ですよ。いつも無茶ばかりして」

清子がほっと安堵の息をつき、泣き笑いの顔をした。

「そうだ。山水図の下絵を描いていた。そのうちに夢中になって」

「大判の紙に三十三枚も描いておられました」

「我を忘れてなぐり描きに描いてしまいました。こちらで片付けて下されたのでしょうか」

「見てみますか。ご自分で」

日通が謎をかけるような笑みを浮かべ、隣の仕事場に向かって「もういいでしょうか」と声をかけた。

「ちょうど仕上がったところでございます」

千之助の声がして、ふすまが両側から開けられた。

部屋の真ん中に、雪山と松林を描いた屏風が立ててあった。

「こ、これは……」

等伯は驚きに息を呑んだ。あの日の朝の気嵐の光景が、在りのままに写し取られている。そのまま景色の中にとけ込み、虚空会まで連れていかれそうだった。

「これほどの絵を、いったい誰が」

「長谷川さま、あなたですよ」

「これを、私が？」

等伯は力なく笑った。からかわれていると思った。

「本当です。この三日間、寝食を忘れて描いておられました」

等伯が倒れたと聞いて駆けつけた日通は、おびただしい下絵を見て目をみはった。

一枚一枚に輝くばかりの命が宿っている。山水図を描こうとして虚空会にまで突き抜けたことを、一目で理解したのだった。

「そこで千之助さんと茂造さんを呼び、絵の位置を確かめながら屏風に張り付けてみたのです。これで間違いないでしょうか」

「たしかにこんな絵を描きたいと思っていましたが、たった三日で仕上げられるはずがない。それに今の私には」

これほどの腕はないと思った。それほど見事な出来だった。

日通はいぶかしげな顔をして等伯の目をのぞき込み、

「長谷川さま、ご無礼をいたします」

額に手を当てて異常がないかどうか確かめた。

「熱はないようだ。ここがどこだか分りますか」

「妙法寺さんでしょう。分りますよ」

「それならどうして、ご自分で描かれた絵を覚えておられないでしょうか」

「さあ、そう言われても」

「お前さま、これを持ってみて下さい」

清子が道具箱から竹筆を持ってきた。

それを持った瞬間、等伯の五体に松林図を描いた感触がよみがえった。間違いない。無心のうちに新しい境地にたどりついたのである。

「長い間よくご精進なされましたね」

久蔵さんもきっと喜んでくれるだろうと、清子が目頭を押さえた。

「ありがとう。みんなが支えてくれたお陰だ」

「この絵を伏見城にお持ちになりますか」

日通がたずねた。秀吉の移徙まであと三日と迫っていた。

「ああ。これなら首を賭けても悔いはない」

「その前に見ていただこうと、大徳寺の春屋長老を呼んでいます。もうすぐ来ていただけると思いますが」

その言葉を待っていたように、取り次ぎの小僧が長老の来訪をつげた。

「いやはや。不肖の弟子は命を削る鉋《かんな》じゃ。いつまでも面倒をみなならん」

春屋宗園が聞こえよがしに言いながら入ってきた。よれよれの麻の小袖を着て、年老いた農夫のような姿をしていた。

「長老さま、ご足労をいただきかたじけのうございます」

日通は宗園の門外の弟子である。求道者としての生き方ばかりか、美術、工芸の観識眼にも深い信頼を寄せていた。

「どれ、これがその絵か」

宗園は屏風の前にふらりと立ち、じっと絵にながめ入った。

ややあって少し後ろに下がり、さらに大きく下がり、改めて近付いてみる。そうして低くうなり声を上げたなり、絵の前から動こうとしなかった。

等伯はどう評してもらえるか緊張して待ったが、何も語ろうとしない。半時ばかりも絵に見入ってから、

「眼福にあずかった。初めてこやつが寿命を延ばしてくれよったわい」

等伯の頭をひと撫でしてすたすたと帰っていった。

気嵐の朝に背中を押してくれた手のように温かい。等伯はあの日とこの日をつなぐものがある

と感じ、宗園の背中に向けて手を合わせた。

「それではこの絵に我らの命運を賭けましょう。千之助さん、持ち運べるように箱を用意して下さい」

日通も当日同行し、等伯と運命を共にするつもりになっていた。

「ちょっと、ちょっと待ってくれ」

屏風を仕舞いかけた千之助を制し、等伯は筆をとって左側の松の根を描き加えた。根の数が足りないような気がしたからだが、立てた屏風から墨がたれただけでさしたる効果はなかった。

「すみません。業が深くて」

清子が肩をすぼめて誰にともなく謝った。


秀吉の移徙は八月一日。八朔《はっさく》の日の辰の刻からおこなわれた。

数千の軍勢に守られた一行は、聚楽第を出て大和街道を南に向かい、指月山《しげつ》にきずいた伏見城に入った。

宇治川ぞいの指月山は、古くから月見の名所として知られたところである。秀吉はここに利休好みの侘《わ》びた城をきずき、隠居所にするつもりだった。ところが明使との和平交渉をこの城ですることになり、日本の国威を示すために豪華で大規模なものに変更したのだった。

秀吉の一行が着いたのを確かめて、等伯は伏見城の搦手門《からめて》をたずねた。日通上人や千之助、茂造らも同行したが、城に入ることを許されたのは等伯一人だった。

名を告げて、松林図の入った箱を警固番に引き渡すと、

「長谷川さま、お待ち申しておりました」

大紋姿の恰幅のいい武士が迎えに出た。

紋は二引両。ひげをたくわえた堂々たる顔立ちは、等伯が描いた畠山義続にそっくりだった。

「あなた様は、もしや」

「畠山義続の次男、義春と申します。本日は大事の登城とうけたまわり、警固役をつとめさせていただくことになりました」

義春は秀吉の家臣となって仕えているが、等伯のことを聞いて警固役を志願したのである。

「父や兄、姪《めい》のお夕が大変お世話になりました。せめてご恩を返したいと、太閤殿下にお願い申し上げたのでございます」

「この絵がお気に召さなかった時のことは、お聞きおよびでしょうか」

「その時は、それがしが介錯させていただくことになりましょう」

義春はすべてを知りながら警固役を願い出たのである。覚悟の定まった落ち着き払った物腰は、越中の楡原村で会った頃の義続によく似ていた。

案内されたのは控えの間だった。ふすま一枚へだてた大広間では、移徙を祝う酒宴が行なわれている。招かれた百名ちかい客たちが談笑する声が、ざわめきのさざ波となって聞こえてくる。

時折はなやいだ女の嬌声《きょうせい》がまじるのは、淀殿に従ってきた侍女たちが酌をしているからだった。

「そろそろでございます。ご用意を」

義春にうながされ、等伯は松林図屏風を入れた箱の蓋《ふた》を開けた。義春の家臣二人が介添えをつとめ、屏風を立ててくれることになった。

「それでは皆の者、前々からの約束じゃ。本日の引出に絵を披露いたす」

酒に酔った秀吉が、機嫌のいい声を上げた。

あたりがしんと静まり、控えの間のふすまが両側から引き開けられた。

百畳ちかい大広間は目もくらむばかりの豪華さだった。左右には松や虎の金碧《きんぺき》障壁画がつらなり、折り上げ格天井《ごうてんじょう》にはひとつひとつに色鮮やかな花を描いている。

秀吉と淀殿と拾丸が座った上段の間の後ろには、狩野永徳が描いたものより二倍も大きな唐獅子図が描かれ、居並ぶ者たちをにらみつけていた。

等伯は深々と平伏し、許しを待ってから下段の間の中央に進んだ。

まるで黄金の箱のような大広間も、秀吉も淀殿も有力大名たちも、もはや眼中になかった。天空の高みで法を説かれる如来の姿を思えば、この世をうつろう影としか見えなかった。

「長谷川等伯でございます。お申し付けの絵を持参いたしました」

等伯の言上を待って、介添えの二人が屏風を開いた。

縦五尺二寸、横十一尺八寸の六曲一双の屏風を立てると、霧におおわれた松林が忽然《こつぜん》と姿を現した。霧は風に吹かれて刻々と動き、幽玄《ゆうげん》の彼方へ人の心をいざなっていく。

それは絶対的な孤独を突き抜け、悟りへとみちびく曼荼羅である。この絵が与える真実の安ら

ぎの前では、絢爛豪華な障壁画や唐獅子図は色を失っていくようだった。

大広間は寂《せき》として声もない。秀吉も淀殿も徳川家康、前田利家ら錚々《そうそう》たる大名たちも、魂を奪われたように松林図に見入っていた。

「等覚一転《とうかくいってん》名字妙覚《みょうじみょうかく》やな」

上座についた近衛前久が誰にともなくつぶやいた。

「等伯一転、何がどうしたとおおせかな」

秀吉が急に我に返ってたずねた。

「観足下《かんそっか》ということや」

「初心にかえる。初一念に立ちもどるということでございます」

秀吉に恥をかかせまいと、石田三成があわてて耳打ちした。

空気を圧する静けさにおびえたのか、もうすぐ満一歳になる拾丸が淀殿の胸にしがみついて憤《むずか》りはじめた。

若い盛りの淀殿には、松林図の奥深さはまだ分らない。年長者ばかりの酒宴に気詰りになっていたこともあって、この機をとらえて席を立った。三成が気遣って後を追おうとした。

「無用じゃ。すておけ」

秀吉は淀殿のわがままに腹を立てた。

三成は一瞬迷ったが、一礼して席を立った。

秀吉は憎悪に満ちた目で三成をにらみつけ、何か言いたそうにしたが、狭量《きょうりょう》をさとられまい

と金の大盃をゆっくりと口に運んだ。

「わしは今まで、何をしてきたのであろうな」

ひと息に飲み干し、深いため息とともにつぶやいた。

「拙者とて同じでござる。心ならずも多くの者を死なせてしまいました」

家康が涙を浮かべ、人目もはばからずに懐紙でぬぐった。

それを合図にしたように、方々からすすり泣きの声が上がった。

戦国の世を血まみれになって生き抜いてきた者たちが、松林図に心を洗われ、欲や虚栄をかなぐり捨てて在りのままの自分にもどっている。

思い出すのは非業の死をとげた家族や仲間、非情の腕をふるわざるを得なかった辛さだった。

「信長公は容赦のないお方であった。貴公もさぞ……」

秀吉が家康にいたわりの目を向けた。信長に命じられて、正室の築山御前と嫡男の信康を犠牲にした心中を思いやったのである。

「それは殿下も同じでございましょう。刃《やいば》の上を渡る日々に、よくぞ耐えてこられた」

「その通りでござる。我らも何度、もはやこれまでと思ったことか」

前田利家が苦笑しながら首をなでた。

「龍山公、参り申した。ご慧眼《けいがん》のほど、感服いたした」

秀吉が近衛前久に盃をさし出した。

「これは信春の手柄や。まずあの者にお回し下され」

「そうじゃな。絵描き、誉めてとらす」

秀吉は等伯に歩み寄り、久蔵の一件も忘れてはおらぬと、手ずから盃を渡した。

「かたじけのうございます」

等伯はうやうやしく応じたが、もはや訴状のことは忘れていた。松林図を描けたことが、久蔵への何よりの供養だった。


それから十六年の月日が流れ、等伯は七十二歳になった。

古希《こき》を二年もすぎたのだからまれにみる長寿と言うべきである。天下一の絵師を夢見て郷関《きょうかん》を出てから、すでに四十年が過ぎていた。

等伯の晩年はおだやかだった。松林図を描いて以来名声は確固たるものになり、各方面からひっきりなしに注文が来るようになった。

妙心寺隣華院《りんかいん》に「山水図」を、大徳寺真珠庵には「商山四皓図《しょうざんしこうず》」を、南禅寺天授庵には「禅宗祖師図」を描いたし、春屋宗園や千利休の肖像画も手がけた。

こうした功績が認められて、慶長十年（一六〇五）には朝廷から法眼《ほうげん》に叙され、名実ともに天下一の絵師になった。

了頓図子の能登屋も好調で、狩野派をしのぐ仕事量と弟子の数を誇っていた。

七尾の長谷川家から宗宅を養子にむかえて後継者としている。宗也（新之丞）と左近（久太郎）も二十一歳と十八歳になり、一角《ひとかど》の仕事ができるようになっていた。

等伯はこの五、六年、第一線からしりぞいていた。

六年前に妻の清子《せいこ》に先立たれたことがこたえている。天井画を描いている時に足場から落ちて以来、筆が思うように動かなくなった。

それに跡継ぎを育てるためにも、余計な口出しをするまいと己れを戒めていた。

「父上、荷物はこれだけでよろしいでしょうか」

宗也が荷造りした一覧表を持ってきた。

徳川家康から招かれ、明日江戸に向かうことにしている。これは長谷川派を御用絵師に取り立てるという内意をふくんだ話なので、各方面への進物だけでも結構な数になった。

(清子がいてくれたら)

こんなにわずらわされることもないと思いながら、等伯は一覧表の確認を終えた。

御用絵師の座を望んでいるわけではないが、子供たちと一門のために一応の道筋はつけておいてやりたかった。

江戸までは遠い。あるいは二度と京都に戻れないかもしれないと思うと、急にやり残したことがあるような気がしてきた。

「ちょっと杖を曳《ひ》いてくる」

等伯は言葉通り杖を持ち、三条通を東へ向かった。

二月初めの京の町は、ひんやりとした空気に包まれている。道端や寺社の境内には、まだ雪が消え残っていた。

等伯は堀川通を北に向かい、二条城の脇にさしかかった。

家康が築いた城には、あたりを圧するように高い塀がめぐらされ、深い堀をうがってある。信長の二条城や秀吉の聚楽第とはちがう武張った造りだった。

この十六年の間に、世の中はめまぐるしく変った。

等伯が松林図を描いた四年後には、秀吉が六十三歳で身まかった。関白秀次を無実の罪で自決させ、朝鮮への再出兵を行ない、政権への支持と信頼を失墜させた末の他界だった。

その二年後には関ヶ原の戦いが起こった。

石田三成らは西国大名を結集し、豊臣家の大老として権勢をふるう家康を討とうとしたが、わずか一日の戦いで無残に敗れ去った。

家康はそれから三年後に征夷大将軍となり、江戸に幕府を開いた。それと同時に洛中の二条城を整備し、西国大名や朝廷の動きを牽制する拠点とした。

そうしてこの年、慶長十五年（一六一〇）になって、大坂城の豊臣家を力で封じ込める決意を固め、名古屋城の築城に着手したのだった。

等伯は一条通を東に向かい、仙洞御所の前に立った。

塀の向こうで八重桜の大木が枝を広げている。等伯にとって故郷をしのぶよすがとなった八重桜が、今年も変わらずつぼみをつけていた。まだふくらみかけたばかりだが、等伯には満開の様子をつぶさに思い描くことができた。

祖父の無分が七尾の家に株分けした桜を見慣れているし、上洛してからは何度もここに足を運

んでいる。それに祥雲寺に久蔵が描いた桜図が、脳裡に焼きついていた。

　等伯はしばらく塀の下にたたずみ、堀川寺の内の本法寺へ向かった。

『等伯画説』を書き残してくれた日通は、二年前に他界している。だが久蔵の七回忌に描いた仏涅槃図を寺に奉納しているので、もう一度見ておきたいと思った。

「それは困りましたな」

　応対に出た若い僧があからさまに顔をしかめた。大きすぎて本堂に掛けるのは容易ではないという。

「ご本堂の床に、広げていただくだけで構わないのですが」

「そうですか。しばらくお待ち下さい」

　若い僧が住職に相談してくると奥へ下がった。日通が他界して以後、本法寺とも疎遠になっている。僧の中には等伯の名前さえ知らないものがいるのだった。

　幸い住職は好意的で、法要の時と同じように大本堂に掛けてくれた。

　縦五間三尺（約十メートル）、横三間二尺（約六メートル）もある大涅槃図は、描いた時のままの鮮やかさを保っていた。

　息を引き取ったばかりの釈迦のまわりで、五十五人の弟子や縁者、諸天たちが悲嘆にくれている。象や獅子、虎や犬まで深い悲しみに頭《こうべ》をたれている。天に向かって真っすぐに伸びる八本の沙羅双樹《さらそうじゅ》の葉は枯れて色を変え、夜空には満月がぽっかりと浮かんでいた。

　等伯はこの仏涅槃図を、世の実相を表す曼荼羅として描いた。いかに釈迦でも生老病死の苦は

さけられず、それを嘆いたところでどうなるものでもない。だが人は本覚の如来として生を享けているのだから、そのことに気付きさえすればたちどころに救われる。

夜空に浮かぶ満月は無常の象徴ではなく、虚空会における如来の姿である。等伯はそう解釈し、亡くなった養父母や静子、清子、久蔵らの冥福《めいふく》を祈りながら涅槃図を描いた。絵の背面に一同の名前を書き込んでもらったのは、皆で虚空会につらなりたいと願ってのことだった。

さりげなく自画像も描き込んでいる。一番左の沙羅双樹の根本に座り込み、緑色の僧衣を着て頬杖をついている男がそれである。画面の下に洋犬のコリーやサルーキを登場させたのは、堺にいた頃に宣教師たちが連れ歩いているのを、久蔵と二人で素描した思い出にちなんだものだった。

等伯は半時ばかりも涅槃図と向き合い、来し方に思いを馳せた。

思えば自分の生涯は死んだ者たちによって支えられている。日頃は供養も忘れがちだが、この絵を残せたことで少しは恩返しができた気がした。

夕方店にもどると、珍らしい来客があった。明日江戸へ発つと聞いて、長谷川宗冬が七尾から駆けつけたのだった。

「師匠、ご無沙汰をいたしました」

宗冬は等伯から等誉という名をさずけられて以来、時々都に来て教えを受けている。今や北陸では名を知られた絵仏師になっていた。

「鮭《しゃけ》を一本持参いたしました。後で塩抜きして、鍋にいたしましょう」

「それは有難い。潮汁《うしおじる》にもしてもらいたいものじゃ」

等伯はさっそく一献傾けることにした。

七尾の長谷川一門とは長く絶縁していたが、宗冬のおかげで良好な関係が保てるようになった。宗宅を養子にしたのも、宗冬が勧めてくれたからだった。

「宗宅はどうでしょう。少しはお役に立つようになったでしょうか」

「よくやってくれておる。本当は江戸につれて行きたいのじゃが、こちらの切り盛りをする者が必要でなぁ」

宗也と左近をつれていき、二、三年かけて江戸長谷川派を立ち上げるつもりである。京の能登屋は宗宅に任せることにしていた。

「私も去年、本延寺さんに涅槃図を納めさせていただきました。師匠の足許にも及びませんが、一度見ていただきたいものです」

やがて宗宅が土鍋で煮た鮭を運んできた。蓋を開けると、温かい湯気とともに七尾の海の香りが広がった。

宗也と左近も出発の仕度を終え、食卓を囲んで酒宴に加わった。

「洋子さん、肴《さかな》はもういいから、あなたもここに来て座りなさい」

こんなに旨い鮭はめったにないと、等伯は宗宅の嫁に気を遣った。

すでに三歳の息子がいて、二人目の子を身籠っている。長谷川派の未来を託せる者たちが、たくましく成長しつつあった。

翌朝、等伯は江戸に向けて出発した。

歩いていくつもりだったが、子供たちが四人立ての大きな駕籠を用意していた。前後に二十数人の弟子が従い、まるで貴人の行列のようである。

等伯は駕籠の戸を細目に開けて都大路をながめながら、静子と久蔵をつれて七尾を出た日のことを思った。

あれから四十年、長いようにも一夜の夢のようにも思える。絵師として歩んだ道に悔いはないが、生まれ変ったらもう少しいい絵が描けるようになりたかった。

（これが最後になるかもしれぬ）

等伯は戸を開け放ち、都の情景を目に焼きつけておこうと、太股《ふともも》の上で素描の指を走らせた。

早春の風が耳をかすめて吹きすぎていく。新芽《しんめ》の匂いのする風の中から、ふと清子の声が聞こえた気がした。

「すみません。業が深くて」

（完）

あとがき

いつかは安土桃山時代の絵師について書きたいと思っていた。

戦国時代を舞台にした小説をいくつか書いてきたが、信長や秀吉、家康などは遠い歴史の彼方にある印象が強く、実態に迫るのはなかなか難しい。しかし絵師なら多くの作品が残っているので、四百数十年の時をこえて直《じか》に対話することができる。

久しく前に画家の西のぼるさんにそんな話をしたところ、「それなら長谷川等伯を書いて下さい」と間髪入れずに申し出があった。等伯は西さんの郷里の能登の出身で、国宝の松林図屏風を残した傑出した画家だという。調べてみると確かに面白い。三十三歳の時に一流の絵師をめざして郷里の七尾を出たことや、当時の絵画界の権威であり支配者だった狩野派に悍然《かんぜん》と挑戦したところなど、共感せずにはいられない熱いドラマに満ちている。

しかも松林図屏風の存在感は圧倒的だった。東京国立博物館の等伯展で初めて本物を見た時には、衝撃と感動のあまりしばらくその場を動けなかった。

（こんな凄い絵師を、どうしたら小説に描けるのだろう）

日経新聞に連載している間も、その疑問が頭から離れなかった。そうして無心に等伯の作品と向き合う以外に、この壁を乗り越える方法はないと気付いた。

連載をはじめて二カ月後に、3・11の大震災が起こった。千年に一度といわれる天災で、多く

の方々が犠牲になった。地震と津波が原発事故を誘発し、近代文明の終わりを予感させる悲惨な状況が今もつづいている。

この現実を前に小説家に何ができるのか。そんな疑問に直面し、無力感に押しつぶされそうになった。それでも何とか書きつづけることができたのは、数々の苦難を乗り越えて松林図の境地にたどりついた等伯の強さに触発《しょくはつ》されたからである。

打ちのめされそうになった時は等伯の画集を開き、しばらく茫然《ぼうぜん》とながめることが多かった。すると不思議な生命力が伝わって、もう一度立ち上がる気力を取りもどすことができた。

執筆にあたっては、多くの方々の励ましとご協力をいただいた。

長年の盟友である島内景二・裕子ご夫妻は、全国の大学の情報網を用いて等伯に関する論文を可能な限り集めてくれた。刊行された本だけでは得られない情報に、どれだけ助けられたか分らない。

京都国立博物館の山本英男氏には、等伯の画業や安土桃山時代の絵画史について、多くのご教示をいただいた。狩野永徳が秀吉に命じられて信長の肖像画を改悪していたことも、山本氏や肖像画の修理にたずさわった方々の調査、研究によって分ったことである。

等伯を描くにあたって苦慮《くりよ》したのは、日蓮宗と法華経の教えをどうとらえるかということだった。等伯は七尾にいた頃から、日蓮宗の絵仏師として数多くの作品を残している。生家の奥村家も養子に入った長谷川家も熱心な日蓮宗の信者で、等伯自身も法華経への信仰を終生持ちつづけた。それゆえこの部分をきちんとつかまないと、等伯の人柄も作品も分らない。そう思って勉強

をはじめたが、深遠《しんえん》な法華経の教えや、峻厳《しゅんげん》にして愛情に満ちた日蓮の教えは、一朝一夕に理解できるものではない。

さあ困ったと頭を抱えていた時、まるで如来使のように現れたのが植木雅俊氏だった。植木氏は法華経を理解するために壮年になってサンスクリット語の勉強をはじめ、克己《こっき》精進《しょうじん》の末に『梵漢和対照・現代語訳　法華経』（岩波書店）を出版された。

この本のおかげで難解《なんかい》な法華経をまるで演劇の脚本のように楽しく読むことができたし、植木氏と盃を傾けながら話をさせていただくうちに、少しずつ理解が深まっていった。松林図と法華経の関係も、氏のご教示によって明確になったものである。

さし絵を担当していただいた西のぼる氏には、今回も大変お世話になった。等伯のモデルの一人は西さんである。そう言わせていただきたいほど、四半世紀におよぶ付き合いの中で多くのことを学ばせてもらった。連載中は朝一番に新聞を開き、気迫のこもったさし絵にひとしきり感心し、負けてたまるかと奮い立ったものだ。

等伯ゆかりの京都本法寺さんや堺市の妙国寺さん、取材に行った七尾市や敦賀市でも温かく迎えてもらい、貴重な資料を見せていただいた。無事に連載を終え、こうして上梓することができるのは、多くの方々のお陰である。心より御礼を申し上げ、今後の精進《しょうじん》の糧《かて》としたい。

平成二十四年七夕の日に

京都大将軍の仕事場にて

初出　日本経済新聞朝刊（二〇一一年一月二十二日〜二〇一二年五月十三日）
＊単行本化にあたり加筆修正しました。

安部龍太郎（あべ・りゅうたろう）
一九五五年福岡県生まれ。久留米高専卒。九〇年『血の日本史』でデビュー。二〇〇五年『天馬、翔ける』で中山義秀文学賞を受賞。著作は『関ヶ原連判状』『信長燃ゆ』『生きて候』『天下布武』『恋七夜』『道誉と正成』『下天を謀る』『蒼き信長』『レオン氏郷』など多数。

等伯《とうはく》　下

二〇一二年九月十四日　第一刷
二〇一三年一月二十四日　第八刷

著者――安部龍太郎
発行者――斎田久夫
発行所――日本経済新聞出版社
http://www.nikkeibook.com/
東京都千代田区大手町一―三―七
郵便番号　一〇〇―八〇六六
電話　〇三―三二七〇―〇二五一（代）
印刷・精興社／製本・大口製本

ISBN978-4-532-17114-8
Printed in Japan